W9-BQW-995

Irina Spivak
2201 Woodbox Ln.
Baltimore, MD 21209-5236

СОБРАНИЕ СОЧИНЕНИЙ

Эдуарда

ТОПОЛЬ

Китайский проезд

аст
ИЗДАТЕЛЬСТВО

Москва
2002

УДК 821.161.1
ББК 84 (2Рос=Рус)6-44
Т58

Серийное оформление и компьютерный дизайн А.А. Воробьева

Авторские права Эдуарда Тополя защищены.
Все перепечатки данной работы, как полностью, так и частично,
категорически запрещены, в том числе запрещены
любые формы репродукции данной работы в печатной,
звуковой или видеоформе. Любое нарушение закона будет
преследоваться в судебном порядке.

Подписано в печать с готовых диапозитивов 31.07.02.
Формат 84×108¹/₃₂. Печать высокая с ФПФ. Бумага
типографская. Усл. печ. л. 20,16. Тираж 5000 экз.
Заказ 3739.

Тополь Э.

Т58   **Китайский проезд:** Роман / Э. Тополь. — М.: ООО «Издательство АСТ», 2002. — 381, [3] с.

ISBN 5-17-004924-2.

Это — авантюрно-политический роман, в котором немыслимым образом соединились и переплелись вполне сюрреалистические интриги российских властных структур, таинственные планы «китайских» товарищей, невероятные приключения «американца в России», прелюбопытнейшие выборы ОЧЕНЬ КРУПНОГО государственного лица нашей страны, секс, любовь и — многое, многое еще!..

Нам, как известно, даже и дым отечества и сладок, и приятен. А вот как быть несчастным иностранцам?

УДК 821.161.1
ББК 84 (2Рос=Рус)6-44

Все события, описанные в романе, выдуманы автором и никогда не происходили в действительности. А если что-то и происходило, то не в России, а в Китае. Преступление автора состоит в том, что он, не зная реалий китайской жизни, перенес действие романа в Москву и дал некоторым китайским персонажам русские фамилии. Но главные исторические лица сумели — вопреки воле автора — сохранить свои китайские имена, хотя все совпадения китайских событий и характеров с русскими совершенно случайны и, безусловно, не имеют в виду задеть чью-то честь или, Боже упаси, достоинство. А если кто-то в России все же оскорбится своим сходством с китайцами, автор заранее приносит китайцам свои извинения.

«Никогда такого не было». Произнесение такой фразы ответчиком означает полное отрицание требований, предъявленных ему.

Вавилонский Талмуд.
Трактат Бава Меция.
Первая глава, 5-А.

ПРОЛОГ

«...стать мудрым царем ему не удавалось. Он часто нарушал волю Бога и поступал несправедливо. Поэтому Господь решил отобрать у него царство и передать другому».

(Из «Библейских рассказов»)

И нашла на него болезнь сердца, и огненная стрела боли пронзила его грудь, и возопил он к Богу:

— Неужто убиваешь меня совсем?

И был ему Глас, и сказал:

— Народ, который выбрал тебя царем, ты бросил в нищету и отчаяние, а порок стал царить на твоей земле. Через боль в сердце лишаю тебя жизни и царства.

И остановилось его сердце, и помутился разум, и дыхание пресеклось, и душа полетела к Богу, вопя:

— Господи, прости меня! Не убивай! Дай мне вторую жизнь, прошу Тебя! Я спасу Россию от нищеты, от воровства, от бандитского разграбления — клянусь Тебе! Я завяжу с алкоголем и с раздачей привилегий слугам своим! Помилуй же и верни мне жизнь, Всевышний! Я очищу Россию от скверны коррупции, я накормлю свой народ, я дам ему возможность дышать, жить и размножаться не в нищете и страхе перед государственным рэкетом и уличными бандитами, а в нормальной и спокойной жизни! Я обещаю Тебе!

И услышал Всевышний клятву его и сказал:

— Последний раз верю тебе и дарую тебе вторую жизнь. Но велики и сильны стали враги твои, которых ты же и расплодил. Отнимут они у тебя твое царство, если не пошлю тебе ангела в помощь...

ЧАСТЬ ПЕРВАЯ

1.

ДОБРО ПОЖАЛОВАТЬ!
NEW RUSSIA, WELCOME TO CALIFORNIA!
THE FIRST AMERICAN-RUSSIAN
BUSINESS FORUM
FEBRUARY 2—8, 1996
ВСЁ ДЛЯ ВАС, ДОРОГИЕ ДРУЗЬЯ!

Большой русско-английский транспарант, украшенный трехцветным российским и звездно-полосатым американским флагами, висел над входом в «Royal Marina Hotel» в Лос-Анджелесе, где компания «New Russia Invest, Ltd.» принимала сливки новой России — сто пятьдесят ведущих русских бизнесменов, банкиров и представителей московского правительства. Так, во всяком случае, гласили приглашения, разосланные Эзрой Зускиным, хозяином «Нью раша инвест, лтд.», президентам всех крупных калифорнийских банков и финансовых корпораций в надежде на то, что американские лохи с толстыми чековыми книжками в карманах толпами ринутся в «Ройял марина-отель» на деловую смычку с «новыми русскими». Но на всем калифорнийском побережье ни одна живая душа никогда не слышала о компании «Нью раша инвест» и о «профессоре» Зускине. А поскольку времена диких гешефтов, описанных О.Генри в «Королях и капусте», давно ушли в учебники менеджмента, все приглашения Зускина улетели в мусорные корзины секретарш еще до того, как лечь на столы адресатов. В мире большого бизнеса никто не тратит время на незнакомцев.

Но Зускин не унывал. Он был матерым бизнесменом одесского розлива, тертым в сибирских и американских тюрьмах, и знал: то, что американцы давно забыли вместе с романом «Короли и капуста», Россия еще и не пробовала. Так и вышло: сто пятьдесят «новых русских» легко выложили по пять тысяч долларов за право называться «cream of cream» новой России и провести три дня со сливками американского бизнеса. На эти деньги Зускин купил в «Трансаэро» сто пятьдесят билетов в Калифорнию и обратно по оптовой цене триста тридцать долларов за билет, сто пятьдесят комнат в «Ройял отель» по двести долларов за комнату на три ночи, а также восемь докладчиков из менеджмента знаменитых «Фиделити», «Дженерал электрик», «Мэрил Линч», «Юнайтед вэй», «IBM» и т.п. — по пять тысяч долларов за спич. Пятьдесят тысяч Зускин заложил на аренду конференц-зала, работу переводчиков, транспорт, телефонные разговоры и прощальный банкет в ресторане «Русский медведь» в Западном Голливуде, сорок тысяч — на выступление Доналда Трампа на открытии форума и тридцать тысяч — на развлечения в Лас-Вегасе знаменитого мэра Москвы Йю Лу Жжа, который должен был прилететь во главе русской делегации и стать главной приманкой для американских деловых кругов и представителей прессы.

Таким образом, после всех расходов Эзра Зускин, больше известный в России по своим юношеским кличкам «Скрипач» и «еврей Зус», должен был одним ударом положить в карман как минимум полмиллиона хрустящей зелени. Но когда вам везет, то везет во всем. Доналд Трамп и за сорок тысяч долларов не смог, видите ли, выкроить время для двадцатиминутной речи на форуме, а Йю Лу Жж в самый последний момент демонстративно отказался от поездки в США — обиделся на американского посла в Москве, который не выдал визы сорока трем членам русской делегации. Узнав о таком афронте американцев, Йю Лу Жж позвонил послу и спросил, в чем, собственно говоря, дело, он везет в Америку сливки российского бизнеса, какого черта американское посольство урезает его делегацию на треть? «Я не отчитываюсь перед вами за свои решения, сэр, — ответил ему посол. — У нас свои правила выдачи въездных виз в нашу страну». «В таком случае, *сэр*, — язвительно сказал Йю Лу Жж, — можете и мою визу засунуть туда, куда вы засунули эти сорок три!» И бросил трубку.

Как ни странно, на американца это произвело сильное впечатление. То ли он тут же вспомнил, на чьей, собственно говоря, территории расположено его посольство и как запросто может мэр перекрыть американским дипломатам воду, свет, газ и прочие удобства в этой и без того недоцивилизованной стране, то ли просто испугался осложнений отношений с будущим, по всем прогнозам, преемником Ель Тзына на президентском посту. Как бы то ни было, но факт остается фактом: уже через два часа специальный курьер доставил в Московскую мэрию американские въездные визы на все сто пятьдесят членов делегации. Но было поздно: Йю Лу Жж, обидчивый, как все китайцы невысокого роста, никогда не менял своих решений. И тем самым — на пару с Доналдом Трампом — сэкономил Зускину еще семьдесят тысяч долларов.

Впрочем, Первый американо-российский бизнес-форум от этого не пострадал. Сто пятьдесят «новых русских» были людьми с понятием в бизнесе, они замешивали в России и не такие «пирамиды», а потому, отсидев в конференц-зале первые три часа, они легко простили еврею Зусу его маленький, всего на полмиллиона, гешефт и после обеда дружно смотались из Лос-Анджелеса в Диснейленд, Лас-Вегас и на Гранд-Каньон. В конце концов, не так уж болезненна потеря пяти тысяч долларов, если за эти деньги вас из морозной Москвы выманили не в Чечню и не в Воркуту, а в солнечный Лос-Анджелес, откуда всего за сотню долларов можно сгонять в Лас-Вегас, а за двести — полетать на вертолете над Гранд-Каньоном.

Но там, где ленятся развернуться именитые киты капитализма, вроде Трампа и Линча, всегда находят свой маневр рыбки поскромней. И потому пока основная масса русских делегатов Первого американо-российского бизнес-форума заседала за зелеными столами лас-вегасских казино или без устали здоровалась там с «однорукими бандитами», кое-какие деловые американо-российские встречи все-таки состоялись.

Mr. Vincent FERRANO
President
Safe Way International Inc.

Визитная карточка была на дорогом, с водяными знаками пластике, с указанием трех телефонов и двух факсов в Лос-Анджелесе и в Эль-Сантро и престижного, с именем владельца, номера в E-mail. Но, конечно, не водяные знаки и не код в Интернете заставили «профессора» Зускина при виде этой карточки тихо охнуть и побледнеть, как от сердечного укола, а потом вскочить из-за стола в гостиничном штабе форума и с распростертыми объятиями поспешить навстречу «дорогому» гостю:

— Vinny! Oh, my God! Как ты меня нашел? Мы не виделись вечность!

— Двенадцать лет, — уточнил посетитель. Он был скорее маленького, чем среднего роста, скорее пятидесяти лет, чем шестидесяти, скорее плотный, чем толстый, и, похоже, весьма богат — на нем был светлый костюм от «Армани», темная рубашка от «Версачи», туфли от «Балли», «Ролекс» на руке, а на загорелой шее и на безымянных пальцах — золотая цепочка и перстни от «Тиффани». С таким подчеркнутым шиком одеваются либо те, кто относится к себе с большим уважением, либо те, кто хочет внушить это уважение окружающим.

— Двенадцать лет?! Неужели?! — воскликнул Зускин. — Да, ты прав! Двенадцать лет! Но ты великолепно выглядишь! Даже лучше, чем тогда! Садись! — Зускин сам подвинул гостю кресло. — Что ты пьешь? Джин? Виски? Коньяк?

— Кровь, — сказал гость, садясь.

— Что??? — поперхнулся Зускин, но тут же рассмеялся: — Винни, ты все тот же! «Кровь»! Боже, я уже забыл твои шутки! Но если бы не они...

— Cut the shit! (Заткнись!) — сухо перебил его Винсент. — Ты мой должник, ты помнишь?

— Винни! — Зускин укоризненно заглянул гостю в глаза. — Я тебе жизнью обязан! Даже мои внуки знают об этом! Твое имя как икона в нашем доме! Я просто не знал, как тебя найти! Все-таки что ты пьешь? Кофе? Апельсиновый сок?.— Он суетливо подошел к небольшому холодильнику у огромного, во всю стену окна. За этим окном открывался роскошный вид на залив Марина-дел-рэй и на сонмище яхт, дремлющих там под теплым калифорнийским солнцем. — У меня есть прекрасный русский квас! Ты такого не пробовал! Прямо из Москвы! На алтайском меду!..

— Come on, — негромко остановил его Винсент и кивком указал на кресло за письменным столом, где высились чугунный бюстик Моцарта, два скрещенных русских и американских флажка, стопки роскошных буклетов компании «Нью раша инвест, лтд.» и семейные фото хозяина. — Сядь! — приказал Винсент Зускину.

Зускин, враз потускнев, послушно сел в кресло. Произнес обреченно:

— О'кей, Винни! Что я могу сделать для тебя?

— Двести тысяч сегодня и еще пятьсот завтра. В долг. На год. Под десять процентов.

Зускин изумленно захлопал глазами.

— Винни, ты шутишь? Я в жизни не видел таких денег!

— Что? — Винсент повернулся к нему левым ухом, он был глуховат на правое.

— Я в жизни не видел таких денег, клянусь! — повторил Зускин.

— А этот форум?

— Он меня разорил, Винни! — воскликнул Зускин. — Пойди посмотри: ни один американский лох не явился!

— Fuck you! — обложил его Винсент.

— Клянусь внуками! Винни! Чтоб я так жил!..

Винсент сунул руку в карман пиджака, вытащил из него стандартный конверт фотолаборатории «Кодак» и швырнул на стол пачку цветных фотографий, веером разлетевшихся перед Зускиным.

— Этими внуками? — сказал он и вдруг вскочил, с неожиданной прытью и бешенством обежал вокруг стола и своими короткими, но мощными пальцами в золотых перстнях схватил Зускина за горло, с силой ткнул мордой в фотографии: — Этими внуками ты клянешься, сука?

На фотографиях действительно были чудные малыши в возрасте от полутора до пяти лет — играющие во дворе прелестного двухэтажного особняка... плавающие в бассейне перед еще одним домом в горах... катающиеся на пони и на санках... Клясться такими ангелами, да еще лживо, было грех.

— Fuckin' scum! — остервенело закричал Винсент. — Потрох ебаный! Внуками клянешься? Разорил тебя этот форум? Я помню твои клятвы! Я тебе за них счас яйца на уши намотаю!

И словно вдохновленный этой литературной метафорой, он левой рукой вздернул Зускина за шиворот над креслом, а правую просунул ему сзади меж ног, ухватил за пах и стал воплощать метафору в жизнь с такой силой, что Зускин, распахнув хрипящий рот, задохнулся от боли.

— Ну? Помнишь, как ты клялся быть мне братом? — в бешенстве тряс его Винсент. — Помнишь, как умолял спасти твою белую жопу? И я тебя спас! От самого большого члена Риверсайдской тюрьмы, верно? Ты помнишь ту черную колумбийскую залупу? Она была больше полицейской дубинки! Ты помнишь, кто тебя спас от нее? Помнишь?

— Да... да... — хрипел Зускин. — Ты, Винни... Ты...

— Громче! Я не слышу правым ухом!

— Ты, Винни!

— И кто двенадцать лет прятался от меня? Кто? Говори!

— Я, Винни. Я...

Неожиданно Винсент выпустил Зускина, как дети роняют на пол надоевшего кролика или щенка. И подошел к холодильнику, открыл его.

12

— О'кей, что у тебя тут?

Вытащил темную бутылку с этикеткой «Russian Kwass», посмотрел на нее с сомнением, поставил обратно и взял банку с тоником. Откупорил и стал жадно пить, кося глазом на Зускина. Тот валялся на полу, поджав в коленях ноги и обеими руками нянча в пригоршнях свою едва не оторванную мошонку.

— Сам виноват... — произнес Винсент меж глотками, отирая губы и стараясь не закапать тоником свою рубашку от «Версачи» и пиджак от «Армани». — Я пришел к тебе, как к брату. А ты меня сразу вывел из себя. — Он небрежным жестом вздернул Зускина с пола в кресло. — Ладно, не прикидывайся, будто у тебя там есть что оторвать. Слушай. Я проиграл колумбийцам свой бизнес. Если до конца недели я не отдам им хотя бы половину долга, мне придется откупаться от них этими фотографиями. С адресом твоего дома в Санта-Монике и виллы в Пасадене. Ты понял? А у колумбийцев нет чувства юмора, ты же знаешь. Когда они возьмут твоих внуков за яйца, то уже не отпустят...

Что-то в голосе Винсента сказало опытному Зускину, что Винсент не шутит и не берет его на понт. Он живо представил, что будет с его любимыми внуками, попади они в руки колумбийской мафии. И разом покрылся холодным потом.

— Сколько? — спросил он негромко.

— Я же сказал: двести сегодня и еще пятьсот до конца недели.

— Но это невозможно, Винни...

— В долг! Под десять процентов! — Винсент уже не требовал и не просил, а умолял его действительно как брата. — Ровно на год, Эзра! Я отдам, поверь! Иначе мне конец! Ты же обещал быть мне братом!

— У меня нет таких денег, клян...

— Опять? — перебил Винсент, тут же вскипая. — Лучше не клянись, сука! Сколько ты можешь дать?

— Не знаю... — протянул осторожный Зускин, его карие глаза забегали, как цифры в счетной машине. — Десять тысяч... — И тут же поправился: — Двадцать, Винни! Двадцать пять...

Но Винсент даже не счел нужным удостоить его взглядом. Он подошел к письменному столу, украшенному бюстом Моцарта, буклетами фирмы «Нью раша инвест, лтд.» и русско-американскими флажками. Всю эту муру он небрежным жестом отшвырнул в сторону, а собрал со стола только фотографии внуков Зускина и его двух домов в Санта-Монике и в Пасадене — фотографии, которые он сам принес, плюс те, которыми был украшен стол Зускина.

— Гуд бай, мой друг. Мои внуки тоже будут помнить твое имя, как икону...

С этими словами Винсент сунул фотки в карман и направился к двери.

Но Зускин, конечно, окликнул его.

— О'кей, Винни, ты меня достал, — сказал он деловым тоном. — Я дам тебе сто тысяч.

— И шестьсот в конце недели, — быстро повернулся Винсент.

Но теперь перед ним сидел совершенно иной Зускин — с жестким, словно у старого грифа, лицом.

— Только сто, больше у меня нет, — спокойно сказал он. — Можешь оторвать мне яйца, если не веришь.

Винсент молчал, прикидывая, какую отсрочку он может получить у колумбийской мафии под эти сто тысяч.

— Но мы оформим этот заем у адвоката, — продолжил Зускин, открывая ящик стола и вынимая из него чековую книжку.

— Сука! — усмехнулся Винсент. — Когда я спасал твою жопу, я не звал адвокатов...

— Зря, — заметил Зускин. — Теперь я вижу, что если бы тот негр меня трахнул, мне бы это обошлось дешевле. — Он выписал чек на сто тысяч долларов и поднял глаза на Винсента: — И все-таки, как ты меня нашел?

Винсент взял чек, сверил подпись Зускина с его же подписью на цветном буклете «Нью раша инвест, лтд.» и только после этого вытащил из кармана пригласительный билет

14

на Первый американо-российский бизнес-форум, швырнул его Зускину:

— Ты разослал свои ебаные приглашения всем банкирам, в том числе президенту «Санта-Фе траст сэвинг», верно?

Зускин кивнул.

— А я вчера пришел к нему, чтобы отсрочить уплату своего долга. Кстати, его зовут Амадео Джонсон, и ему принадлежат шесть подпольных игорных домов в Гардене и Западном Голливуде. И он говорит мне: «Слушай, ты получил приглашение на этот ебаный американо-российский форум?» Я говорю: «Нет, а что?» Он говорит: «Странно! Мне кажется, это тот самый Зускин, которого ты своими шутками снял с моего члена в Риверсайдской тюрьме. Только почему он прислал приглашение мне, а не тебе? Может, мне все-таки пойти на этот форум и трахнуть его наконец?»

Ужас на лице Зускина вызвал улыбку у Винсента.

— Как видишь, — сказал он, — я второй раз спас твою жопу от разрыва дырки. И всего лишь за сто ебаных гранс. А ты хочешь оформить эту ерунду у адвоката! Ты действительно scum вонючий! Мне даже стыдно, что я три года сидел с тобой в одной камере! Три года моей юности на такое дерьмо! — И Винсент снова чуть не вспылил: он был очень впечатлительным человеком.

Даже несколько минут спустя, при выходе из отеля, он все еще был в расстроенных чувствах. И когда увидел возле своего белого «ламборджини» двух русских — высокого и худого тридцатилетнего блондина-очкарика в светлом костюме и такого же молодого, но в шортах и в дешевой майке, толстяка весом под двести сорок паундов, — вскипел мгновенно. Тем паче что блондин-очкарик бесцеремонно заглядывал в машину, лапая руками дорогие затененные стекла, приопущенные в дверцах по случаю теплой погоды, а неряшливо одетый толстяк, присев на корточки, щупал диковинные кевларовые закрылки необычно широких шин его машины.

— Эй, вы! — грубо крикнул им Винсент, направляясь к «ламборджини». — Отвалите от машины!

Но русские бестрепетно повернулись к нему.

— Это бронированный «ламборджини»? — спросил блондин на отличном, с британским акцентом английском.

— You bet! (Ты угадал!) — сказал Винсент.

— Где вы его купили?

Винсент, открывая машину, высокомерно усмехнулся:

— Why? Ты хочешь купить?

— Может быть... — сказал блондин.

И тут Винсента пронзила догадка:

— А вы с этой конференции? Или — как его? — форума?

— Yup! — подтвердил блондин.

— О! Так вы и есть «нью рашенс», да?

— Вроде того... — усмехнулся очкарик.

— И у вас действительно могут быть деньги на такую игрушку?

— Well... Это зависит...

— Это зависит of shit! — тут же раздраженно сказал Винсент, садясь в машину. — Я делаю эти игрушки. Если у вас есть деньги, могу показать. А нет — гуд бай, я занятой человек.

Он повернул ключ зажигания, перевел рычаг на «драйв» и уже поставил ногу на педаль газа, когда на руль машины легла белая, с рыжим пушком рука блондина.

— Минуту! — сказал этот очкарик. — Как вы хотите убедиться, что у нас есть деньги?

— Я уже вижу это, — ответил Винсент.

Действительно, прямо перед ним на рыжей руке блондина были часы «Картье» в тонком платиновом корпусе с темными рубинами вместо цифр. Такие часы стоимостью в семьдесят тысяч долларов даже он, Винсент, не мог себе позволить.

2.

Рев форсированных моторов оглушал аризонские прерии вокруг ранчо «Морнинг дрим» (Утренняя мечта), превращенные в первоклассный автодром для испытаний бронированных лимузинов и яхт, которые компания «Safe

16

Way, Inc.» поставляла лидерам и вождям новых арабских, африканских, малоазиатских и прочих «демократий». Такому автодрому могли позавидовать не только конструкторы «Дженерал моторс», «лендроверов» и «тойот», но даже создатели танков «шерман» и «Т-72». Потому что Винсент Феррано знал главный секрет своего бизнеса — понт. Понт и шок, равный шоку сексуального маньяка при встрече с Мэрилин Монро. Многолетняя практика уже давно убедила Винсента в том, что цена на его штучный товар не имела для его покупателей никакого значения — захватив власть в какой-нибудь Ливии или Гуэтаме, очередной национальный патриот а-ля Каддафи тут же превращал свою «демократию» в личную диктатуру и стремился немедленно обзавестись бронированным «роллс-ройсом» или, на худой случай, бронированным «мерседесом». Причем непременно такими, какие они видели в кинофильмах о Джеймсе Бонде — со скорострельными пулеметами, которые нажатием кнопки выскакивали из багажников, или с крыльями, которые, выдвигаясь из-под машины, позволяют ей перелетать через препятствия.

И Винсент делал неплохие деньги на этих бронированных монстрах, которые азартно конструировал, собирал, испытывал и демонстрировал покупателям его гениальный механик Робин Палски в прериях Эль-Сантро на границе Калифорнии и Аризоны. Конечно, другой, более мудрый и осторожный, хозяин уже давно сделал бы миллионы на этом бизнесе, спрятал бы их в банке на Каймановых островах или вложил бы в бетоностойкие акции какой-нибудь продовольственной компании типа «Набиско». Но у Винсента все его богатства были при нем — золотая цепочка на шее, перстни на пальцах, «Ролекс» на правой руке и, конечно, «ламборджини». Потому что Винсент был игрок. Причем игрок крутой, неудержимый, знающий о своем гибельном пороке и потому старательно, как монах, избегающий даже приближаться не только к Лас-Вегасу, но и к хорошо известным ему (и полиции) подпольным казино в Лос-Анджелесе.

Однако можно ли при его бизнесе избежать злачных мест Калифорнии? Особенно если именно там пасутся самые жирные клиенты? Порой, когда подходило время платить за колледжи трех своих сыновей-погодков — девяносто семь тысяч долларов за семестр плюс стоимость их проживания в общежитиях, деньги на питание, одежду, компьютеры, спортклубы и прочее и прочее, — Винсент был вынужден отправляться на поиски клиентов именно в эти заведения. Конечно, он железно, каменно знал, что не сядет за игорный стол и не возьмет в руки карты. И хозяева этих мест, знавшие Винсента и изредка поставлявшие ему (за процент) покупателей на бронированные авто, тоже старались отвлечь его от игры. Но, конечно, не слишком настойчиво. А соблазн одним ударом снять с себя непосильный груз оплаты обучения своих любимцев в самых престижных колледжах Калифорнии становился неукротимым. И, сев за стол, Винсент, как наркоман, уже не вставал, не проиграв абсолютно все вплоть до своего ранчо, бизнеса, дома на Паллисайд-драйв, «ламборджини» и даже Кларка и Гейбла, двух отвратительных, с характером Майка Тайсона, питбулей своей жены. Трижды кто-то из старых друзей Винсента, с которыми он рос на Сицилии и за кого в юности он дважды уходил в тюремные камеры Калифорнии, — трижды эти друзья выручали его, одалживая ему деньги под щадящие проценты. Но теперь, похоже, Винсент влип безвылазно — он сам, на арендованной «сесне», привез в Эль-Сантро этих сомнительных русских покупателей: высокого, голубоглазого очкарика в теннисной рубашке «Оксфорд юниверсити теннис клаб» и потного, с короткой шеей крепыша паундов на двести сорок, упрятанных в дешевую черную майку «Баффало буллс», пятидолларовые холщовые шорты и стоптанные босоножки.

Уже по этой арендованной «сесне» (и еще по какому-то странно-заносчивому выражению лица Винсента) Робин понял, что его босс буквально, как говорится, «desperate», в отчаянии, и что ему нужно срочно, немедленно продать хотя бы одну машину! И вот уже два часа сорок минут Робин демонстрировал этим русским чудеса своей техники. Его одетые в титан, сталь и кевлар джипы, «мерседесы», «кадиллаки» и «порше» проходили целехонькими сквозь шквальный пулеметный огонь и взрывы на вспаханной полосе, проносились по отвесному серпантину горной дороги, залитой горящей нефтью или устланной острыми стальными шипами, и продирались по бездорожью в джунглях. Они таранили и сшибали пальмы, проламывались сквозь заросли лиан и кактусов и переваливали через мусорные завалы. Они погружались в резервуары с водой, болотной тиной и мазутом и выходили из этого дерьма на скорости сорок миль в час. Они выбрасывали из своих багажников скорострельные пулеметы на стальных штативах с полным круговым радиусом обстрела, а также дымовые шашки, самовзрывающиеся баллоны с газом, нефтью и маслом, гарпуны и сети с шипами, а из-под переднего бампера они выстреливали маленькими термоплазменными ракетами для пробивания стен и прочих препятствий и самонаводящимися ракетами тепловой наводки для поражения машин и вертолетов в радиусе мили вокруг и сверху. Короче говоря, все, что в Голливуде десятилетиями выдумывали и делали из папье-маше и фольги для агента 007 и Бэтмена, гениальный Робин Палски здесь, на ранчо «Морнинг дрим», воплотил в настоящую броневую сталь, кевларовые панели из углепластика, пулевязкий каучук и пулеметы с лазерной наводкой.

Через два часа сорок минут он на последней своей новинке — амфибии-экраноплане «Порше-XXI», способном погружаться в воду на тридцать метров и взлетать на двадцать, — устало остановился перед высокой камышовой верандой ранчо, с которой, попивая ледяное пиво «Ханникер», Винсент и два русских следили за демонстрацией. Робин знал, что она удалась, и гордился этим — ни одна из его «черепашек» не подвела его, не заглохла под водой и не перевернулась от взрыва под колесами. Правда, неизвестно, как поведут себя эти игрушки при сибирских морозах, если русские увезут их туда, но, в конце концов, сегодня это не важно, а важно спасти Винсента...

— Ну, что скажете? — нервно сказал Винсент своим гостям и вытер вспотевшую шею мятым платком.

Робин давно знал эту манеру шефа внутренне закипать от всего, что ему не по душе, и поражался сегодняшней выдержке Винсента — за два часа сорок минут эти чертовы русские не произнесли ни слова, в то время как любой африканский, южноамериканский и даже арабский клиент уже при демонстрации второй, ну максимум третьей модели легко вынимал чековую книжку и нетерпеливо спрашивал: «How much?»

Но русские продолжали молчать.

Круглолицый блондин с пухлыми губками школьного вундеркинда прятал за очками свои голубые глазки тихого пакостника, а крепыш с короткой шеей сказал наконец, медленно подбирая английские слова:

— Can I... to drive... that car... myself? (Могу я порулить эту штуку?)

— Что? — Винсент повернулся к нему левым ухом.

— Он хочет порулить эту штуку, — пояснил голубоглазый очкарик с чистым британским произношением, демонстрируя свое оксфордское образование.

Робин тревожно посмотрел на Винсента, но тот и сам понимал, что к чему.

— That car — no way! — сказал он. — It cost too much! You couldn't afford it! — И кивнул на остальные машины, стоявшие в ряд перед верандой: — But any of these toys — be my guest! If you have a driver license, of course...

— Что он говорит? — по-русски спросил потный крепыш у своего приятеля.

— Он говорит, что тебе эта игрушка не по карману, а остальные ты можешь поводить. Если у тебя есть автомобильные права, конечно, — негромко ответил очкарик.

Крепыш сунул руку в карман своих грязно-серых шорт, извлек из него карточку платинового «Америкэн экспресс», молча бросил ее на стол в лужицу пива «Ханникер» и одним прыжком перевалил через ограду веранды прямо на кевларовый капот «Порше-XXI».

— Key! (Ключ!) — требовательно сказал он Робину.

Кларк и Гейбл сделали стойку рыча, а Робин вопросительно глянул на босса.

— It cost two hundred grands, — предупредил Винсент очкарика.

— Эта хуйня стоит двести тысяч зеленых, — перевел очкарик приятелю.

Но тот и бровью не повел.

— Кеу! — повторил он, протягивая руку к Робину.

— О'кей, — вынужденно и не столько звуком, сколько жестом разрешил Винсент.

Робин нехотя отдал русскому ключ от «порше», и тот стремительно, с прытью, неожиданной для его веса, нырнул в кабину машины, разом завел ее и бросил вперед таким рывком, что Робин едва успел отскочить в сторону, а ринувшиеся к машине Кларк и Гейбл только клацнули зубами.

— Hey! Fuckin' idiot! — вскочил Винсент. — Ты еще ее не купил!

Но «порше», ревя двигателем, уже мчался в сторону джунглей — напрямую, в лобовую атаку на стену голых, без коры эвкалиптов, словно раненый носорог на стадо бизонов. Кларк и Гейбл с хищным лаем умчались за ним.

Робин непроизвольно схватился за голову — «Порше-XXI» был его последним детищем, в него было вложено шесть лет работы и выдумки, и весь его корпус был сделан из сверхлегкого и сверхпрочного кевлара.

Винсент застыл на месте с открытым ртом.

Русский на веранде снял свои очки и с интересом следил за «порше», в котором его друг должен был в следующий миг врезаться в десятиметровый в обхвате эвкалипт.

Но в тот момент, когда столкновение стало уже фатально-неизбежным, когда Робин закрыл глаза, а Винсент в ужасе поднял руки к последним жидким волосикам на своей голове, — в этот момент «порше» выпустил из-под днища короткие прямоугольники экранокрыльев, круто, как лягушка, оторвался от земли, в косом наклоне спланировал влево и, сделав на высоте пятнадцати метров крутой, но полный разворот, вернулся к стене эвкалиптов, а затем — явно в последнем напряжении своих трехсот сорока лошадиных сил — взмыл над верхушками деревьев.

Кларк и Гейбл сели на землю, подняв морды и озадаченно уставившись на взлетевшую, как тяжелая утка, машину.

Между тем «порше», перелетев через эвкалипты, тяжело шмякнулся где-то за ними прямо в болото, но не замолк, а, ворча как жук, выгреб из тины и вязи гнилых лиан и покатил, фыркая и пыля, вверх по обрывистому склону испытательного каньона — прямо на полосу перекрестного пулеметного огня и минных взрывов.

— Son-of-a-bitch! (Сукин сын!) — в сердцах выдохнул Винсент и сел наконец в кресло, вздрагивающей рукой стал лить себе пиво из бутылки, проливая половину на стол.

Кларк и Гейбл, потеряв интерес к сбежавшей машине, с индифферентным видом вернулись на веранду.

А Робин подумал, что у этого русского есть, конечно, не только автомобильные, но и пилотские права.

Через двадцать минут — пройдя сквозь всю чехарду обстрелов, взрывов, огневых и водных препятствий — грязный «порше» подкатил к веранде и затих в метре от нее, как изможденный бронтозавр.

— Вы заплатите за это, — сурово сказал Винсент русскому очкарику.

— Конечно, — спокойно отозвался тот и хорошо отполированным ногтем указательного пальца небрежно подвинул Винсенту платиновую карточку «Американ экспресс».

— Это класс! — появился из кабины «порше» второй русский, сияя всем своим крупным круглым лицом. — Потрясно! Really! Это класс! — Он протянул обе руки Робину и с силой пожал его руку. — Поздравляю! Ты гений! Замечательно! — И, похлопав Робина по плечу, повернулся к Винсенту: — О'кей, мы покупаем!

— Как я сказал, — ворчливо произнес еще не остывший Винсент, — двести тысяч баксов. И мы не можем доставить эту машину в Россию. Закон запрещает нам экспортировать вооруженные машины. Но мы можем перебросить ее в Мексику. Нелегально, конечно. И я дам тебе ключ от гаража в Мексике, где ты ее заберешь. А как ты переправишь ее оттуда в свою любимую Россию, меня не колышет.

— You not understuud! (Ты не понял!) — ответил русский увалень на своем жутком английском. Не обращая внимания на подошедших к нему Кларка и Гейбла, он тяжело поднялся на веранду, выудил из ведерка со льдом бутылку «Ханникера», откупорил ее, стукнув пробкой о поручень веранды, и продолжил, опрокидывая себе в рот ледяное пиво прямо из горлышка: — We want bye everything! All business! (Мы хотим купить все, весь бизнес!) — В паузе меж глотками он широким жестом обвел все машины и остановил свою руку на Робине. — Вместе с ним! — И повернулся к своему приятелю: — Юра, объясни ему.

— О'кей, — сказал очкарик и объяснил на своем оксфордском английском: — Мы не мафия и не гангстеры. Мы не занимаемся ни легальной, ни нелегальной перевозкой машин. Мы бизнесмены и представляем русское правительство и ассоциацию московских банкиров. И вот наше предложение. Сейчас у нас, если вы слышали, каждый месяц убивают банкиров, бизнесменов, политических деятелей и даже губернаторов. То есть сейчас в России так, как в Чикаго в двадцатые годы. Поэтому одна или даже десять машин, которые вы можете переправить к нам через Мексику, погоды не делают. В одной Москве пятьсот банков, и каждый банкир хочет жить и может ради этого купить себе бронированный «мерседес». Я уже не говорю о министрах — московских, татарских, калмыцких и в других провинциях. И значит, есть прямой смысл открыть в Москве такую компанию, как ваша, то есть покупать «мерседесы» в Германии по оптовой цене и переделывать, бронировать их прямо у нас. Мы, как представители правительства, крайне заинтересованы в том, чтобы наши банкиры жили, а не погибали под пулями. Поэтому мы предлагаем вам создать совместное предприятие. Скажем, «Russian-American Safe Way, Inc.». Наше правительство даст льготные условия, помещение, броневую сталь, кевлар и гарантию эксклюзивных прав торговли на территории всей страны. То есть никто, кроме нас, не получит лицензию на производство бронированных авто, вот и все. И доходы будут делиться пропорционально, об этом договорятся наши адвокаты. Но конечно, все это возможно только в том случае, если ваш гениальный механик поедет в Москву и поставит там это дело на ноги.

Винсент, похоже, не верил и своему здоровому уху. Еще бы! Ему предлагали совершенно легальный бизнес на территории почти в два раза большей, чем все Соединенные Штаты Америки! И это сейчас, когда он на крючке у колумбийской мафии, которой он проиграл весь этот бизнес всего за полтора миллиона долларов!

— Вы... вы серьезно? — спросил он, переводя глаза с очкарика на толстяка и обратно.

— Well, — сказал тот, — если пятьсот московских банкиров, способных хоть сегодня заплатить за машину по сто пятьдесят гран, для вас несерьезный рынок, то...

Робин встревоженно следил за этим разговором. Не может быть, чтобы Винсент и эти наглые русские одним капризным движением пальца решали его судьбу! Он, *он* должен ехать в Россию? Да они с ума сошли!

— У-у! — сипло промычал он, обращаясь к Винсенту.

Но Винсент уже схватил жар-птицу за хвост — обсуждал с русскими сумму их депозита в лондонскую адвокатскую фирму «Ллойд» и подсчитывал на салфетке сроки возврата вложений.

— У-у-у! — снова просипел Робин.

Винсент с досадой поднял глаза.

Робин энергичными жестами и вращением головы показал, что он не поедет ни в какую Россию.

Русские с удивлением воззрились на него, потом — на Винсента.

— Понимаете... Он не говорит... — вынужденно объяснил русским Винсент, одновременно пытаясь за их спинами жестами сказать Робину, чтобы он убрался ко всем чертям.

— Он псих? — нахмурился блондин.

— No! No! — поспешно сказал Винсент. — Он просто немой, вот и все. Но он все понимает. Иди к себе, Робин!

Однако, к его изумлению, Робин, знающий все оттенки голоса хозяина, на этот раз проигнорировал скрытый в голосе Винсента приказ. А, наоборот, еще упрямей заявил жестами, что не желает ехать в Россию.

24

— Я с ним потом поговорю, не беспокойтесь, — сказал русским Винсент, пытаясь увести их от Робина, но тут вмешался русский толстяк.

— Not worry, my friend! (Не беспокойся, друг!) — сказал он Робину. — Ты будешь нашим партнером. На десяти процентах. Понимаешь? — И он нарисовал пальцем в воздухе: — 10 pro cent. Тебе. To you. О'кей?

Робин с недоверием посмотрел на Винсента.

— Иди! Иди к себе! Потом поговорим! — нетерпеливо сказал ему Винсент. И увел русских в дом обедать.

3.

Десять процентов — это не мелочь и не шутки телевизионных комиков по поводу беременности Мадонны. Десять процентов от продажи пятисот бронированных «мерседесов» по сто пятьдесят гран за штуку — это...

Впрочем — нет, этого не будет, он не может ехать в Россию. Он не может ехать в эту fucking Россию ни за семьсот пятьдесят тысяч, ни за миллион, ни даже за десять миллионов!

Робин плюхнулся на свой топчан, застеленный паласом из деревянных шариков, которые шофера надевают на спинки сидений. Спать! Выключиться из этой ситуации, отрезать от себя этих чертовых русских...

Но тут скрипнула винтовая лестница и из люка в полу возник Винсент Феррано.

— О'кей, — сказал он тоном отца, пришедшего укротить капризного ребенка. — What's up? Почему ты не хочешь ехать в Россию?

Действительно, это выглядело капризом, ведь они с Винсентом обслуживали клиентов и не в таких дырах — Экваториальная и Южная Африка, Филиппинские острова, Чили, Боливия, все арабские страны и эмираты. И всегда Робин легко и даже охотно отправлялся в дорогу, и там, в пекле арабских пустынь или африканских джунглей, ремонтировал свои «черепашки», устанавливал в них дополнительные пулеметы, лазерные прицелы для мини-ракет и сверхмощные кондиционеры для охлаждения салонов. А для особо экстравагантных вождей пробуждающихся народов, склонных к эротике в своих автопутешествиях, — зеркальные потолки и даже походные ванны и биде...

Но теперь Робин категорическим жестом снова показал: Раша — но!

— But why? — настаивал Винсент. — Ты боишься морозов? Я куплю тебе меховое пальто...

Робин пренебрежительно отмахнулся, он не хотел ничего обсуждать, он не поедет ни в какую Россию — и точка.

— Слушай, — посерьезнел Винсент, начиная раздражаться. — Ты живешь здесь пятнадцать лет и не знаешь никаких проблем, верно? А все ебаные проблемы — мои! Кто покупает эти компьютеры, станки, кевларовые панели, броневую сталь, трехслойное стекло и остальную херню? — Заводя сам себя и заглушая в себе чувство вины, Винсент забегал по просторному чердаку, превращенному Робином в первоклассное конструкторское бюро. — Кто построил тут все это? Actually, я сделал тут для тебя то, о чем эти русские только мечтали — коммунизм! Да! Ты делаешь здесь свои любимые игрушки и живешь как в раю — все даром! Конечно — ты творец, бля! Бертолуччи! А за все платит Винсент! Но за эти ебаные деньги я каждый день надрываю себе жопу... заткнись! — яростно отмахнулся он от Робина, пытавшегося жестами что-то ответить. — Я прав! Даже когда я был в тюрьме, ты жил тут на всем готовом! Но сейчас этому пришел конец — я проиграл этот бизнес! Да! В конце концов, это мой бизнес, я имею право продать его, раздать блядям или проиграть в карты! И знаешь, кому я его проиграл? Амадео Джонсону, колумбийцу! Да, тому самому, который купил твой лучший золотой «роллс-ройс» и в первый же день обоссал его из своего брандспойтного члена! Помнишь? Это его чувство юмора! Но у меня нет выхода — или я плачу ему полтора миллиона, которых у меня нет, или отдаю компанию. Вместе с тобой, понимаешь? Ты будешь работать на этого черномазого! Нет, будешь! И я тоже буду — сейлсме-ном, продавцом! От него не сбежишь! Ты знаешь, за что он сидел? Он изнасиловал семью фермеров в Неваде — сразу трех, одного за другим! Но не смог кончить, и после них трахнул их козу! Так что эти русские — наш последний шанс, просто подарок с неба! Если у них, конечно, есть деньги...

Выговорившись почти на крике, Винсент последнюю фразу произнес совсем иным тоном — устало и тихо, как суеверный игрок, который боится даже словом спугнуть удачу. Но тут же прикрыл свое отчаяние очередным раздражением:

— Shit! Почему у тебя нет тут ни бара, ни холодильника?!

Робин не ответил. Он сидел на своем топчане, глядя в одну точку. По тихим экранам компьютеров плыли глубины Интернета, в которых сомнамбулически ворочались модели новых, будущего года машин компаний «Крайслер», «Роллс-Ройс», «Мерседес-Бенц» и «Мицубиси». Да, похоже, этой игре в бронированные «черепашки» действительно приходит конец. Откуда у этих русских сосунков полтора миллиона?

А Винсент стоял у окна, глядя в черноту теплой аризонской ночи и слушая дальний вой койотов.

— Fuck you! — сказал им Винсент, сунул руку за верхний наличник окна и нашел там свою собственную старую заначку — огрызок сигары. Выудил из кармана джинсов золотую зажигалку «Кристиан Бернард», раскурил сигару и сказал Робину: — О'кей, мой друг. Они хотят, чтобы я перевез в Москву все наше оборудование и с ходу начал работу. А я сказал, что двинусь с места только под их полумиллионный залог на эскро-счете в лондонском «Ллойде». Но есть ли у них такие деньги или они такие же дутые, как я... Короче, если «Ллойд» получит от них полмиллиона, мы едем в Россию. А нет — значит, смазывай свою задницу вазелином. И мою тоже...

Винсент докурил сигару, выбросил окурок за окно и ушел вниз по лестнице — сгорбленный и враз постаревший.

Робин откинулся на жесткую подушку, закрыл глаза. О чем он думал? Об этом идиоте Винсенте, который продул в карты свою голубую мечту сделать сыновей адвокатами? О гориллоподобном Амадео Джонсоне? Или о России, куда ему нельзя ехать?

Сна не было, и в три часа ночи Робин встал со своего топчана и спустился по винтовой лестнице на первый этаж, на веранду ранчо.

В густом небе аризоно-мексиканских прерий сияли звезды и хрустальная пыль Млечного Пути. Новорожденный и узенький, как нить, месяц обещал большие деньги — если позвенеть ему горстью мелочи, как в детстве. По-летнему, в полный голос сверчали цикады. И теплый мексиканский ветер шуршал пальмовыми ветками. Даже если покупать у немцев «Мерседесы-600» по оптовой цене в тридцать гран за штуку и еще двадцать тратить на их переделку и обшивку броней или даже кевларовыми панелями, сто штук чистой прибыли на каждой машине — да, эти русские умеют, оказывается, не только бомбить вьетнамские и афганские деревни. Пусть не полторы тысячи, пусть только тысяча долларов достанется Робину с каждой проданной машины — елки-палки! Неужели уже через два года он станет миллионером? Он, Робин Палски, «чокнутый на всю голову», «крези механик», безродный сирота, подброшенный недельным младенцем в кливлендскую церковь, он — миллионером? Прилетит в Кливленд на своем самолете, доверху заполненном детскими игрушками для кливлендского приюта, и будет катать на этом самолете всех тамошних детей, а потом подарит им — что? что еще, кроме игрушек, он подарит детям, которые живут в том детдоме, где он жил? Компьютеры? Видеоигры? Танковую дивизию заводных «гудерианов»? Тонну шоколада?

Он должен подумать. О, он придумает! Он придумает для них что-то такое, специальное, как в Диснейленде! И, конечно, он поставит памятник мистеру Адамсу, директору приюта, который выпорол его, трехлетнего, когда он разобрал игрушечный «гудериан», подаренный приюту самим Айком Эйзенхауэром. Но выпорол не за то, что Робин *разобрал* эту игрушку, а за то, что он собрал ее без трех «лишних» частей! Хороший, красивый памятник он поставит мистеру Адамсу!..

Впрочем, стоп! Какого черта он размечтался, если ему нельзя, невозможно ехать в эту проклятую Россию?

Интересно, куда подевались Кларк и Гейбл, которым Винсент, приезжая на ранчо, всегда разрешает «побаловаться» по ночам? Неужели эти засранцы опять погнались за койотами в Мексику?

Миллион долларов! Нет, это нереально. И вообще деньги никогда его не прельщали. Он был бедняк по рождению и по воспитанию. Люди, имеющие большие деньги, были для него людьми из другого мира: сначала — в детстве — неизвестного ему, потом — в юности — недоступного, а в зрелости — как бы отстраненного и отчасти даже презираемого. Так любой вегетарианец презирает мясоедов, так воспитанный в религиозном пуританстве стоик отвергает и презирает соблазны клубов «гоу-гоу» и стриптиз-баров.

А этот миллион (МИЛЛИОН!) долларов — просто красивая мечта, пролетевшая, как комета в ночном небе.

Робин впервые пожалел, что не курит. Наверное, нужно выпить. Он прошел в глубину веранды, открыл бар, взял початую бутылку виски и отхлебнул прямо из горлышка. И собрался сделать еще глоток, когда услышал хруст песка под чьими-то тяжелыми шагами. Он вгляделся в темноту и не поверил своим глазам — там, с юга, из прерий широким и уверенным шагом двигался в темноте этот чертов русский «Баффало буллс». На его левом плече дулом книзу болтался семизарядный карабин с оптическим прицелом ночного видения, а на правом — два крупных зайца, связанных ремешком по задним ногам. И рядом с этим русским весело, как заискивающие щенки, бежали свирепые винсентовские питбули Кларк и Гейбл.

— Hi! — сказал русский, шумно взойдя на веранду, бросил на стол зайцев и карабин и рухнул в кресло. — I tied! (Я устал!)

Еще бы! — подумал Робин. Если он не слышал выстрелов, то можно представить, как далеко уходил в прерии этот русский!

Русский протянул руку за бутылкой виски и, получив ее, тут же сделал три больших глотка прямо из горлышка.

— Good! — сказал он, утерев губы. — You have great country! Wonderful! (Отличная страна! Замечательная!) — Он протянул Робину руку и продолжил по-русски: — Джордж. Георгий. Меня зовут Георгий Брух. А тебя? Как тебя звать, партнэр?

Изумляясь, как легко он понял этот русский вопрос, Робин своим рабочим фломастером написал на столе:

«MY NAME IS ROBIN PALSKY».

— Good! — сказал Джордж и посмотрел на часы. — Four o'clock! So it nine in London, yes? (Четыре часа. Значит, в Лондоне сейчас девять, так?)

Робин кивнул.

Брух вытащил из кармана телефон «Моторолу» и с привычной легкостью набрал какой-то длинный, пятнадцатизначный номер. Послушал и сказал в трубку:

— Алло! My name George Bruch! You recive five hundred sausand from my bank in Moskau? Yes? Senk you! — Он выключил телефон и сказал Робину: — О'кей, иди буди своего шефа — пятьсот штук уже у «Ллойда» в Лондоне! И не забудь теплые вещи — у нас еще зима в России. Зима, понимаешь? Вэри колд!

Как ни странно, Робин абсолютно не удивился тому, что этот русский так легко перебросил полмиллиона долларов из «своего» московского банка в лондонскую адвокатскую фирму. Его больше изумило то, что он второй раз совершенно запросто понял все, что сказал ему этот Брух по-русски.

4.

Амадео Джонсон долго читал ллойдовский факс насчет эскро-счета и даже разглядывал его на просвет — он любил прикинуться дебилом, что при его внешности выглядело куда натуральней, чем странное наличие острого ума в этом го-

30

риллообразном гиганте. Потом, отъехав на кресле от своего стола к свету — к стеклянной стене своего кабинета на тридцать третьем этаже небоскреба «Санта-Фе траст сэвинг бэнк», он медленно, по слогам, стал читать «Протокол о намерениях», подписанный Винсентом Феррано, президентом «Сэйф уэй, инк.», Георгием Брухом, генеральным директором российского акционерного общества «Земстрой», и Юрием Болотниковым, председателем Московского Федерального Банка, о создании совместного предприятия «RUSAM Safe Way International, Inc.» с лицензией российского правительства на монопольную торговлю бронированными автомобилями на всей российской территории. Конечно, он уже давно сообразил, какие доходы (и перспективы для его картеля) сулит эта затея, а теперь, ведя огромным, как у Кинг-Конга, пальцем по строкам «Протокола» и беззвучно шевеля своими толстыми, как лангусты, губами, он просто прикидывал, что ему выгодней: отнять у Винсента его компанию сейчас или дать ему отсрочку уплаты долга и возможность поставить на ноги этот бизнес в России — с тем чтобы доить его все последующие годы.

— Ну да?.. Странно... Неужели?.. — произносил Амадео в паузах меж словами «Протокола», нагнетая страху на Винсента и забавляясь своей игрой в безграмотного негритоса. Конечно, если оставить Винсенту его компанию «Сэйф уэй», есть опасность, что Винсент за пару лет выплатит долг и выскочит из рук — на что, собственно, и рассчитывает сейчас этот олух, потея от страха в кресле у письменного стола — стола, поднятого на полметра выше обычного из-за баскетбольного роста хозяина. Эффект, производимый этим столом на посетителей, всегда забавлял Амадео — стоило им сесть за этот монолит, как они оказывались в роли детей или лилипутов, поскольку крышка стола была им по плечи.

Часы на декоративном камине тихо звякнули, показывая полдень. Амадео, как по сигналу, отвел руку в сторону, к высокой, на колесиках корзине, достал из нее баскетбольный мяч и, не глядя, швырнул его через весь кабинет в кольцо, укрепленное на противоположной стене. Пролетев сквозь кольцо, мяч попал в пластиковую трубу, скатился по ней назад в высокую корзину на колесиках и, по дороге нажав на скрытую пружину, выбросил перед Амадео откидную руку-протез с кубинской сигарой.

— Thank you, — удовлетворенно сказал протезу Амадео, вынул сигару из капсулы, плотоядно размял ее, откусил один конец щипчиками и жестом попросил у Винсента огня. — Бросаю курить, — объяснил он Винсенту связь между часами, баскетбольным мячом и сигарой, которую он получал только в случае точного попадания в кольцо.

Винсент услужливо чиркнул своей золотой зажигалкой.

Амадео скосил на нее глаза, потом легко отнял ее у бессловесного Винсента, внимательно рассмотрел красивую гравировку фирмы «Кристиан Бернард» и сунул в карман своего прекрасного, цвета сливочного мороженого, костюма. В сочетании с темно-синей рубашкой, двухсотдолларовым галстуком и бриллиантовыми запонками от «Бугалофф» этот костюм вполне годился для выступлений на шоу высокой мужской моды.

— О'кей, — сказал Джонсон, раскуривая сигару. — Скажу прямо. Я могу отнять у тебя весь твой бизнес, как эту зажигалку — легко, ты даже не пикнешь. Но кого я вместо тебя отправлю в Россию? И захотят ли русские работать с моим человеком? А с другой стороны, где у меня гарантии, что ты и в России не проиграешь этот бизнес еще раз? Я слышал, у них там теперь тоже есть казино и рулетки. Заткнись! — предупредил он попытку Винсента вставить хоть слово. И продолжил задумчиво: — Да, риск большой... О'кей, мы сделаем так. Я дам тебе отсрочку по долгу на двенадцати процентах годовых под залог твоего дома и ранчо. Да, и дом, и ранчо со всеми авто — а как ты думал? Зато ты останешься хозяином своего бизнеса. Правда, каждый месяц будешь давать мне отчет о работе. Но если я узнаю, что ты зашел в казино — просто зашел, ничего больше! — все, покупай себе место на кладбище.

— Девять процентов, Амадео! — попросил Винсент.

— Fuck you, — усмехнулся Амадео.

— Пожалуйста!

32

— Даже не пытайся. И не рассказывай мне о своих сы-
ночках, бля! Я не учился ни в каких ебаных колледжах и ни
хуя, как видишь, на жизнь не жалуюсь. Кстати, где ты
запарковал свой «ламборджини»? Внизу?

Винсент кивнул. Амадео требовательно протянул руку:

— Ключи и регистрационную карточку! — И пока Винсент с убитым видом вынимал из кармана ключи от машины, а из кошелька регистрационную карточку, Амадео
продолжал назидательно: — Да, жизнь жестока, мой друг.
Это в тюрьме у нас было время шутить. А сейчас — все,
что я могу, — это отдать тебе зажигалку. Все равно она из
фальшивого золота. Гуд бай, Винни. Мой адвокат сидит
этажом ниже, иди подпиши у него все бумаги. — Амадео
баскетбольным броском вернул Винсенту его зажигалку и
вдруг сказал, словно только что вспомнил: — О, между прочим! Ты видел этого Зускина? Сколько он тебе заплатил за
то, что я его не трахнул? — И расхохотался при виде расте-
рянного лица Винсента. — О нет, нет! Я не отнимаю у друзей их мелкие доходы. Просто интересно, во сколько этот
fucking scum ценит свою еврейскую задницу? — И, не ожидая от Винсента ответа, паснул ему по столу два четвертака:
— Будь другом, брось в счетчик у «ламборджини».

Выйдя из «Санта-Фе траст сэвинг бэнк» и опустив моне-
ты в счетчик возле роскошного «ламборджини», который
до сей минуты был его главной визитной карточкой, эполетами успеха и самой верной наживкой для клиентуры, Винсент отошел шагов на сто по улице и вдруг в сердцах боднул
головой рекламную тумбу.

— Идиот!.. — простонал он. — Идиот!..

Мимо, сияя лакированными крыльями, безучастно тек
поток чистеньких калифорнийских «лексусов», «мерседесов»,
«феррари» и «БМВ». Их вели молодые, удачливые и талант-
ливые победители жизни. И никто из них не смотрел по
сторонам, никто, как и сам Винсент всего пару дней назад, не видел, не знал и знать не хотел тех, кто слетел с
дороги в кювет, на тротуар, на обочину. Только какой-то

пацан-посыльный притормозил свой велосипед и с интересом уставился на Винсента, бодающего тумбу.

— Что?! — сказал ему Винсент. — Думаешь, ты умный? Ты тоже идиот! Умные вон там сидят, наверху! — Он показал на самый верх небоскребов. — Но ты не попадешь туда на своем велике, никогда!

— Fuck you, — сказал ему пацан.

— Fuck youself! — заорал Винсент и рванулся к этому юному мерзавцу, но тот легко врезался на своем велике в поток машин и укатил, смеясь и показывая ему палец через плечо.

— Fucking idiot! — Винсент сунул руку в карман, но там уже лет десять как не водилось никакого оружия. В ярости он выхватил из кармана зажигалку «Кристиан Бернард» и изо всей силы запустил ею в обидчика.

Стукнувшись о крышу туристического автобуса, зажигалка попала под колеса какой-то машины и исчезла вместе с улизнувшим на велике посыльным.

5.

Да, что бы там ни говорили литературные снобы, но есть нечто завораживающее в слове «миллион»! Послушайте: мил-ли-он! Нет, не так, а так:

М-И-Л-Л-И-О-Н!!!

Великое слово! Спросите любого Сороса, Мердока, Линча или Якокку, и они вам скажут: самое трудное, но и самое challenging, самое захватывающее и упоительное — сделать первый миллион! Это стремление к миллиону заложено в гены и кровь каждого американца, как у птиц инстинкт миграции. Человека, который не мечтает сделать миллион, в Америке просто не существует. Американец может быть истовым монахом, раввином или баптистским священником, смирять свою плоть йогой, вегетарианством или сыроедством, быть рьяным борцом за расовое равноправие, профессором астрономии или марксизма, демо-

34

кратом, лидером мэйнских пуритан, глухонемым, хиппи, обитателем богемных арт-студий Сохо или заброшенных туннелей нью-йоркской подземки, он может бояться высоты, закрытых помещений, крыс, летучих мышей, коммунистов, извращенцев и ночных грабителей; он может пребывать в отчаянии, сплине, любовном томлении или даже на полпути к оргазму, но в тот миг, когда вы покажете ему, как заработать миллион, он бросит все: науку, политику, Бога, искусство и даже любовь — и засучив рукава полетит тушить нефтяные пожары в Кувейт, мыть руду на Аляске или орошать своим потом пустыни Аризоны. Не зря, согласно последней переписи, миллионеров в США — ровно миллион! То есть каждый двухсотый американец уже прошел огни, воды и медные трубы и сделал эту сумму! Воистину великая, *миллионерная* нация! Нация азартных предпринимателей, дерзких игроков и неунывающих потенциальных миллионеров!

14 февраля Винсент Феррано подписал у Амадео Джонсона кабальную закладную на весь свой бизнес, дом и ранчо, а уже 23 февраля он и Робин Палски вылетели из Нью-Йорка в Москву каждый за своим миллионом. При этом Винсент Феррано летел, конечно, первым классом — на деньги, полученные у Эзры Зускина, и ради престижа своей первой международной фирмы. А Робин — с короткой двухнедельной бородкой и усами, которые постоянно чесались, — сидел в салоне эконом-класса. В грузовом отсеке «Боинга-767» авиакомпании «Дельта» их сопровождал двухсоттысячный «Порше-XXI» с английскими и русскими вензелями «Safe Way/Надежный путь» на капоте и багажнике — Винсент собирался раскатывать в нем по Москве, рекламируя свою продукцию.

Погрузка бронированного «Порше-XXI» — одиннадцать тысяч долларов за авиаперевозку (без страховки) и закупка зимней одежды у «Братьев Брукс» на Мэдисон-авеню — парадные смокинги для встреч на высшем уровне, деловые блейзеры и костюмы для работы в офисе, три дюжины белых сорочек, галстуки, теплое нижнее белье, ботинки WarmButs,

35

меховые шапки, рукавицы и теплейшие канадские дубленки — все это плюс оформление визы в российском консуль-
стве на Девяносто первой улице задержали Винсента и Робина
в Нью-Йорке на трое суток, но зато теперь они летели в
Москву, одетые как нансеновская экспедиция и готовые к
встрече с русскими покупателями и знаменитыми русскими
морозами. «Если твой клиент стоит миллион, то ты должен
выглядеть на два, иначе он не купит у тебя даже туалетную
бумагу!» — учил Винсент Робина азам торговли машинами.
Правда, скорострельный пулемет и самонаводящиеся ракеты пришлось из «порше» изъять по требованию американской таможни и заодно дать таможенникам гарантийное
письмо о том, что эта машина не экспортируется, а летит в
Россию лишь в качестве экспоната, как наглядное пособие
будущей продукции «Рос-Ам сэйф уэй». Но гарпуны, газо-
вые и жидкостные баллоны, сети с шипами и прочая на-
чинка мелкими средствами самозащиты у «Порше-XXI»
остались, вызвав острую зависть охранников службы безопасности Американского федерального казначейства, которые на глазах у Робина и Винсента переносили из своего
инкассаторского броневичка и укладывали в металлические
контейнеры брезентовые и опечатанные свинцовыми пломбами мешки с валютой для русских банков. Эти контейнеры грузчики аэропорта поднимали в грузовой сейф-отсек
«Боинга». Следя за найтовкой своего «Порше-XXI» в соседнем отсеке и одновременно кося́сь на мешки с деньгами,
Винсент Феррано, усмехнувшись, сказал Робину:

— Оказывается, можно не ездить в Россию за миллионом. Бери тут эти деньги, и все!

— Конечно! — сказал «дельтовский» механик, наблю-
давший за погрузкой валюты вместе с сотрудниками таможенной и охранной служб. — Три миллиона в мешке. Хватай
и деру!

Уложив в отсек три контейнера, банковские грузчики
заперли его не бог весть какими хитрыми запорами и пломбами, получили у механика самолета и службы безопасно-

сти «Дельты» подписи на погрузочных документах и укатили на своем броневичке, оставив отсек с шестнадцатью мешками валюты под присмотром «дельтовской» охраны.

— И то хорошо! — сказал на это Винсент. — Заодно и нашу игрушку охраняют бесплатно.

Но охранники торчали под самолетом только до вылета, а еще точнее — до рулежки самолета ко взлетной полосе. А потом никакой охраны не было — ни у мешков с деньгами, ни у «Порше-XXI», ни, тем паче, у чемоданов пассажиров, занимающих еще два грузовых отсека «Боинга». И это не давало Винсенту покоя на всем протяжении полета. Даже и через пять часов после вылета, то есть глубокой ночью, когда все пассажиры спали в темном салоне, как куры в темном курятнике, а Робин, шевеля губами, читал самоучитель «The *Real* Russian Tolstoy Never Used» («Настоящий русский язык, которым не пользовался Толстой»), Винсент приходил к нему из салона первого класса и ворчал:

— А я не могу спать! Я не могу спать, когда у меня под жопой почти пятьдесят миллионов баксов! Они жгут мне задницу! Как они могут перевозить такие деньги без всякой охраны?! Это преступление против человечности!

Робин тоже удивлялся. Отвлекаясь от страхов приземления в России, его мозг механика уже давно нашел как минимум три слабых места в охране сейф-отсека «Боинга», и он тут же стал изобретать меры защиты, которые он принял бы, будь он на месте конструкторов «Боинга» или охранников «Дельты».

— How to tell «idiots» in Russian? — спрашивал Винсент. (Как сказать «идиоты» по-русски?)

Робин заглянул в словарь русского самоучителя и показал:

«Идиоты».

— Неужели? — изумился Винсент. — Тогда что ж ты учишь всю ночь? — И ушел в свой салон, сокрушаясь на ходу: — Пятьдесят миллионов! Прямо под моими ногами! Unbelievable!..

6.

— Через пару минут мы сядем в московском аэропорту «Шереметьево», — весело сказал по радио командир корабля. — Погода в Москве, как всегда — дождь, снег и еще какая-то дрянь. Но «Дельта» не несет за это ответственности. Лично я не видел тут солнца с прошлого августа. Однако вам, я надеюсь, повезет больше, чем мне. Добро пожаловать в матушку-Россию, друзья. Русское гостеприимство — лучшее в мире!

Опытные пассажиры засмеялись, самолет чиркнул колесами и покатил по полосе, весь самолет зааплодировал, а Робин и Винсент прильнули к иллюминаторам. Там действительно шел дождь со снегом.

— Oh, shit! — сказал Винсент.

Самолет подкатил к аэровокзалу, заштрихованному мокрой пургой. Регулировщик с флажками и два пограничника с «калашниковыми» на груди, вздернув плечи, безуспешно прятали уши в короткие воротники своих бушлатов. При виде их у Робина загремело сердце и подвело живот. Но тут старшая стюардесса сказала по радио:

— От имени нашей команды благодарю вас за полет и надеюсь, что вы всегда будете летать только «Дельтой». Мы, во всяком случае, вами очень довольны. Следите за своим багажом или, как говорят китайцы, *не спускайте с него глаз* ни в аэропорту, ни в отеле. Два дня назад у меня тут свистнули шапку еще до того, как я прошла таможню! Желаю удачи! Dobro pozhalovat v Moskvu-uuu!

Пассажиры вскочили с кресел и, достав с багажных полок свои портфели, сумки и теплые пальто, сгрудились в проходе, спеша к выходу. И только Робин оставался в кресле, откладывая до последнего роковой миг своей встречи с российской землей. Закрыв глаза, он приказывал себе встать и пойти на выход вместе с потоком пассажиров. Но — не мог... Теперь, когда русские пограничники и солдаты были всего в нескольких шагах от него, он чувствовал, как разом стали ватными его ноги и липкий пот покатил под коленка-

— What? (Что?) — Винсент наконец повернулся к нему лицом.

— You go! (Иди!) — рявкнул пограничник.

— Почему он кричит на меня? — спросил Винсент у Робина, подошедшего к будке со своим паспортом.

Но Робин даже не слышал Винсента. Он положил свой паспорт на стойку паспортного контроля, мысленно прикидывая, как ему ринуться по лестнице назад в самолет, когда два или три солдата КГБ явятся его арестовывать.

И в этот миг к будке подскочила запыхавшаяся и худая, как метла, большеглазая женщина лет тридцати, в полураспахнутой куртке из кожзаменителя, темной шерстяной юбке ниже колен, сморщенных колготках и грязных меховых полусапожках.

— Mister Ferrano! Mister Palsky! Why you're here? I'm waiting for you at the VIP exit! Your luggage is already there! My name is Sasha, I mean Alexandra! I'm Mr. Bruch' press-secretary! But from now on I am your guide and trouble-shutter! Mister Bruch and Mister Bolotnikov send me here to meet you! (Мистер Феррано! Мистер Палски! Почему вы здесь? Я жду вас у зала «ВИП»! Ваш багаж уже там! Меня зовут Саша, то есть Александра! Я пресс-секретарь Бруха! Но с сегодняшнего дня я ваш гид и администратор! Мистер Брух и Болотников послали меня вас встретить!) — И, подтянув сморщенные на коленях колготки, повернулась к пограничнику, проверявшему документы Робина, сунула ему какую-то бумажку. — Пожалуйста, быстрей! Это «ВИП», гости правительства! Вот пропуск, подписанный начальником таможни!

Пограничник с непроницаемым лицом дождался короткого гудка и вспышки зеленой лампочки, шлепнул штамп в паспорт и на визу Робина и молча положил их на стойку. Но Робин еще не мог поверить своей удаче — неужели его вот так, без всяких пускают в Россию? Или это просто ловушка КГБ: они впускают его к себе в страну, чтобы потом...

— Мы не едем ни в какой отель! — услышал он голос Винсента и невольно поразился разом происшедшей с его боссом перемене: еще час назад, в самолете, это был респектабельный и заносчивый итальянец, пассажир салона

41

первого класса. Затем, стоило ему оказаться в России наедине с русскими пограничниками, как он превратился в маленького и трусливого итальяшку. А теперь, когда за ними примчалась эта Саша-Александра, он, смерив ее уничижительным взглядом, опять раздулся пуще прежнего. — Мы должны немедленно осмотреть нашу машину в грузовом отсеке! — заявил он ей. — Мы не можем доверять вашим грузчикам! Мы хотим сами проследить за разгрузкой! Почему Юри и Джордж не приехали нас встречать?

— Don't worry! Все в порядке! — терпеливо сказала Александра. — Сейчас мы поедем к самолету и вы проследите за разгрузкой! Here to go, please! — Она повела их через таможню и темную толпу встречающих, говоря по-русски: — Пропустите! Дорогу! Это «ВИП»!

При выходе из аэровокзала даже у Робина дыхание перехватило от резкого запаха бензина, смешанного со снегом и ледяным ветром, режущим лицо. А Винсент просто закашлялся, покраснев от натуги.

Александра замахала руками куда-то вдаль, поверх машин, толпящихся у входа в аэровокзал. Там, вдали массивный на фоне московских малолитражек черный «линкольн» включил фары, а на крыше — какую-то синюю, как у полиции, лампу-мигалку и, расшвыривая ревуном русские «Волги» и «Жигули-фиаты», стал пробиваться к Александре.

«А как насчет наших чемоданов?» — вспомнил и жестами показал Робин.

— Чемоданы? — догадалась Александра. — Don't worry! Не беспокойтесь, они уже в машине. — И распахнула перед ними дверцу «линкольна».

Продолжая кашлять, Винсент повалился на сиденье.

— О Боже! Ну и воздух! Как вы тут живете? Нет, я хочу домой! Как только мы подпишем контракт, я рву отсюда к ебаной матери! Извините, мадам...

Даже по его ироническому «извините, madam» было видно, насколько она ему противна и как он тут все презирает.

— Куда мы едем? — сказал он брезгливо.

Но тут он и сам увидел, куда они едут. Машина миновала какие-то ворота со шлагбаумом и прямиком покатила к «Бо-

42

ингу» компании «Дельта». Из его грузовых отсеков уже шла разгрузка: русские таможенники тащили трехмиллионные брезентовые мешки с валютой прямо по мокрому асфальту и зашвыривали их в полосатый желто-зеленый броневичок — точно такой, как у охранников Американского федерального банка в Нью-Йорке. А диковинный «Порше-XXI» грузчики, матерясь, безуспешно пытались вручную развернуть в грузовом отсеке и столкнуть на металлические сходни. Но стоило им поналечь и оторвать колеса машины от дюралевых панелей пола «Боинга», как «порше» взревел сиреной.

— Эй, идиоты! Подождите! — закричал им из машины Винсент. И повернулся к Робину: — Смотри, что эти бляди делают!

Робин достал из кармана ключи от «порше», нажатием кнопки на брелке выключил сирену и, выйдя из машины, взбежал по сходне в грузовой отсек самолета, жестом отстранил русских от своей «черепашки». Затем сел в кабину, включил двигатель и тягу центрового домкрата, развернул на этом домкрате «порше» на 90 градусов, опустил на колеса и на глазах изумленных русских грузчиков съехал по сходням на землю.

— Ни хера себе! — сказали русские грузчики. — Ебаный американец!

— What did they say? (Что они сказали?) — подозрительно спросил Винсент у Александры.

— Oh, nothing! (О, ничего!) — ответила она. — Они говорят: какая прекрасная американская машина.

Робин посмотрел на нее и усмехнулся: он понял, что сказали русские грузчики, ведь это и был «The *Real* Russian Tolstoy Never Used».

7.

А на следующий день в Москве, как по заказу, установилась замечательная солнечная погода с легким и даже приятным морозцем. Юрий Болотников и Георгий Брух наперебой демонстрировали гостям российскую столицу. Они возили их на Воробьевы горы... по Новому и Старому Арбату... по Тверской... Водили по царским хоромам в Кремлевском дворце... Кормили в «Царской охоте», в ресторане Дома писателей и в китайской «Пенте»... Хвастались «Макдоналдсом» на Тверской и своими офисами на Манежной площади и на Ильинке... Предложили под «Рос-Ам сэйф уэй» двухэтажный особняк на Пречистенке, бывший Дом политпросвещения работников мукомольной промышленности — с большим залом, деревянной пристройкой и удобным двором для сооружения мастерских и гаража... И поселили напротив Кремля, в лучшем московском отеле «Националь», в «люксе» на пятом этаже рядом с плавательным бассейном и гимнастическим залом...

Винсент цвел и каждый вечер звонил жене в Лос-Анджелес, рассказывал об этом королевском приеме. Жена у него была из обнищавшего флорентийского графского рода и презирала себя за брак с этим сицилийским «парвеню», а Винсент всю жизнь старался успехами в бизнесе компенсировать в ее глазах свое плебейское происхождение и то физическое охлаждение, которое установилось меж ними давным-давно, сразу после рождения их третьего сына, и оба они знали почему: три беременности прибавили Корделии сто сорок паундов, которые она поленилась сбросить. «Ради чего? — говорила она. — Чтобы родить еще одного бандита? Боже мой, на кого я потратила свою молодость! Разве ты способен обеспечить детям приличную жизнь? Отнять жизнь — вот на что ты способен! Да, ты отнял у меня жизнь! Чтоб они взорвались, все твои mafioso merdoso*, и ты вместе с ними!» Но Винсент прощал ее, ведь она подарила ему трех сыновей, трех! А уж сделать из них адвокатов с дипломами Корнеллского университета — это дело его, Винсента, чести!..

Тем временем Робин отходил от своих страхов перед Россией, вживался в непривычную для него роль важной персоны и привыкал к обращению «мистер Палски» вместо обычного «Робин». С любопытством инопланетянина, чу-

---

* мафиозные ублюдки (ит.).

дом совершившего мягкую посадку на враждебной планете, он впитывал теперь все, что видел из окон машины и отеля: темную одежду этих русских... их руки, постоянно оттянутые какими-то сумками... бесчисленные уличные киоски с водкой «Ройял» и коньяком «Метакса»... огромное количество молодых парней в камуфляже... ряды нищих женщин, торгующих у станций метро самым немыслимым барахлом — от пачки «Мальборо» и палки колбасы до котят и щенков... снова солдат с оружием... девчонок, на морозе слизывающих мороженое... «Мерседесы», «БМВ», «вольво» и «форды», с сиренами и мигалками летящие по центральным улицам... и реклама «Мальборо» и кока-колы на перекрестках...

Как и всех новоприбывших иностранцев, Москва пугала Робина и Винсента обилием курящих и вооруженными патрулями на улицах, угнетала нищетой детей, клянчивших деньги в подземных переходах, и дразнила обилием «мерседесов» и ночных казино...

Торжественная церемония подписания контракта состоялась в конференц-зале Московской мэрии. Господа Винсент Феррано и Робин Палски были в смокингах, их переводчица Александра — в глухом, как гроб, черном платье, которое топорщилось ее худыми плечами, а остальные русские — в чем попало: кто в костюмах, а кто в шерстяных свитерах и джинсах. Впрочем, российский министр экономики и легендарный московский мэр были в строгих двубортных тройках. Мэр Москвы сказал, что новое российско-американское совместное предприятие является серьезным шагом на пути укрепления деловых и партнерских отношений между США и Россией. Министр экономики подчеркнул, что появление «Рос-Ам сэйф уэй интернешнл» именно в Москве демонстрирует заботу Московской мэрии о развитии и безопасности молодой банковской системы всей страны накануне решающего часа в истории России — президентских выборов. Вице-президент ассоциации московских банков Юрий Болотников сообщил (со свойственным ему даже в русском языке оксфордским произношением), что в московских банках сосредоточено девяносто процентов денег всей России, и банкиры никогда не забудут заботу правительства по созданию московского «Сэйф уэй, инк.» в период ожесточенной схватки демократии с коммунистическими реваншистами. Американский посол в Москве, вынужденный приехать на эту церемонию вопреки шифровке ФБР о связях Винсента Феррано с калифорнийской мафией и только для того, чтобы не усугублять свой конфликт с московским мэром, построил свою речь без упоминания фирмы «Сэйф уэй» и имени ее хозяина. Он сказал, что хотя американские бизнесмены с тревогой следят за результатами общественных опросов в России и рейтингом ее нынешних политических лидеров, они не сомневаются в победе демократии на президентских выборах и сохранении экономической стабильности в России. «Подписание этого контракта — наглядный тому пример!» — сказал посол.

После посла слово получил президент компании «Сэйф уэй интернешнл, инк.» господин Винсент Феррано. По мере того как Александра переводила ему выступления предыдущих ораторов, он все больше проникался сознанием своей исторической значимости. Воистину наступил его звездный час! Дюжина кинокамер российских и западных телекомпаний, включая Эй-би-си, Би-би-си, Си-эн-эн, были нацелены на него. Три десятка микрофонов корреспондентов российской прессы, «Нью-Йорк таймс», радио «Свобода», «Лос-Анджелес таймс» и т.д. и т.п. ждали его слов. Единственное, что его раздражало, это вынужденное соседство с этой «метлой» Александрой — он даже непроизвольно отстранялся от нее, но она, исполняя свой долг переводчицы, не отлипала от него, скороговоркой тарабаня ему в ухо перевод всех выступлений. Впрочем, кинокамеры будут снимать его, а не ее. Раздувшись так, что купленный в Нью-Йорке смокинг мог лопнуть по швам, Винсент встал к микрофону. Он уже разобрался в русской иерархии: после российского президента московский мэр Йю Лу Жж является, безусловно, вторым человеком в этой стране — не только американский посол, но даже министр экономики Я

Син заискивал перед ним в своей речи. Впрочем, оно и понятно: тот, кто контролирует банки, контролирует все, даже министра экономики. И он, Винсент Феррано, не упустит своего шанса...

— Ladies and gentlemen! My dear friends! — сказал он и подождал, пока Александра перевела на русский. — Я действительно горжусь тем, что я здесь. Ни для кого не секрет, что наши страны очень долго вели между собой холодную войну. Но кто от этого выигрывал? Кто делал на этом деньги? Только те, кто производил пушки, снаряды и пули. Кто производил смерть. Однако, слава Богу, холодная война кончилась. Остались, правда, русские морозы — вон там, за окном, бррр! — Он переждал добродушный смех в зале и за столом на сцене. — Но лето вот-вот настанет. А кто делает деньги летом, на теплой погоде? Тот, кто производит пшеницу, мясо, молоко и детей. Кто производит жизнь. Наша компания «Сэйф уэй интернешнл» делает машины, которые эту жизнь защищают. И я горжусь тем, что жизнь новых русских бизнесменов и политиков будет защищать наше с вами общее предприятие «Рашн-американ сэйф уэй», а по-русски — nadiozhny put. Извините, если я еще плохо выговариваю эти слова. Но я гарантирую вам, что совместный бизнес — это и есть самый надежный российско-американский путь! — Аудитория одобрительно захлопала, Винсент вдохновенно продолжил: — И я хочу сделать что-то, что будет символом этой гарантии, символом моей уверенности в правильности этого пути. И я скажу вам, что я хочу сделать. Я приехал сюда на самой последней новинке нашей компании — бронированном «Порше Твенти Ван». Это не только лучшая, но и самая надежная в мире машина. Я собирался поставить ее в витрину нашего московского офиса для рекламы нашей продукции. Но сейчас я изменил это решение. Такая машина не может стоять в витрине. Она должна работать. Так пусть в честь подписания этого контракта она работает у самого ценного человека в этом городе — у мэра Москвы! Вот ее ключи! — И под громовые аплодисменты ошеломленной и восторженной публики Винсент шагнул к столу на сцене и вручил ключи от «порше» московскому мэру.

Растроганный Йю Лу Жж, держа в руках брелок с вензелями «Сэйф уэй интернешнл», обнял Винсента под вспышками фотоаппаратов всех журналистов и стрекот кино- и телекамер. И Робин от души восхитился своим шефом — если московский мэр будет ездить на этой машине, то лучшей рекламы продукции «Сэйф уэй» и быть не может!

А вечером был банкет на последнем этаже ресторана «Прага» в самом центре Москвы. Из окон ресторана открывался роскошный вид на Новый и Старый Арбат, на Кремль и на малое Бульварное кольцо. В зале были все московские банкиры, представители Московской мэрии, российского правительства и американского посольства в Москве. Столы, украшенные скрещенными российскими и американскими флажками, ломились от еды, коньяка, водки и шампанского.

— Я хочу представить вам моего вице-президента и менеджера нового московского отделения нашей фирмы гениального механика мистера Робина Палски! — великодушно отломил Винсент Робину кусок своего куража.

Заставив смущенного Робина встать, Георгий Брух подхватил тост:

— Я тоже хочу сказать пару слов об этом человеке. Я ездил на его машинах в Калифорнии, я видел там его мастерскую и могу вас заверить как эксперт: это действительно лучший в мире механик! После меня, конечно. Поэтому я и весь наш совет директоров «Рос-Ам сэйф уэй» можем гарантировать, что ровно через два месяца Москва получит из его рук первую сотню бронированных «мерседесов». А те, кто запишется и внесет деньги сегодня, получат двадцатипроцентную скидку!

Шум аплодисментов оглушил зал, шелест чековых обязательств покатился над столами. Болотников и его оглушительно красивая «ассистентка» собирали эти бумажки. Но через пару минут в огромном зеркальном туалете с розовыми финскими писсуарами побледневший Винсент схватил Бруха за плечо:

48

— Are you crazy? (Ты сошел с ума?) Какие сто «мерседесов»? Кто может сделать сто «мерседесов» за два месяца? И как ты мог дать двадцать процентов скидки?

Стряхнув в писсуар последние капли и застегивая ширинку, Георгий сказал:

— Мы только что собрали двенадцать миллионов долларов. Даже если каждый «мерседес» обойдется нам в пятьдесят тысяч, твоя доля — два миллиона баксов. Но если ты не согласен, я могу вернуть им эти деньги. Только скажи!

— Это безумие! — повернулся Винсент к Робину. — Как ты сможешь бронировать сто «мерседесов» за два месяца?

— Конечно, он сможет, — сказал Брух, моя руки. — Он уже почти миллионер! Разве он выпустит из рук такие деньги? Он будет работать как черт! Верно, Робин?

— Секунду! — сказал Винсент. — Где вы собираетесь держать эти деньги? Я имею в виду — двенадцать миллионов?

— В банке у Юрия. Не беспокойся — это правительственный банк! Абсолютно надежно. Как только Робин сделает сто «мерседесов», вы получаете свои доли! Без проблем! — И, положив доллар в тарелку черного гаитянина — смотрителя туалета, Георгий вышел.

— Fuckin' Russian! — в сердцах сказал ему вслед Винсент.

— You'll better learn it Russian way (Вы лучше выучите это по-русски), — на чистом английском посоветовал ему одетый в ливрею гаитянин. — Repeat after me: *yobaniy Russkiy!* (Повторяйте за мной: ебаный русский!)

— That's right! *Yobani Russki!* — охотно повторил Винсент.

8.

За окнами отеля «Националь», в котором жили Винсент и Робин, двадцать четыре часа в сутки кипела гигантская стройка. В огромной яме Манежной площади, насквозь продуваемой морозной московской метелью и даже по ночам освещенной мощными прожекторами, круглые сутки сверкали искры электро- и газосварки, вращались пузатые бетономешалки, колотили землю сваезабивающие станки-гидромолоты с надписями «Земстрой» на боках, топорщилась и росла жесткая витая арматура, чертили небо журавли подъемных кранов, и рабочие в брезентовых куртках и меховых шапках-ушанках работали «нон-стоп»: возводили стены грядущего чуда Москвы — первого в России четырехэтажного подземного торгового центра.

Но в этот вечер привычный ритм стройки был нарушен какой-то суетой — вдруг почти всюду погасли звездные сполохи сварки, по дну котлована забегали темные мужские фигуры, и три легковые машины, подпрыгивая на ухабах и опасно кренясь, стремительно спустились в котлован, окружив вышку гигантского сваедолбильного станка «Sekai Nippo». Из машин тут же выскочили мужские фигуры и ожесточенно закричали и замахали руками оператору станка, сидевшему в кабине на семидесятиметровой высоте. Но оператор то ли не слышал, то ли не видел их — он продолжал как ни в чем не бывало долбить скважину тяжеленной и гулкой японской «дурой». Кто-то из мужчин попробовал влезть к нему по скобам вертикальной железной лестницы, но при каждом ударе многотонной «дуры» в глубь шахты весь станок так сотрясался, что храбрец слетел с лестницы, как груша с дерева.

Впрочем, не только оператор «Земстроя» не замечал странных изменений в работе стройки, но и вся окружающая стройку столица — поскольку весь котлован Манежной плащади был обнесен высоким забором, заглянуть за который могли лишь обитатели верхних этажей окружающих ее гостиниц и соседней Думы. А остальные москвичи видели только этот забор, оклеенный плакатами президентской избирательной кампании: действующий президент с ладошкой, поднятой, как у великого Мао, на уровень уха... лунолицый лидер коммунистов Зю Ган с лозунгом «Наше дело правое, победа будет за нами!»... знаменитый своими шовинистическими эскападами сын китайского юриста и простой русской матери Жир Ин Сэн по кличке «Жирик» и с призывом «За великую и неделимую Россию!»... молодой пропрозападник Йяв Лин Сан... хмурый генерал Ле Бедь из приднестровской провинции с девизом «За державу обидно!»... фармацевтический магнат Брын Цэл с обещанием сделать всем хорошо... и снова президент Ель Тзын с поднятой к уху ладошкой. Дальше, за котлованом, угадывались заснеженные зубчатые стены Кремля, а за ними над освещенным прожекторами куполом бывшего царского Сената, а ныне здания Администрации российского президента, трепетал трехцветный российский флаг.

Сам же президент — седой, с болезненно-одутловатым лицом и странно-немигающими глазами — в это время уже почти час бубнил по телевизору какую-то речь.

Александра подошла к Винсенту, стоявшему у окна, и подала ему компьютерную распечатку гостиничного счета.

— Вы собираетесь оставаться в этом номере, сэр?

— Что вы имеете в виду? Чем он плох? — с неприязнью сказал Винсент, обратив внимание на дешевое обручальное колечко на ее руке, держащей гостиничные счета.

Робин, который сидел перед телевизором со словарем в руках и напряженно вслушивался в речь русского президента, повернул к ним голову. Действительно, этот «люкс» был вполне приличный: две спальни, два туалета с душем, гостиная, кабинет, окна на Кремль и на стройку, которой так гордились московский мэр и новый друг Робина Георгий «Баффало буллс», хозяин «Земстроя»...

— Well, — сказала Александра, — до сегодняшнего дня все расходы по вашему пребыванию в Москве были «комплиментари» — за счет Московской мэрии и «Земстроя». Но теперь, когда вы подписали контракт и начали у нас свой бизнес, вы сами будете платить за гостиницу, питание, транспорт и так далее.

— О'кей, — нахмурился Винсент. — Хау мач?

Он взял счет, и его глаза изумленно округлились, а палец ткнул в первую же строку:

— Что?! Что это?

— Двадцать четыре сотни, сэр. За гостиничный номер.

— В неделю?!

— В день. — Александра опять поправила колготки, которые постоянно морщились на ее худых, без коленок, ногах.

— В ДЕНЬ???? — обалдел Винсент. — За это дерьмо? Две кровати и три дивана?

— Вы имеете прекрасный вид на Кремль...

— К чертям этот вид! Нет, мы не остаемся в этом номере! А это что? — Палец Винсента ткнулся в следующую строку.

— О, это ваше питание в ресторане отеля. Завтраки и ужины.

— Две тысячи баксов за пять дней??

— Это всего двести долларов с человека в день...

— Всего! — язвительно воскликнул Винсент и показал на третью и четвертую строки: — А это что? Это?

— Транспорт и телефонные звонки.

— Семь долларов за минуту?!

— Сэр, Москва — самый дорогой город в мире! — с гордостью сказала Александра.

— О, конечно! — снова язвительно воскликнул Винсент. — А сколько ты зарабатываешь в день?

— Я не живу в отеле, сэр. И у меня нет телефона.

— Это умно. — Винсент сел к столу и принялся за расчеты: — О'кей, мы можем жить скромней. Сколько стоит самый дешевый номер в этом отеле?

— Самый дешевый? Четыреста двадцать долларов в день, сэр.

— А в других отелях?

— Для вас?

— Что значит «для вас»? Для меня, для него. — Винсент показал на Робина. — Я уезжаю, а он остается.

— Видите ли, сэр, в нашей стране для иностранцев одни цены, а для наших граждан — другие. Для вас самый дешевый номер будет стоить двести восемьдесят долларов в день.

— А для вас?

— А для наших граждан можно найти за тридцать.

— Странное гостеприимство. И после этого он хочет, чтобы мы вкладывали наши деньги в вашу экономику? —

Винсент показал на телеэкран, где русский президент продолжал свою бесконечную речь. — Что он говорит, кстати?

— Что главные трудности уже позади и что он нашел деньги заплатить долги по зарплатам шахтерам, учителям и армии.

— И вы верите ему?

Александра выразительно посмотрела на потолок и вентиляционные решетки под ним, потом сказала:

— Конечно, верим! Разве не вы дали ему вчера двенадцать миллионов?

— Что? — Винсент даже подпрыгнул со стула. — Он будет платить свои долги моими деньгами???

— Ну, не только вашими, сэр, — успокоила его Александра. — У нас пятьсот частных банков, и почти все они поддерживают президента. Он, безусловно, выиграет выборы!

Робин подал Винсенту газету «Moscow News» с крупным заголовком на первой полосе:

«РЕЙТИНГ ПРЕЗИДЕНТА УПАЛ ДО 6 ПРОЦЕНТОВ! РЕЙТИНГ КАНДИДАТА КОММУНИСТОВ — 76 ПРОЦЕНТОВ!»

— О Боже мой! — прошептал в ужасе Винсент. И ринулся к телефону, стал, срывая пальцы, накручивать диск старого и тяжелого, как утюг, аппарата.

— Куда вы звоните, сэр? — спросила Александра.

— Этому сукину сыну Юри Болотников! Он говорил нам, что возврат к коммунизму невозможен!

— Звонить бесполезно, сэр. Во-первых, Болотников сейчас в опере. А во-вторых, час назад в центре города перестали работать все телефоны, какая-то авария с кабелем.

— А Джордж «Баффало буллс»? У него есть «Моторола»! — Винсент вытащил из подзарядного устройства свой сотовый телефон.

— Я думаю, что Георгий уже арестован, сэр, — нехотя сказала Александра. И пояснила в ответ на ужас в глазах

Винсента и Робина: — Вы видите эту стройку за окном? Ее ведет «Земстрой», то есть компания Бруха. Но два часа назад один из его бурильных станков перебил коллектор телефонной связи Кремля. Поэтому Бруха по всей Москве ищут начальники КГБ и кремлевской охраны.

9.

Саша-Александра была права, за исключением одной мелочи — Георгий Брух еще не был арестован. В компании Виктора Машкова, начальника службы безопасности треста «Земстрой», и двух своих малолетних сыновей он наслаждался парилкой на дачном участке своего треста. Машков был кривоногим, как все самбисты, тридцатилетним красавцем с узким лицом голливудского актера и с накачанной грудной клеткой, а дети Бруха были худющими пацанами в возрасте шести и девяти лет. Вчетвером они голыми парились в новенькой финской сауне, переделанной под русскую парилку: светлый деревянный пол был выстелен тут ветками свеженаломанной хвои, издававшей йодисто-лесной запах, в деревянном же ведерке отмачивались березовые веники, а угли электрической жаровни Машков поливал разбавленным в туеске пивом. Дети выдерживали в парилке не больше двух минут и удирали плескаться в душевую, а Брух и Машков, распарившись, голяком выскакивали на мороз и по заснеженному дощатому настилу пробегали двадцать метров до круглой прибрежной полыньи в замерзшем Волчьем озере.

Вокруг озера стояли заповедные хвойные леса, а прилегающий к озеру кусок такого леса величиной с футбольное поле был расчищен от зарослей кустарника и огорожен глухим металлическим забором с витой колючей проволокой поверху и глазками крохотных телекамер на угловых башенках. На этом участке, в окружении подстриженных елей и ледяных горок с разноцветными детскими санками, стояли шесть новеньких трехэтажных кирпичных коттеджей и маленькая бревенчатая «дежурка» у наглухо запертых стальных ворот. Коттеджи сияли большими желтыми окнами с цветными отблесками каминов и телеэкранов, из труб над их черепичными крышами вился березовый дым, а подле крылец дремали «чероки», «БМВ» и «мерседесы». Тихо было в этом дачном заповеднике, уютно и мирно, словно в какой-нибудь Баварии. Только хлопанье дверей прибрежной парилки, топот босых ног Бруха и Машкова да их восторженный мат нарушали эту уютную тишину.

С шумом рухнув в ледяную воду, Брух и Машков тут же выскочили из нее на берег, отфыркиваясь, как медведи, и побежали назад, в сауну. Пар валил от их белых тел. В сауне они выгнали детей домой, забрались на верхнюю полку и, снова матерясь от удовольствия, стали по очереди хлестать друг друга мокрыми и трепетно-обжигающими вениками.

А тем временем серый «мерседес» директора Федеральной службы безопасности генерала Бай Су Койя, черный «кадиллак» маршала Сос Кор Цннья и могучий крытый «Урал» с бойцами спецотряда «Витязь» уже второй час таранили фарами темноту и вечернюю поземку Калужского шоссе. По обе стороны их пути по окна в снегу стояли старые и темные избы типичных подмосковных окраин — с косыми заборами, приснеженными скворечниками наружных нужников, сараями и поленницами заготовленных на зиму дров, с собаками на цепях и с узкими, протоптанными в снегу тропками от калиток до деревянных крылец.

Пугая ревуном встречные и попутные машины, вызывая переполох во всех окрестных курятниках и озверелый лай дворовых собак, кортеж охранных спецслужб носился вдоль этих заборов и домов то на восток, от Москвы, то снова к Москве, на запад. Хозяин переднего «мерседеса» генерал Бай Су Кой материл своего водителя и сидевшего подле него командира «Витязя»:

— Что ж вы, суки, не можете поворота найти?! Уволю к еманой матери!

— Ну нет указателя, товарищ генерал! — оправдывался одетый в зимний камуфляж двухметроворостый и бритоголовый командир «Витязя».

— Да какие к херам указатели? Это тебе Париж, что ли? Или Ханой?

— А как же найти-то?

— А так! Сказано: тридцать седьмой километр!

— Но разметки-то нету! — сказал водитель и на очередном перекрестке дорог опять развернул машину обратно. — Откуда тридцать седьмой, товарищ генерал? От Кремля? От Калужской заставы?

— От манды! — в сердцах выругался генерал по-китайски. — Стой! — И показал на избу со светлыми окнами. — Идите берите там Сусанина какого-нибудь, и — вперед! Страна третий час без управления!

Тут у него под рукой зазвонил радиотелефон, он поднес его к губам и нажал клавиш приема:

— Второй слушает!

— Я тебя, бля, расстреляю на хер! Сколько мы будем тут крутиться? — раздался голос из радиотелефона.

Генерал повернулся к заднему окну машины, освещенному фарами «кадиллака», и ответил заискивающе:

— Сейчас, сейчас! За проводником пошли!

— Ё твою мать! — внятно сказал голос из радиотелефона. И отключился.

Бай Су Кой открыл дверь и нетерпеливо высунулся из машины навстречу возвращающемуся от избы шоферу.

— Ну?!

— Да пьяные тут все! — хмуро сказал шофер, садясь к рулю.

— Как это пьяные? — не понял генерал.

— Обыкновенно — в дупель! Нажрались самогона и футбол смотрят.

— Какой футбол?! Ты чо несешь? Президент по телику выступает!

— А им до фени — президент, резидент! — раздраженно ответил шофер. — Врубили футбол из Испании и огурцами закусывают.

— Ну, страна, бля! — сокрушился генерал. — Демократию им развели — футбол из Испании!

Тут из избушки послышался грохот выстрелов, потом из нее выскочил командир «Витязя» и, засовывая в кобуру свою табельную «беретту», в три прыжка подскочил к машине, плюхнулся на место.

— Порядок, вперед! — сказал он шоферу. — Тут два километра!

— Ты их убил, что ли? — спросил генерал.

— Да нет, товарищ генерал! Вы чо? — ответил командир. — Я им телевизор выключил, так они враз протрезвели. Тут через два километра высоковольтная линия, от нее направо...

Снова звякнул радиотелефон. Генерал поспешно включился:

— Второй слушает! Нашли дорогу, товарищ маршал! Сейчас высоковольтка, и от нее направо! Тут рядом. Прием.

— Сколько трупов? Прием, — сказал радиотелефон.

— Пока нет трупов, товарищ маршал, — доложил Бай Су Кой.

— Стой! — приказал шоферу командир «Витязя». — Ты опять проскочил! Высоковольтку видел?

— Так ведь нет поворота! — ответил тот.

— Плевать! — вмешался голос по радиотелефону. — Это Брух, жидовская морда, к своим дачам электричество протянул!

— Сворачиваем направо! — приказал генерал шоферу.

— Без дороги? Прямо в лес, что ли? — засомневался шофер. И тут же увидел в зеркальце заднего обзора, как следовавшие за ним «кадиллак» и «Урал» остановились и «Урал», свернув направо, круша бампером и исполинскими колесами кустарник и мелкие ели, действительно ринулся в лес — напролом, по заросшей просеке линии высоковольтной передачи. «Кадиллак», урча двигателем, покатил за ним по свежеумятой колее. Озадаченно крутнув головой, шофер «мерседеса» осторожно двинулся следом.

Проехав метров триста, «Урал» уперся фарами в высокий и глухой, из сварных металлических секций, забор. Водитель «Урала» вопросительно посмотрел на замначальника «Витязя» — тоже двухметроворостого и бритоголового гиганта в камуфляже. Тот включил рацию, доложил:

— Первый, первый, это восьмой! Прием!

— Ну? Хули там? — по-китайски выразился в рации маршальский голос из «кадиллака».

— Забор, товарищ маршал! А ворота не знаю где — слева, справа? Куда брать прикажете? Прием!

— Вперед! — приказал голос маршала. — Не хуй время терять! Пошел!

— Пошел! — приказал гигант водителю.

Водитель молча включил первую скорость, дал газ. «Урал» всей своей многотонной массой тараном вломился в металлический забор, обрушил не то три, не то четыре секции и, подмяв их под себя, выскочил прямо к ярко освещенным коттеджам дачного поселка «Земстроя». Где-то поодаль, в бревенчатой сторожке у ворот, завыла сирена тревоги, из сторожки и коттеджей выскочили несколько вооруженных охранников и невооруженных мужчин и женщин, но высыпавшие из кузова «Урала» тридцать витязей с короткоствольными автоматами, в черных шерстяных масках и в зимнем камуфляже мгновенно уложили всех лицами в снег. И отключили сирену.

Следом за «Уралом» в напряженную тишину захваченного дачного поселка осторожно въехали «кадиллак» и «мерседес». Из «мерседеса» проворно выскочил командир «Витязя», а следом, с заднего сиденья машины, вышел генерал Бай Су Кой. Пройдя вдоль фигур, лежащих в снегу под дулами «АКС», и не найдя среди них того, кто был ему нужен, генерал носком ботинка поддел чью-то голову:

— Где Брух?

— В парилке, там... — слабо отозвалась голова, замерзая на снегу.

Генерал посмотрел на домик сауны на берегу озера и кивнул на него командиру «Витязя». Тот жестом приказал своим гигантам штурмовать парилку. Бойцы моментально оцепили ее, кто-то, тихо приотворив дверь, катнул внутрь слезоточивую гранату «Дурман».

Люди, лежавшие лицами в снег, приподнялись, жена Бруха вскрикнула, но стоявший над ней гигант в маске повел короткоствольным автоматом:

— Лежать!

А генерал подошел к «кадиллаку». Стекло задней двери «кадиллака» опустилось, голос изнутри спросил:

— Ну?

— Парится, падла! Сейчас приведут, — доложил генерал.

Действительно, ударная группа бойцов во главе с командиром, надев противогазы, уже лихо ворвалась в парилку. Играючись, они вышибли внутреннюю дверь, скрутили голых, обалдевших и кашляющих от газа Бруха и Машкова и выволокли их наружу.

— Кто Брух? — спросил, подходя к ним, генерал, но двое пленников только надрывно кашляли, жадно хватая морозный воздух распахнутыми, как у рыб, ртами. Из их носов текли сопли, из глаз — слезы.

За неимением у арестованных документов генерал обратил свой взгляд на их мужские отличия. С минуту его глаза внимательно изучали и сравнивали их, потом он уверенно ткнул рукой в Бруха:

— Этот! Сюда его! — И пошел, не оглядываясь, к «кадиллаку».

Следом бойцы-витязи потащили кашляющего Бруха.

Дверь «кадиллака» отворилась, из него вышел на снег маршал Сос Кор Цннь, начальник Службы безопасности президента. Это был плечистый и высокий по китайским стандартам мужчина с русской бородой. Несмотря на мороз, он был лишь в маршальском мундире и фуражке с высоченной тульей, обложенной золотыми листьями маршальских отличий. С тех пор как президента Ель Тзына предали его малорослые соратники генерал Ру Цкой и маршал Хас из южной провинции Чечня, президент перестал доверять мелким мужчинам и окружил себя рослыми, как он сам, чиновниками, которых ему доставляли из самых дальних провинций, — генералом Шу Мей Коном, полковником Чу Бай Сомом и т.п. Но стремительная карьера маршала

Сос Кор Цннья объяснялась не столько его ростом, сколько его беспримерной преданностью президенту и умением вовремя уберечь своего хозяина от любой опасности — от грузовика-снаряда при коммунистах до лишних доз спиртного при демократии. Некоторые вхожие в Кремль особы утверждают, что именно он грудью закрыл дверь президентского самолета в аэропорту Шеннон, когда президент «во сне» рвался из самолета для встречи с ирландским премьер-министром. За что сначала, в Шенноне, Сос Кор Цннь получил от «сонного» президента по морде, а потом, в Москве, — звание маршала и должность ГДЛ (Главного Доверенного Лица). Теперь ГДЛ с высоты своего роста и звания брезгливо рассматривал голого и кашляющего Бруха.

— Заткнись! — приказал он наконец, и Брух, сквозь слезы узнав Сос Кор Цнння, не то от страха, не то от изумления действительно замолчал. Руки его были скованы сзади стальными наручниками. — В парилке, значит, паришься? — продолжал Сос Кор Цннь. — А если я тебя счас кастрирую, сука?

— За... за что? — хрипло спросил Брух.

— А ты не знаешь? Твой станок перебил кремлевский коллектор связи! Ты, сволочь, всю страну без управления оставил! За это знаешь что...

— Так это ж замечательно, Сос Корович! — снова закашлялся Брух. — Поздравляю!

— С чем ты меня поздравляешь, сука? — подозрительно спросил маршал.

— С торжеством демократии. Страна даже не заметила, что вы перестали ею управлять.

Сос Кор Цннь на миг задумался, потом вскипел:

— Ты у меня поостри, падла! В машину! Если через час не восстановишь связь, я тебе второе обрезание сделаю. Своими руками!

— За час невозможно, — сказал Брух. — Там только станок передвинуть — сутки нужны. А еще сваю вытаскивать! Может, я все-таки штаны натяну?

— Ни хуя! Если член отморозишь, меньше будешь хуйней заниматься!

— Клевое дацзыбао! — заметил Брух, садясь в «кадиллак». — Это вы у Мао прочли? — И успокоил подскочившего к машине младшего сына: — Все в порядке, Марик, иди домой и будь с мамой. Я помогу дяде Со и вернусь. — И повернулся к севшему в машину маршалу: — Между прочим, вы сами утвердили маршрут бурения. У меня карта есть с вашей подписью. Никакого коллектора связи на ней нет.

— Не пизди! — сказал маршал и кивнул своему шоферу: — Поехали!

— Через ворота или как раньше? — спросил шофер.

— Через жопу! — раздраженно огрызнулся Сос Кор Цннь.

— Слушаюсь! — Водитель тронул машину в сторону пролома в заборе.

— Эй, куда?! — крикнул ему Брух и изумленно повернулся к маршалу: — А зачем вы забор сломали? Вот же дорога, в двух метрах!

— Не твое дело! — ответил тот и сунул ему «Моторолу». — На, звони своему долбоебу!

— Какому из них?

— Который в коллектор сваю загнал, сука! Он без твоего приказа не слезает со станка и продолжает долбить, пидарас хуев!

— Интересно, как я ему позвоню, когда у меня наручники? — спросил Брух.

Сос Кор Цннь кивком головы приказал своему адъютанту освободить Бруха от наручников. Размяв затекшие руки, Брух набрал номер на «Мотороле» и сказал:

— Vincent? Hi! It's George. No, I'm o'kay, may I talk to Robin? (Винсент, привет! Это Георгий. Нет, я в порядке. Могу я поговорить с Робином?)

— Кому ты звонишь? — подозрительно спросил Сос Кор Цннь.

— Одному гениальному механику, — ответил Брух. — Может, он придумает, как вам за час станок передвинуть.

— Но он же американец! Ты охуел, что ли? Там секретная линия связи!

— Он немой, он никому не скажет, — отмахнулся Брух и закричал в телефон: — Hello! Robin! Listen! I need your help! You hear me? Алло! (Алло, Робин! Слушай! Мне нужна твоя помощь! Ты слышишь?) — И отшвырнул трубку: — Я идиот! Как он может ответить, если он немой?! Хули вы смеетесь? Включите хоть подогрев сиденья, у меня яйца стынут!

— Ни хуя, — мстительно сказал маршал. — Я тебе покажу торжество демократии! Пока связь не восстановишь, будешь голый ходить!

10.

В эту ночь Винсент и Робин выучили больше русских слов, чем за все предыдущие дни, вместе взятые. Оказалось, что, несмотря на четырехтомный словарь живого великорусского языка, который пользуется в Москве такой популярностью, что мальчишки на всех перекрестках суют его вам в машину наравне с журналами «Пентхаус», «Плейбой» и «Спид-Инфо», русские в работе легко обходятся пятью-шестью выражениями, происходящими от слова «мать» и названий женских и мужских половых органов.

— Хуйни эту хуевину еще раз!

— Да не сюда, мать твою перемать! Опиздинел, что ли? Куда ты хуячишь? С этого боку запиздячь, с этого!

— Хорош, бля! Теперь пиздуй ее вниз до упора! А мы перекурим на хуй...

Если бы Робин умел говорить, то к утру свободно сдал бы экзамен по русской словесности, а также прикладной механике, инженерии и вообще любым предметам вплоть до лазерной нейрохирургии. Но Робин был немой и блеснул в эту ночь только своей технической смекалкой. Вдвоем с Джорджем «Баффало буллс», которого почему-то привезли в котлован на Манежной площади абсолютно голым и одели, как поняли Робин и Винсент, только из-за них, иностранцев («Да вы что, охуели? — говорил Брух своим охранникам из «Витязя». — Это ж американцы, бля! Они на весь мир распиздят, что вы людей голыми въябывать заставляете!), так вот, вдвоем с одетым в запасной камуфляж Джорджем они быстро смекнули, что ни вытаскивать злополучную сваю, ни передвигать станок не нужно, а нужно «захуячить эту ебаную сваю в пизду!», то есть утопить ее в землю совсем, еще ниже коллектора связи, а затем расширить скважину, то есть, извините, «расхуячить эту дырку так, чтобы телефонистов ФАПСИ туда запиздярить». И пока Георгий Брух, Робин и остальные инженеры и рабочие «Земстроя» совместно с технарями Федерального агентства правительственной связи и информации ударными темпами осуществляли в котловане это лихое техническое решение, в нависающем над котлованом стеклянно-бетонном павильоне, именуемом штабом стройки, Винсент энергично крепил американо-российские связи в другой, более доступной пониманию кремлевских генералов области.

— О'кей, «Манхэттен»! — говорил он, смешивая в бокалах канадское виски, сухой вермут и горькую рябиновую настойку. — Very popular drink! Now try it! (Очень популярный коктейль! Попробуйте!)

Генерал Бай Су Кой и маршал Сос Кор Цннь пробовали, презрительно морщились и, невзирая на присутствие Александры, выражались по-офицерски:

— Хуйня! Слабо, короче!

— *Hиупia?* No good? — повторял Винсент, лихо выгребая из холодильника управления стройки все запасы спиртного. — O'kay, let's try screwdriver! Screwdriver is very simple! Now you try that. We call it a «screwdriver». (Ладно, попробуем скрудрайвер. Это просто — водка и лимонный сок. Попробуйте. Мы называем это «скрудрайвер».)

— Скру-драй-вер... — повторяли, пробуя, генералы. — Тоже хуйня, но хуй с ним...

— Better? (Лучше?) — понимал их Винсент. — Aha! Now I'm getting your taste! So now we're going to Tequila-gold with pepper. By the way, how you, guys, are going to win the election if your man have rating only six pro cent? (Ага! Теперь я понимаю ваш вкус. Тогда перейдем к золотой текиле с перцем.

Между прочим, как вы, ребята, собираетесь выиграть выборы, если рейтинг вашего лидера только шесть процентов?)

— Что он пиздит? — спросил генерал Бай Су Кой у Александры.

Та добросовестно перевела.

— Во, бля, хитрожопый американец! — засмеялись генералы. — Думаешь, за твой сраный «скру-драйвер» мы тебе все секреты откроем? Ты наливай, а с выборами мы сами разберемся!

— What have they said? (Что они говорят?) — спросил Винсент у Александры, поворачиваясь к ней правым ухом.

— Они хотят еще выпить, — сказала Александра по-английски.

— А что насчет их предвыборной стратегии?

— Это государственный секрет.

— Tell them: if their president will make one more speech like yesterday night there is no secret to save him, he is finished. Got it? Don't shit, tell them! (Скажи им: если их президент будет толкать такие речи, как вчера по телику, никакие секреты его не спасут. Ясно? Не трусь, скажи им!)

— Давай переводи, не бзди! — поддержали Винсента генералы.

— Он говорит: если наш президент будет выступать так, как вчера по телику, его ничто не спасет, он проиграет, — нехотя перевела Александра.

— Ни хуя, *мы* его спасем! — помрачнел Сос Кор Цннь. И хмуро приказал Винсенту: — Ты наливай! Умник, бля!

— Translation, please! — испуганно попросил Винсент у Александры.

— Я вам сказала: дайте им еще выпить!

— Here we are! — Винсент поспешно подал бокалы с дринками. — Скажи им, что у нас в Лос-Анджелесе есть замечательные специалисты по избирательным кампаниям. Мужик, который провел все избирательные кампании Рейгана, и еще один, который помог выиграть нашему губернатору.

Александра добросовестно перевела.

— На хуй! — отмахнулся Сос Кор Цннь. — Нам тут еще американских советников не хватало! Скажи ему, пусть не лезет не в свое дело, бля! И пусть еще нальет, эту, как ее, скручину, короче. И посмотри там, в котловане, — долго они еще будут мудохаться с этим коллектором?..

Так, в совместных американо-российских усилиях как внизу, в котловане, так и наверху, в штабе стройки, прошла эта ночь. А к шести утра перепачканные в грязи и машинном масле Георгий Брух и Робин Палски поднялись в павильон, и Георгий доложил:

— Товарищи генералы! Связь восстановлена. Можете приступать к управлению страной.

Маршал Сос Кор Цннь уперся в него хмельным взглядом и погрозил пальцем:

— Ты, бля, дошутишься!

Георгий развел руками:

— А что я сказал?

Маршал повернулся к Винсенту:

— Ты, хитрожопый! Налей им! Только по-нашему, без скручины! Понял?

— No screwdriver! Vodka na lyod! *Ni huya!* I got it! — легко понял его Винсент.

Сос Кор Цннь уставился на него враз протрезвевшими глазами, потом сказал:

— Уже выучился по-русски? Касабланка хуев!

И перевел свой тяжелый взгляд на Робина.

Чувствуя, что под этим взглядом у него сейчас выпадет из рук стакан с водкой, Робин поспешно поднес этот стакан ко рту и залпом выпил.

— Гуд! — сказал генерал Бай Су Кой.

Но маршал продолжал испытующе смотреть на Робина, не то пытаясь припомнить, видел ли он когда-то этого американца, не то определить, мог ли Робин вызнать кремлевские секреты, помогая Бруху отремонтировать кремлевский коллектор связи. Однако алкоголь затуманивает мозги даже генералам, и маршалу пришла в голову другая идея. Он показал Александре пальцами на Робина и Винсента и спросил:

— Голубые?

Она пожала плечами:

— Да нет вроде...

— Голубые! — уверенно сказал маршал. — Раз из Калифорнии и вместе живут — точно голубые. — И снова посмотрел на Робина. — Но этого хмыря я где-то видел...

11.

Едва войдя в гостиничный номер, Робин ринулся собирать чемодан.

— Эй! — изумился Винсент. — Какого черта?

Но Робин не отвечал — он носился от шкафа и тумбочки в туалет и обратно и в чемодан летели джинсы, палас-простыня из деревянных шариков, смокинг, эспандер, носки, галстуки, технические справочники и набор гаечных ключей, с которым Робин никогда не расставался.

Но когда он в очередной раз подбежал к чемодану с ботинками в руках, на чемодане сидел Винсент.

— Fuck you! — сказал он. — В чем дело?

«Я уезжаю! Срочно!» — показал Робин.

— Почему?

Робин, не отвечая, попробовал столкнуть Винсента с чемодана.

— Ni huya! — сказал Винсент. — Я видел, как смотрел на тебя этот fucking русский генерал. Ну и что? Ты обосрался? Он и меня назвал «Касабланка», но я положил на него! Я приехал сюда делать деньги, и сделаю — ebiona mat! Но ты не можешь оставить меня одного, ясно? Мы оба отвечаем перед Амадео за этот бизнес, и я не собираюсь подставлять за тебя свою задницу! Попробуй сесть тут в любой самолет, и я позвоню Амадео, он встретит тебя всюду, куда ты прилетишь.

Робин растерянно остановился со своими ботинками в руках. Только теперь до него дошло, в какую ловушку он попал: он не может оставаться в России, где все КГБ, или как оно теперь называется, принадлежит маршалу Сос Кор Цннью, и он не может уехать отсюда, потому что на нем действительно держится весь этот совместный американо-российский бизнес, который Винсент заложил Амадео Джонсону. Но как же быть?

— Come on! — сказал Винсент. — Ты что? Видел в этом сраном телефонном коллекторе какие-то кремлевские секреты? Хули ты бздишь этого генерала? Relax! Он напился, как обезьяна, а когда проснется, то и не вспомнит твое имя! Оставь свои ебаные ботинки, мы опаздываем к Болотникову — он улетает сегодня в Европу. И мы должны срочно снять себе квартиру — я не могу платить двадцать четыре сотни в день за этот сраный номер!

Но Болотников поубавил у Винсента энтузиазма. Сначала он заставил Винсента и Робина больше часа прождать в приемной, поскольку был занят со своей новой красоткой-ассистенткой какой-то совершенно изнурившей его работой. А затем вполовину срезал представленную Винсентом смету расходов на первый месяц и еще категорически отказался выдать деньги на эти расходы.

— Во-первых, — сухо сказал он Винсенту, — мы практически бесплатно, за доллар, отдаем вам помещение, которое стоит миллион! Во-вторых, мы гарантируем вам монопольные права торговли. То есть никаких конкурентов! И в-третьих, мы даем вам протэкшен!

— Мне не нужен твой протэкшен! — высокомерно сказал Винсент. — Я могу защитить себя сам, не беспокойся!

— Ты ошибаешься! — попытался возразить Болотников.

— Я ошибаюсь? — возмутился Винсент. — Сынок, я защищал себя еще до того, как твой дедушка научился делать то, что ты делал только что со своей секретаршей! Послушай меня! Нам нужно как минимум сорок тысяч долларов на первый месяц, и вы должны заплатить половину этих денег — или мы вообще не играем в этот бизнес! — И добавил по-итальянски: — *Капиччи?* Понимаешь?

Болотников долго смотрел ему в глаза, потом нагнулся к левой тумбе своего роскошного, из красного дерева письменного стола и открыл ложную деревянную дверцу, за которой оказалась стальная дверца сейфа. Покрутив ручку с цифровым кодом, он открыл этот сейф, вытащил и бросил на стол две пачки стодолларовых купюр, перетянутые фирменной бумажной лентой Американского федерального банка.

— О'кей, — сказал он, — вот двадцать тысяч. Это мои собственные деньги. Я думаю, ты мне их скоро вернешь.

— О, конечно! — насмешливо ответил Винсент и самодовольно усмехнулся, выходя из банка: — *Yobany Russki!* Я научу их, как вести бизнес!

Но и эта маленькая полупобеда утешила Винсента ненадолго. Потому что квартиры, которые они смотрели в то утро, вызвали у Винсента новый прилив бешенства.

— It is *huynia!* Look at that shit! (Это хуйня! Посмотри на это дерьмо!) — Он в сердцах откинул пыльную портьеру, закрывающую окно, и тут же вся штора рухнула вместе с карнизом, едва не проломив ему голову. То была четвертая квартира, в которую привезли Винсента и Робина Александра и косоглазая Наташа, хозяйка московского агентства «Комфорт интернешнл», красивая прохиндейка с порочной походкой. — Fuckin' Russia! — Винсент выбрался из-под пыльной шторы и, отряхиваясь от бетонной крошки, просыпавшейся из креплений рухнувшего карниза, возмущенно забегал по квартире. — Смотри! Что это? — Он показал на обои, свисающие со стен и завернувшиеся на манер пожухлых осенних листьев. — А это? — Он ногой пнул дверь из гостиной в спальню, и дверь эта — без петель, лишь прислоненная к дверному косяку — рухнула на матрац, который покоился на трех кирпичах. Но Винсент даже не обратил на это внимания, а по горбатому, со вздутым паркетом полу шагнул в туалет. — Посмотри сюда! — позвал он косую Наташу. — Смотри!

В туалете, совмещенном с ванной, крышка сиденья была сломана, из водяного бачка все внутренности торчали наружу, а на дне ванны валялись металлические части душа — витой шланг и ручки от кранов.

— You call it a «comfortable villa»? Look at me! Look me at my eyes! (И ты называешь это «комфортабельной виллой»? Смотри на меня! Смотри мне в глаза!)

— I luuk! I luuk! — отвернулась Наташа, только так ее косые глаза могли смотреть прямо на Винсента.

— How much you want for that shit? (Сколько ты хочешь за это дерьмо?)

— Tu sausan, — с враждебной твердостью сказала Наташа, поворачиваясь к нему лицом и таким образом отводя в сторону свои косые глаза.

— Я не слышу. — Винсент повернулся к ней левым ухом. — Look at me! (Смотри на меня!)

— I luuk. Tu sausan, — повторила Наташа. — In month.

— Two thousand dollars for that huynia! Две тысячи в месяц за это дерьмо?!! Невероятно! За такие деньги я могу иметь виллу в Акапулько!

— But it's the center of Moscow! (Но это в центре Москвы!) — сказала ему Александра.

— Тут за один вид можно отдаться, — заметила ей по-русски Наташа.

— What she is saing? (Что она говорит?) — спросил Винсент.

— Тут замечательный вид. — Александра показала за окно. Там зябли и ежились в густой снежной метели Пушкинская площадь и Тверской бульвар. Оскальзываясь на коросте замерзшей грязи, по тротуарам мелкими шагами брели сутулые прохожие в заснеженных пальто и шапках. А на Тверской улице троллейбус потерял провода, создав гигантскую пробку авто, которые вопили гудками.

— *Huynia* is your view! Что такого замечательного в ваших ебаных видах? — Винсент раздраженно поднял телефонную трубку с валявшегося на полу телефона, приложил его сначала к правому, а потом к левому уху. — Of course! It's not working! (Конечно! Не работает!)

— Workin, workin! — сказала Наташа, соединяя вырванные из стены и обнаженные телефонные провода.

Винсент повернулся к Робину.

— Что ты скажешь?

Робин пожал плечами: если ему суждено остаться в России, он не будет жить ни в отеле, ни в квартире, а, как только придут его станки и инструменты, переселится в мастерскую.

— O'kay! — сказал Винсент Наташе. — One thousand dollars. That's my last word. And you have to fix everything here! (Тысячу долларов. Это мое последнее слово. И ты должна привести тут все в порядок.)

— Tu sausan, — не отводя от него косого взгляда, твердо сказала Наташа. — Ван саузан — депозит.

12.

Вы когда-нибудь задумывались, каково иностранцу начать бизнес в России? Я не спрашиваю моих западных читателей, я обращаюсь к русским: поставьте себя на место любого иностранца, прилетевшего в Москву, чтобы начать тут какое-то дело. Что с вами случится в первую же минуту? Совершенно верно: вас надуют! Вас ограбят чиновники, наемные рабочие, сантехники, таможенные инспектора, водители такси, официанты, милиционеры и даже ваши собственные партнеры. Вас будут «обувать» внаглую, не опуская презрительно чистых глаз, вас будут кормить дерьмом, поить бурдой и подсовывать безумные счета, вас будут соблазнять сверхприбылями и проститутками, спаивать, шантажировать и вымогать последнее из последнего. И при этом вас же, ограбленного, будут презирать и ненавидеть — за ваши деньги, за вашу чистую сорочку, за правильно повязанный галстук, за аккуратную прическу и даже за запах вашего дезодоранта. И когда вы, униженный и разбитый, в отчаянии решите все бросить и сбежать домой, окажется, что вы обязаны заплатить штраф за то и за это, за просроченную визу, регистрацию банкротства и несостоявшиеся кредиты, а иначе вас и из России не выпустят.

Не так ли, дорогие мои российские читатели? Или я что-то преувеличиваю? Клевещу на свою географическую родину? И, пожалуйста, не нужно напоминать мне о пресловутой славянской доброте и прочей мистике — нынешняя российская действительность уже давно переместилась

70

из бывших стыдливых «уголков криминальной хроники» на первые полосы самых респектабельных «Известий», «Московских новостей», «Коммерсантъ-Daily» и «Аргументов и фактов»: нет и дня, чтобы в Москве безжалостно, за каких-нибудь пару тысяч долларов, не убивали бизнесменов (в том числе иностранцев), или не брали заложников (в том числе иностранцев), или не взрывали офисы (в том числе иностранные).

Винсент Феррано и Робин Палски находились в самом начале этого рискованного пути.

Правда, у них были партнеры и покровители, связанные с верхами верхов правительственной власти: Юрий Болотников и Георгий Брух. Но как раз в эти дни Болотников и министр российской экономики улетели в Лондон добиваться в Евроклубе отсрочки платежей по российским займам под предлогом опасности возвращения коммунистов к власти, а Брух сразу после столкновения с маршалом Сос Кор Цнньем укатил с сыновьями в Африку, в сафари, чтобы охотой на диких зверей восстановить свой престиж в глазах детей.

И простые российские заботы мгновенно обступили наших героев.

Во-первых, регистрация бизнеса и оформление бумаг на пятидесятилетнюю аренду особняка на Пречистенке. Эти два простых акта оказались связаны между собой взаимоуничтожающими обстоятельствами, несмотря на торжественно подписанный контракт между «Safe Way International» и Московской мэрией. В Палате регистрации новых учреждений, предприятий и акционерных обществ (улица Ситная, бывшая Энгельса, табличек нет, дом номер 6, корпус 2, строение 5, в связи с ремонтом вход с Нижне-Камского переулка, второй этаж, комната 19, прием документов в окне № 3 по средам и пятницам с 8.30 до 10.30, оплата госпошлины в кассе № 4 Сбербанка по улице Мясницкой, бывшая Кирова, выдача документов по четвергам с 14.00 до 16.00, справки по телефону не выдаются), так вот, после часовой очереди к окошку № 3 Палаты регистрации новых учреждений господам Феррано и Палски через их переводчицу было сказано русским языком, что без документов на аренду или владение каким-нибудь помещением в Москве регистрация бизнеса не производится.

— А я вам еще раз русским языком объясняю! — с непонятной враждебностью повторила Александре молоденькая приемщица документов с лицом красавиц итальянского художника Боттичелли. — Без адреса не регистрируем! Как я буду их регистрировать? Где? На Луне? Освободите окно! Следующий!

А в региональном Управлении коммунальным имуществом (улица бывшая Станиславского, дом 79, подъезд 9, третий этаж, комната 16, прием посетителей только по предварительной записи по телефону, дополнительная информация: по случаю ремонта проход через подъезд 7, вход со двора) томная заведующая с глазами и фигурой Шехерезады, кутаясь от холода в норковую шубу и угощая гостей растворимым кофе из двухлитрового китайского термоса с неземными павлинами, бессильно развела тонкими руками в старинных серебряных перстнях:

— Как же я выдам им документы на дом, если у них еще бизнес не зарегистрирован? Что я? Просто отдам двум американцам целый особняк в Москве? Да меня за это в тюрьму посадят!

— Надо дать! — стеснительно сказала Винсенту Александра после первой недели их мытарств.

— What do you mean *«nado dat»*? — спросил Винсент.

Александра смутилась и покраснела до шеи:

— Ну, я не знаю, как сказать... У нас есть хорошие обычаи и есть плохие обычаи...

Тут вмешался Робин. Двумя жестами он объяснил Винсенту, что Александра имеет в виду.

— Ах, взятка! — воскликнул Винсент. — Так у вас тоже! Что ж ты мне с самого начала не сказала?

Выяснилось, что Александра ничего о размерах взяток не знает и давать их не умеет. Винсент тоже не мог рисковать своим положением президента международной компании («Ты можешь представить — я, президент международной компании, буду совать взятки каким-то русским девчонкам!

72

Конечно, они все красотки, но все же...»). Короче, дать первую взятку выпало Робину — если он влипнет на этом, то легко объяснить, что он немой, что-то не понял, думал, что это государственная пошлина и т.п.

Как ни странно, операция с первой же взяткой прошла у Робина блестяще: он молча подал в окошко № 3 те же документы и незапечатанный конверт с деньгами, красавица Боттичелли тут же вскрыла конверт, пересчитала деньги и, не глядя на взмокшего от страха Робина, сказала негромко:

— Еще пятьдесят...

Но Робин не знал этих слов и лишь улыбнулся бессильно.

Она подняла на него глаза, враз определила в нем иностранца и сказала с чистеньким английским произношением:

— Another fifty.

Робин выгреб из кармана все, что у него было — две десятки и пятерку. И жестами показал, что больше у него нет ни цента.

— O'kay, — сказала «Боттичелли», легким жестом сбросила деньги в ящик и стала не глядя штамповать документы жирным чернильным штампом, говоря куда-то в глубь комнаты: — Во блин! Уже кто только сюда не едет! Черные, немые! Медом тут у нас намазано! — И подала Робину какую-то квитанцию. — O'kay, sir! Go to the «SberBank» on Miasnitskaya street and pay ten thousand dollars. Take a receipt and come back at Thursday... (Ладно, сэр. Идите в Сбербанк на Мясницкую улицу и уплатите десять тысяч долларов. Возьмите квитанцию и возвращайтесь в четверг.)

Робин в изумлении открыл рот.

— What? — спросила «Боттичелли».

Он в ужасе показал на пальцах:

«ДЕСЯТЬ ТЫСЯЧ?????»

— Sure. Ну да, это стандартная пошлина, — сказала «Боттичелли», но все-таки улыбнулась, увидев искреннее отчаяние на его лице: — All right, я дам вам скидку на переводе ваших документов. — И снова повернулась в глубину комнаты: — Катя, ты переведешь ему за сотню, налом? Иди глянь: он хоть и немой, но без кольца. И выглядит как холостой...

Из глубины комнаты выплыла еще одна красавица в духе пышных дев с полотен Рембрандта. Она лениво глянула на Робина и кивнула «Боттичелли»:

— О'кей. Сотню налом. И возьми его себе.

Под строительными лесами маляров, которые закапали Робину дубленку желтой краской, он горохом скатился по деревянной лестнице на улицу, где его ждали Винсент и Александра.

— Что? — закричал Винсент. — Десять тысяч только за то, чтобы инкорпорировать бизнес? *Na huy!* Мы уезжаем!

«Плюс еще сто за перевод», — жестами показал Робин.

— No! To *yobani mat!* Я сказал тебе: мы уезжаем! К черту такой бизнес! — Винсент шел по улице, так громко матерясь по-русски, что прохожие оборачивались на него с радушной улыбкой. И в китайском ресторане, что на бывшей улице Маркса-Энгельса по соседству с храмом Христа Спасителя и напротив Ленинской библиотеки, заплатив кассирше-Белоснежке по семнадцать долларов за ничтожные порции какой-то еды, Винсент продолжал: — Посмотри на эту еду! На эту порцию! Это называется китайский ресторан? В китайском ресторане должно быть много еды и дешево! Смотри на эти ебаные креветки! Это же блохи! Семнадцать долларов за семь блох! Они и на вкус — блохи! — Он брезгливо доел свою порцию и удивленно развел руками: — Я не наелся! Нет, правда! Я заплатил семнадцать ебаных долларов и ни хрена не наелся! Как мы можем заработать тут деньги, Робин, когда тут все так дорого? Ты, Алекс, сколько ты зарабатываешь?

«Алексом» он с некоторых пор стал звать Александру, как бы подчеркивая свой настрой не признавать в ней женщину, несмотря на обручальное колечко на ее руке.

— Я не ем в ресторанах, — уклончиво ответила Александра.

— О'кей, еще одна вещь, Алекс, — сказал Винсент. — Посмотри вокруг. Рабочее время, а на улице тысячи людей. Но — ни одной красивой бабы! Я не говорю о тебе, конечно. Но все остальные какие-то уродки и одеты ужасно. А стоит войти в любой офис — сплошные Барби! Любая секретарша — просто Мелани Гриффит! И даже эта продавщица — настоящая Белоснежка. Это странно — все красивые курочки у вас работают, а уродки гуляют! Мне кажется, у нас наоборот. А, Робин? Или я уже забыл?

Александра несколько мгновений смотрела на него в упор, потом сказала негромко:

— Я хочу посмотреть, какую вы возьмете себе секретаршу.

Винсенту понадобилась пауза, чтобы понять, что она имела в виду.

— Нет, я не хотел тебя обидеть, — сказал он, смутившись. Но тут же постарался восстановить свое превосходство: — Я вижу у тебя кольцо на руке. Ты действительно замужем?

— Что значит «действительно»? — обиделась Александра. — Я да, замужем!

Винсенту, похоже, в это трудно было поверить.

— I see... — произнес он с сомнением. — И что делает твой муж?

— Well... — уклончиво произнесла Александра. — Он работает в Думе. Ну, в нашем парламенте.

Но Винсент не отставал:

— И что он там делает?

— Разное... — Явно желая прервать этот допрос, Александра встала. — Пошли?

— Он работает в парламенте, но у вас нет дома телефона. — Винсент выразительно посмотрел на Робина, показывая, что он не поверил ни одному ее слову.

А в гостинице администраторша, статная, как Дебби Мур, в строгом пиджаке с эмблемой отеля «Националь» на груди, позвала его от стойки:

— Мистер Феррано! Вам пришел факс!

— How much? — настороженно спросил Винсент.

— Oh, it's nothing! Пустяки! — Она очаровательно улыбнулась, подавая ему листок с факсом. — Всего десять баксов!

— Десять долларов за факс! — сказал Винсент Александре и Робину, начиная вновь заводиться. — И это пустяк для нее! — Он повернулся к администраторше: — Мой отец работал неделю за десять долларов! И то была тяжелая работа! Так мы построили капитализм! А вы хотите получить его даром, за наш счет! — Он хлопнул на стойку зеленую десятку.

Русская Дебби Мур бесстрастно смахнула деньги в ящик стола и отошла, а Винсент протянул Александре факс с русским текстом:

— Что там?

— Это факс из Петербурга, из морского порта, — сказала она. — Пришли контейнеры с вашим оборудованием.

— How much? — хмуро спросил Винсент.

— Таможенный сбор — шесть тысяч двести четыре доллара сорок два цента, — прочла Александра. — Хранение контейнеров — триста двадцать долларов в сутки.

— Угу... — мрачно, но уже закипая от ярости, произнес Винсент. — А как насчет «надо дать»?

Александра бессильно пожала плечами, Винсент повернулся к Робину.

— Это ловушка! — воскликнул он и пошел по гостиничному вестибюлю, возмущаясь: — Эта страна — одна большая ебаная ловушка! Западня! Вы не можете получить ничего без «надо дать»! Не так ли? — обратился он к группе британских старушек-туристок, которые испуганно поджали накрашенные губки.

Тут же от зеркальных дверей отеля к Винсенту решительно направились два двухметроворостых швейцара, а от стойки администратора подлетела «Дебби Мур» в строгом фирменном блейзере:

— Sir! Mister! Вы должны вести себя тихо! Это наше правило!

— Oh, sure! Конечно! Я должен быть ограблен, и я должен вести себя тихо! Я знаю это правило! Я сам вводил его в Калифорнии тридцать лет назад!.. То есть я воевал с ним тогда...

Швейцары, больше похожие на бойцов отряда «Витязь», уже хотели взять Винсента под локти, но тут вмешалась Александра, сказала им что-то по-русски, и они отступили. Александра и Робин увели Винсента в лифт, Александра сказала:

— Ваша квартира завтра должна быть готова. Или вы всерьез собрались уезжать?

— Sure! — сказал Винсент, остывая. — Мы уедем и оставим тут пять контейнеров с оборудованием на полмиллиона! Где эти факинг Юри и Джордж? Они должны помогать нам решать эти ебаные русские проблемы!

13.

В их двухэтажном особняке на Пречистенке все двери были распахнуты настежь, там тоже шел ремонт. Но ни одного рабочего не было ни при входе, ни на лестнице, ни в комнатах. Хотя всюду были малярные и плотницкие инструменты, заляпанные краской стремянки, небрежно застеленные газетами полы, мешки с цементом, банки с краской, сорванные со стен обои, отвинченные батареи парового отопления, водопроводные трубы и снятые с окон старые рамы и подоконники. Морозный ветер со снегом задувал в пустые оконные проемы и гулял по выстуженному зданию.

Поднявшись по широкой парадной лестнице на второй этаж и пройдя через анфиладу пустых комнатушек со сломанными стенными перегородками (раньше тут были кабинеты и классы политпросвещения), Винсент, Робин и Александра спустились по боковой лестнице в зал будущего цеха разборки и сборки автомашин (бывший актовый зал клуба) и только теперь уловили какие-то голоса, а потом и нашли трех рабочих в крохотном чулане-бытовке. Здесь, возле хлипкой пожарной двери на улицу, жарко пылала спираль самодельного электрообогревателя. Сидя на каких-то ящиках, русские — два пожилых сморчка с лицами спекшихся алкашей и молодой мордатый здоровяк — закусывали: несмотря на раннее утро, перед ними на табурете стояла початая бутылка водки «Ройял», два граненых стакана и алюминиевая армейская кружка, открытая консервная банка с итальянскими сардинами и буханка черного хлеба, нарезанная крупными ломтями.

— What is it? Что это? Русский обеденный перерыв? — спросил Винсент, посмотрев на часы. — И где остальные? Здесь двадцать человек должны работать постоянно.

Александра перевела рабочим, те ответили ей небрежно, через плечо. Она объяснила Винсенту:

— Они говорят, что у них деньги кончились. Вы должны заплатить им за месяц вперед.

— Как это — за месяц вперед? Неделю назад я подписал контракт с их начальником и выдал депозит. Шесть тысяч!

Александра перевела, снова получила небрежный ответ и снова перевела Винсенту:

— Этого начальника вчера убили.

— Убили?! — ужаснулся Винсент. — Кто? Как это случилось?

— Это Москва, у нас каждый день убивают, — объяснила Александра и снова спросила что-то у рабочих.

Те молча чокнулись стаканами и кружкой, выпили, потом один из них сказал что-то Александре.

— Это поминки, — перевела Александра. — Они выпили за душу своего начальника.

— А что случилось с моими деньгами?

Александра перевела вопрос рабочим, потом — их ответ:

— Они не знают. Начальник убит и деньги пропали. Наверное, его ограбили. Но они не собираются работать бесплатно. Если вы не заплатите им за месяц вперед, они уйдут на другую стройку.

— Но кому тут платить? Они же пьяные! И где гарантия, что завтра и они не исчезнут с деньгами?

Александра перевела рабочим насчет гарантии.

— Какая на хуй гарантия? — усмехнулся один из работяг.

— Да пошел он в жопу! — сказал второй.

— Будет платить — будем работать, а нет — спалим тут все на хуй и пошел он в пизду! — заключил третий.

Александра не успела перевести эти заявления, потому что Робин, понявший почти все и без перевода, вдруг взбесился сильней Винсента — ударом ботинка опрокинул табурет с «поминками», схватил двух сморчков за воротники и с жуткой силой, свойственной всем немым, стукнул их лбами. А мордатого здоровяка, который вскочил с ножом в руке, Робин, мыча от бешенства, стал жестами приглашать напасть на него. Но тот оказался не из робких — он уверенно и трезво пошел на Робина, играя ножом, как профессиональный убийца со специальной армейской подготовкой. И если от первого выпада Робин успел увернуться, то от мгновенной подсечки ногой — нет, и русский тут же нагнулся над упавшим противником, занес руку с ножом. Правда, Робин успел перехватить эту руку, однако мордатый второй рукой уверенно душил Робина, неотвратимо приближая нож к его лицу.

Александра остолбенела от ужаса, но в этот миг Винсент изо всех сил прижал парню к заднице раскаленный электрообогреватель. Мордатый распрямился в немом крике, выронил нож, закрутился на месте, вращая глазами, и с криком выскочил на улицу. Дымя брезентовой курткой, он пробежал мимо изумленных прохожих метров сто до ближайшего снежного сугроба и прыгнул обожженной задницей в снег, стал кататься в сугробе, сбивая пламя.

Из соседнего кафетерия «Русское бистро» выскочили несколько мужчин в грязных телогрейках и побежали к нему через мостовую.

Винсент в изумлении показал Александре на одного из них:

— Look! Смотри! Это их начальник! Но его же убили!

Тем временем Робин, поднявшись, выбросил на улицу двух сморчков и жестами запальчиво показал Винсенту:

«НИКАКИХ БОЛЬШЕ РУССКИХ РАБОЧИХ! Я ВСЕ СДЕЛАЮ САМ!»

— They are coming! (Они идут!) — в ужасе сказала Александра и показала на улицу.

Действительно, шестеро работяг во главе со своим бригадиром угрожающе двигались к их офису.

Винсент протянул Александре «Моторолу»:

— Звони в полицию!

— Это бесполезно, — сказала та и захлопнула хлипкую уличную дверь.

Робин заложил ее ножкой табуретки.

Но после первых же ударов снаружи стало ясно, что дверь не выдержит и минуты.

— Сюда! — Винсент побежал прочь из каморки — через пустой зал будущего цеха сборки машин и через анфиладу комнат — в сторону парадного входа.

Александра и Робин следовали за ним. Робин на ходу запирал за ними двери. Александра набрала на «Мотороле» «02», закричала в трубку по-русски:

— Милиция! Нас убивают! На Пречистенке!.. Мой номер телефона? При чем тут?.. Я не знаю мой номер телефона...

Винсент первым несся к парадной двери и вдруг остановился на всем бегу — навстречу ему уже поднимались по лестнице те же рабочие с палками и металлическими штырями в руках. Он толкнул в их сторону стремянку, она с грохотом покатилась вниз по ступеням, но рабочие обошли ее и двинулись вверх. Робин втащил Винсента назад, захлопнул высокую дубовую дверь, подпер ее стулом под ручку и вылил под дверь ведро масляной краски. В тот же миг топор стал рубить эту дверь снаружи.

— Сюда! На помощь! — зажатым голосом выкрикнула Александра на улицу через пустой оконный проем.

Винсент подбежал к ней и увидел зрителей в окнах противоположного многоэтажного дома: люди стояли там за занавесками и шторами и с острым любопытством наблюдали за событием. Но никто из них не звонил в милицию и вообще никак не собирался вмешаться.

— Fuck you! — крикнул им Винсент и двумя руками в сердцах швырнул в них банку с краской.

Банка не долетела, конечно, а упала вниз и угодила по багажнику проезжавшей по улице серебристой «вольво». Машина остановилась, из нее вышли четыре качка, удивленно посмотрели на помятый и облитый желтой краской зад машины, потом — на окно, из которого выпала эта банка. В окне торчали головы Александры и Винсента, Александра кричала:

— Помогите! Спасите!

Качки вытащили из-под пиджаков семнадцатизарядные пистолеты «глок» и стали палить по окну. Но Винсент, увидев «глок», тут же сдернул Александру на пол и сам упал рядом. Сверху с потолка на них сыпалась отбитая пулями штукатурка.

— They are crazy! (Они психи!) — изумленно сказал Винсент. — Это хуже, чем в Италии!

В окнах противоположного дома зрители исчезли, тоже, видимо, попадав на пол.

Между тем в особняке «Рос-Ам сэйф уэй интернешнл, инк.» под ударами топоров рабочих из парадной дубовой двери летели щепки, хотя стоять в скользкой краске рабочим было неудобно...

Робин стоял за этой дверью рядом с дверным косяком. Прислонившись спиной к стене, он держал в руках отрезок водопроводной трубы. Пули качков, влетавшие в окна, срикошетив от потолка, сыпались вокруг него и разрывали бумажные мешки с цементом, которые он подтащил к двери.

Расстреляв по первой обойме, качки перезарядили свои «глоки» и с решительным видом направились к парадному входу особняка, не обращая внимания на возникшую на улице автомобильную пробку, гудки нетерпеливых автомобилистов и дальний вой милицейской сирены.

В окнах противоположного дома снова стали возникать осторожные зрители.

Войдя в парадное и увидев вверху на лестнице рабочих, уже почти пробивших топорами огромную дыру в двери, качки крикнули им «Лежать!» и выстрелили над их головами. Рабочие упали на залитый краской пол.

Качки несколькими выстрелами выбили дверь из дверных петель и пнули ее внутрь. Дверь с пушечным грохотом рухнула на мешки с цементом, подняв в воздух облако цементной пыли. Качки, закрыв глаза и задержав дыхание, вслепую палили в это облако из своих «глоков». Но когда пыль осела, они увидели, что в комнате никого нет. И в соседней — тоже. И в третьей... .

И только подойдя к окну, они обнаружили своих обидчиков.

Выскочив на улицу из пожарной двери чулана-подсобки, Винсент, Александра и Робин угодили прямо в руки милиционеров, пробившихся сюда через автомобильную пробку на новеньком «шевроле» с мигалкой и русской надписью «МИЛИЦИЯ».

— Эй! Это же наша машина, «шевроле»! — сказал Винсент, сидя в наручниках на заднем сиденье машины.

— Same shit! (Один хрен!) — хмуро заметила Александра.

14.

Стоя за металлической решеткой камеры предварительного заключения в 208-м районном отделении милиции, Винсент и Робин изумленно смотрели, как арестованные качки отсчитали дежурному майору милиции четыре тысячи долларов, получили у него свои «глоки» и спокойно, с шутками покинули милицию, не забыв, конечно, жестами и матюками пригрозить американцам. Никаких квитанций, вызовов в суд или в прокуратуру этот майор качкам не выдал, а, наоборот, порвал акт о задержании, составленный час назад, сразу после доставки в отделение участников происшествия, и углубился в чтение английского издания романа Марио Пьюзо «Крестный отец».

Через зарешеченное окно за его спиной Робину и Винсенту было видно, как, сев в свою «вольву», которую бригада уличных пацанов-мойщиков уже отмыла от краски, качки швырнули этим пацанам зеленую десятку и уехали.

Тут, не отрываясь от книги, майор раздал семи вахтенным милиционерам по сотне долларов, остальные деньги разделил на две пачки и одну из них положил в сейф, а вторую — себе в карман.

Теперь наступила очередь рабочих. Их, шестерых, тоже вывели из соседней клетки КПЗ, и с них, как раньше с качков, тоже сняли наручники. Бригадир рабочих, поторговавшись с майором милиции, расстегнул ширинку и извлек из потайного кармана в трусах узкий конверт «California Trust Bank» с деньгами.

— Это же мои деньги! — опознал свой конверт Винсент.

Но бригадир, не обращая на Винсента никакого внимания, отсчитал майору милиции шесть сотен. Майор, отложив «Крестного отца», порвал еще один акт о задержании, а рабочие — тоже с шутками — направились к выходу.

— Listen! Это же наши деньги! А что насчет нас? — снова крикнул Винсент майору милиции и повернулся к Александре: — How much *'nado dat'?*

Александра сказала что-то майору, тот и другие дежурные милиционеры, деля деньги рабочих, засмеялись, Александра перевела Винсенту их ответ:

— Вы иностранцы. Они не берут взяток у иностранцев. Они отправят нас в тюрьму.

— Как это в тюрьму? — возмутился Винсент. — Эти засранцы хотели нас убить и их отпустили, а мы пойдем в тюрьму?

— Не забудьте: вы сожгли задницу русскому рабочему, — напомнила Александра.

— Ебать его задницу! — воскликнул Винсент. — Это была самозащита! Я не пойду ни в какую тюрьму! А хочу говорить с моим послом! — И, ухватив руками стальную решетку, крикнул майору: — Hey, listen! Я иностранец, но я знаю мои права! Я хочу позвонить послу Соединенных Штатов!

— Fuck off! (Отъебись!) — спокойно ответил ему майор по-английски. И стал двумя пальцами печатать на старой пишмашинке «Москва» какой-то документ. Потом поднял голову, спросил Робина: — Your name? (Фамилия?)

— Его зовут Робин Палски, он немой, — вместо Робина ответила Александра.

Майор что-то отпечатал, спросил у Александры:

— Твоя фамилия?

— Александра Каневская. А что вы печатаете?

— Направление в тюрьму и представление в прокуратуру. Его фамилия? — Майор кивнул на Винсента.

— Мистер Винсент Феррано.

— What he is doing? (Что он делает?) — с беспокойством спросил Винсент.

— Он печатает направление в тюрьму.

— Hey! — снова крикнул Винсент майору. — I wonna talk to my Ambassador, do you hear me? (Я хочу говорить с моим послом, ты слышишь?)

Майор снял трубку зазвонившего телефона, что-то сказал в нее, потом посмотрел на Винсента:

— Do you have fifty thousand? (У вас есть пятьдесят тысяч?)

— Пятьдесят тысяч чего? — не понял Винсент.

— Пятьдесят тысяч долларов. Не рублей, конечно, — усмехнулся майор.

— Are you crazy?! Ты спятил? Ты взял с бандитов четыре тысячи, а у них были пистолеты! И ты взял с рабочих шесть сотен! А с нас ты хочешь пятьдесят тысяч?! За что? Мы ничего не сделали, ты же знаешь!

Майор спокойно выслушал этот монолог, потом спросил:

— Так у вас есть пятьдесят тысяч или нет?

— Послушай! Клянусь Богом: мы ничего не сделали! — с прежней горячностью сказал Винсент. — Они хотели убить нас! И у них были пистолеты, не у нас!

— Он не хочет платить, — по-русски сказал в трубку майор, положил ее на рычаг и продолжил печатать на машинке.

Робин знаками показал Винсенту:

«ЭТО ИГРА!»

— Я знаю, что это игра! — ответил ему Винсент. — Он шантажирует нас. Я играл в эти игры сотни раз. Но знаешь, что меня изумляет? Они только вылезли из коммунизма, они должны быть в первом классе в таких играх. А ты посмотри на этого майора — он же гроссмейстер!

Майор перестал печатать и с улыбкой повернулся к Винсенту:

— O'kay, twenty thousand. (Ладно, двадцать тысяч.)

— What's your name? (Как тебя зовут?) — спросил Винсент.

— Зачем тебе? — усмехнулся майор.

— Потому что я не имею дел с незнакомыми! — заносчиво ответил Винсент.

— Ну, Сорокин.

— О'кей, Нусорокин. Знаешь что? Если ты хочешь быть справедливым, ты должен отдать нам половину того, что ты сейчас заработал.

— Почему? — удивился майор.

— Потому что мы партнеры — ты сделал эти деньги благодаря нам! А деньги, которые ты взял с рабочих, вообще мои деньги!

— Forget it! Забудь! — усмехнулся Сорокин, у него был неплохой английский. — Эти деньги пойдут наверх! — Он показал пальцем вверх. — Но говоря о партнерстве... Вы собираетесь открыть бизнес в этом районе?

Винсент кивнул.

— Какой бизнес? — спросил майор.

— Мы делаем бронированные лимузины.

— О-о! — заинтересовался майор. — А ну-ка подробней! Какие лимузины?

— Любые. В основном «мерседесы».

— «Мерседесы»? Правда? О, это хороший бизнес! — еще больше возбудился и повеселел майор. — Очень хороший! Много бандитов купят ваши машины! Но вам нужна «крыша», протекция! И это мой район, знаете? Как насчет того, что я вас сейчас отпущу даром, и вы будете помесячно платить мне десять косых за защиту вашего бизнеса? А?

— Your English is great, — сказал Винсент, — but your manners are fucking shit!

— What? — не поверил своим ушам майор и переспросил у Александры: — Что он сказал?

— Он говорит, что у вас хороший английский, но дерьмовые манеры, — смягчила Александра.

— Why? Почему? — спросил майор у Винсента.

— Потому что джентльмены не обсуждают бизнес в камере! — заносчиво сказал Винсент. — Ты что, не зарабатываешь на то, чтобы обсудить бизнес в хорошем ресторане?

15.

«ARE YOU CRAZY? ТЫ СОШЕЛ С УМА? — жестами возмущался Робин на улице. — ТЫ БУДЕШЬ ПЛАТИТЬ ЕМУ ДЕСЯТЬ ТЫСЯЧ ЕЖЕМЕСЯЧНО?»

— Oh, sure! (О, как же!) — быстро вышагивал Винсент. — Десять тысяч хуев я буду ему платить, вот что! Мы уезжаем! — Он остановился посреди тротуара и повернулся к Робину: — Читай по губам: мы — у-е-зжа-ем! *Бабэнэ?*

Робин кивнул.

— Не понимаю, почему я начал тут говорить по-итальянски? — озадаченно произнёс Винсент. — Я не говорил по-итальянски лет двадцать! Может, потому, что эта ебаная страна напоминает мне мою юность на Сицилии...

Но тут его исторические сантименты перебил пролетавший по улице кортеж: впереди, с большим отрывом от основной группы машин, мчался милицейский «Мерседес-300», распугивая транспорт сиреной и мигалкой. За ним по уже свободной и чистой мостовой специальным строем — «расческой» — летели серый «Мерседес-600», перекрашенный «Порше-XXI» мэра Москвы и еще один «Мерседес-300». Словно хищные торпеды — и с тем же завывающим звуком — пронеслись они по мостовой, за их бамперами вздымались снежные завитки поземки.

— Oh, fuck! — воскликнул Винсент. — Это моя машина! Я идиот! Я идиот хуев! Я отдал им свою лучшую машину! — В бешенстве и в отчаянии он готов был рвать на себе волосы. И вдруг замер, сказал холодно: — О нет! Я никуда не уеду! Я — Винсент Феррано, Сицилийский Буйвол! Я не оставлю этим ебаным русским все, что я нажил! — И закричал вслед улетевшему по проспекту кортежу: — Вы слышите меня? Я Винсент Феррано! Сицилиец! Мне плевать на деньги! Но вы мне заплатите за все! — И добавил по-итальянски: *Nessuno te lo ficca in culo!* Я не позволю иметь меня в зад!

ЧАСТЬ ВТОРАЯ

16.

В марте 1996 года Москва была больше похожа на мировую столицу коммунизма, чем при Брежневе и Андропове. Потому что в брежневские времена о коммунизме вещали лишь скучные заголовки в «Правде» да вылинявшие уличные транспаранты типа

«КОММУНИЗМ — ЭТО МОЛОДОСТЬ МИРА!»,
«ВЕРНОЙ ДОРОГОЙ ИДЕТЕ, ТОВАРИЩИ!»
и «КПСС — УМ, ЧЕСТЬ И СОВЕСТЬ
НАШЕЙ ЭПОХИ!»

Народ не обращал на эту галиматью никакого внимания, проклинал режим и был занят поисками еды, одежды, лекарств, блата, ходов с черного хода, путевок в Гагры и трояка до получки. А всякая общественная жизнь и политическая деятельность были ему до лампочки.

Но теперь, с победой демократии, все изменилось самым кардинальным образом. Теперь на фронтонах московских зданий сияет реклама казино, «шанели», «версачи», Карибских островов и прочих соблазнов бывшего дефицита, однако народ и на эту рекламу не реагирует, в казино не спешит, «шанелей» не носит, а под ностальгический бой барабанов ходит по улицам с красными знаменами, митингует на площадях под портретами Сталина, Жир Ин Сэна,

Ле Бедя и Зю Гана и сочиняет стихи политического содержания.

«ЕЛЬ ТЗЫН МРАЗЬ, С РОССИИ СЛАЗЬ!»
«ВМЕСТО ЕЛЯ ПЬЯНА ВЫБЕРЕМ ЗЮ ГАНА!»
«БУДЕТ ПРЕЗИДЕНТОМ БЕДЬ — БУДЕМ
РОДИНОЙ ВЛАДЕТЬ!»

Да, воистину загадочна русская душа! Роскошные цветные «Плейбои» и «Пентхаусы», за которые раньше, при коммунистах, платили любые деньги и которыми с риском угодить за решетку торговали из-под полы лишь самые отчаянные смельчаки, теперь свободно (и даже по-русски!) лежат на прилавках в любом уличном киоске, а народ воротит от них и глаза, и носы и охотится за «Московским комсомольцем», «Советской Россией» и «Комсомольской правдой», каждый день оглушающими публику хроникой всероссийского бандитизма и коррумпированности правительственных чиновников. И в Думе красные депутаты, облеченные реальной и почти всенародной поддержкой, бьют, пользуясь своим большинством, демократов самым привычным коммунистическим способом — кулаками. А любой указ Ель Тзына, даже самый невинный, принципиально спускают в клозет. При ничтожном рейтинге президента, упавшем до шести процентов, кто, в самом деле, будет считаться с его указами?

В кабинете Юрия Болотникова Винсент положил на стол пачку с двадцатью тысячами долларов и сказал:

— You was right. Ты был прав. Я не могу защитить себя в этой стране. Но вопрос в том, можешь ли ты защитить тут наш бизнес?

— Sure! — улыбнулся Болотников, смахивая деньги в ящик письменного стола. Этот стол, как и вся мебель в кабинете, был музейной красоты времен Екатерины Второй. — No problem. Вы получите военизированную охрану.

Винсент отошел к окну и позвал Болотникова:

— Иди сюда.

— Зачем?

— Come on! Иди сюда.

Болотников нехотя поднялся из своего роскошного кресла с золочеными подлокотниками и подошел к окну.

— Смотри! — сказал ему Винсент.

За окном шел очередной коммунистический митинг. Над морем голов, украшенных морозным паром, вздымались карикатуры на Ель Тзына, Сос Кор Цннья, Чу Бай Сона, Я Сина, Бай Су Койя и других министров. Рукописные плакаты требовали: «Долой банду воров и бандитов!», «Предателей России — под суд!», «Прекратить геноцид русского народа!» и «Зю Гана — в президенты!». На трибуне у микрофона ораторствовали Зю Ган, Ан Пил, Се Ма Го, Гу Бен Кой и прочие неокоммунисты.

— Ты можешь защитить наш бизнес от них? — спросил Винсент.

Болотников снял очки и потер усталые глаза.

— Look, — сказал Винсент. — Когда я ехал сюда, я думал, вы действительно представляете власть. Но теперь я разобрался в вашей действительности. Вы не профессионалы. Вы не умеете кушать пирог маленькой ложкой. Вы, как варвары, влезли ногами на стол и огромными ломтями хватаете все подряд...

Георгий Брух стал подниматься с дивана, но Винсент жестом остановил его:

— Не перебивай, я знаю, что говорю! Даже у нас никто не может торговать водкой и не платить налоги! А у вас президент дарит своим массажистам монопольную торговлю водкой — it's incredible! Конечно, вашим людям это не нравится. Они думали, что демократия — это когда каждый имеет по куску пирога, верно? А теперь они видят, как вы сжираете все, а им не даете ничего, даже зарплату. Но я не приехал сюда учить вас демократии, не беспокойтесь! Я приехал делать бизнес. И к несчастью, я уже слишком много вложил в него. Очень много! Даже свою задницу! Я не могу вернуться и сказать жене и детям, что я самый ебаный идиот в мире и потерял здесь все состояние. Поэтому от вас мне нужна не защита от ваших сраных бандитов и полицейских рэкетиров. Как вы тут говорите, я их в рот ебал! Но как насчет этих людей? — Винсент показал за окно. — Если эти комми придут к власти, мы все потеряем.

— Успокойся, они не придут к власти, — сказал Брух.

— Откуда ты знаешь?

— Я знаю, — уклончиво сказал Брух.

— Ты имеешь в виду — ввести военное положение? Да? — спросил Винсент. — Я слышал об этом! Кое-кто организует пару взрывов в московском метро и пару политических убийств якобы от имени чеченских партизан. А в ответ вы объявите Martial Low, чрезвычайное положение в стране и отмените выборы. Так?

— Откуда ты знаешь? — изумился Болотников.

— Мой партнер читает ваши коммунистические газеты. Просто, верно? Но я вам скажу: военное положение вам ни хера не поможет! Во-первых, ваша полиция не станет держать порядок. Это будет не порядок, а полицейский терроризм и вымогательство по всей стране. И во-вторых, любое военное положение — это начало военного переворота. Поверь мне, я знаю всех военных диктаторов в мире, они все купили у меня по бронированному лимузину! И они все вышли из «временного» военного положения. Так что через пару месяцев вы получите диктатора Сос Кор Цннья, Бай Су Койя, Ле Бедя или еще какого-нибудь полковника. И вы сбежите из вашей ебаной любимой России-мамы, а меня и Робина оставите посреди крови на московских улицах, как мы это сделали с нашими вьетнамскими друзьями в Сайгоне.

— Так что ты предлагаешь? — кисло спросил у него Болотников.

— Во-первых, забыть ваши ебаные мечты о военном положении! Это херня! И во-вторых, выиграть выборы.

— But how? Как выиграть? Вот вопрос! — воскликнул Георгий Брух, вскакивая с дивана и подбегая к окну. — Как мы можем выиграть выборы, если у Ель Тзына рейтинг популярности шесть процентов, а у коммунистов семьдесят?! Ну!

— Этого я не знаю, я не специалист, — сказал Винсент. — Но я знаю, что выборы такой же ебаный бизнес, как и все остальное. Ты не можешь с лицом, как бледная жопа, читать людям из Кремля лекции по ТВ, чтобы они за тебя голосовали. Ты должен поднять свой зад и протащить его по всей стране, и ты должен разговаривать с людьми, и ты должен делать это профессионально, или ты все продул! В Штатах у нас есть специалисты по избирательным кампаниям, и никто не лезет на выборы без их помощи! Пожалуйста, передайте это туда! — И он показал пальцем наверх точно так, как показывал наверх майор милиции Сорокин в 208-м райотделе милиции на Пречистенке. — А до тех пор, пока я не увижу хоть какой-нибудь сраный прогресс в этом направлении, я замораживаю все свои дела тут. Пока, джентльмены. Пошли, Робин!

17.

«Ах, ах, ах! Как ты их напугал!» — жестами измывался над Винсентом Робин, едва они вышли на улицу, оглушенную коммунистическими речами. «Ты запугал их до смерти!»

Но Винсент не успел ответить, и даже его раздраженный жест «fuck off» был прерван нетерпеливым гудком и визгом тормозов черного «линкольна», остановившегося рядом. Задняя дверь лимузина была распахнута, из нее выскочил Виктор Машков, начальник службы безопасности «Земстроя». С силой Шварценеггера, неожиданной при его среднем росте, он моментальным движением рук забросил в машину и Винсента, и Робина, а сам запрыгнул на переднее сиденье уже на ходу. Машина рванула в переулок, стремительно набирая скорость.

— Hey, what's the fuck? В чем дело? — взбешенно сказал Винсент сидевшему на заднем сиденье Георгию Бруху.

— Кому ты поручил доставить из Питера свои ебаные контейнеры? — по-русски спросил у него Брух неожиданно жестким тоном.

— What d'you mean 'komu'? Что значит — кому? — легко понял его Винсент. — Вашей обычной транспортной фирме, «Трансавто». А что?

— Shit! — по-английски выругался Брух и повернулся к Машкову. — Твою мать, Витек, ты не мог проследить за этим?

— Меня никто не спрашивал, к ним приставлена Александра, — бросил через плечо Машков.

— А где она, етти ее мать?

Машков пожал плечами, а Винсент и Робин тоже оставили вопрос без ответа, поскольку сегодня Александра у них не появлялась.

— А что случилось? Куда мы едем? — Винсент с тревогой глядел, как «линкольн», нарушая все мыслимые правила движения, вырвался из переулков на Тверскую улицу и на бешеной скорости полетел по резервной полосе от центра города в сторону Ленинградского шоссе.

Но Винсенту никто не ответил. Брух, Машков и даже пожилой шофер занялись разговорами по своим радиотелефонам:

— Четвертый! Я второй! Проходим Тверскую у Белорусского, через три минуты будем у развилки...

— Восьмой и двенадцатый! Где вы, екс вашу мать?

— Всем сбор у Химок! Контрольное время — 12.10...

По ходу движения «линкольна» стала обозначаться какая-то организация: то слева, то справа из боковых улиц выскакивали джипы, «рафики», тяжелые грузовики и бетономешалки с надписью «ЗЕМСТРОЙ» и пристраивались в хвост «линкольну», словно боевая эскадра за флагманом. И по мере роста этой стаи мощным гулом наполнялось Ленинградское шоссе с его рекламными тумбами, оклеенными портретами кандидатов в президенты, и сбегали со своих постов уличные регулировщики, и, само собой, останавливалось поперечное движение, давая дорогу этой все растущей и растущей армаде.

«Что происходит?» — жестами спросил Робин у Бруха.

— Я не смогу объяснить по-английски, у меня не хватит слов, — сказал Брух.

— All right, гавари русски, ми уже понимай, — нетерпеливо ответил за Робина Винсент.

Георгий удивленно посмотрел на него, сказал:

— Все дороги и все грузовые перевозки у нас контролируют бандиты. Ленинградское шоссе держит солнцевская группировка. Мои грузы они не трогают, я знаю их лидера. Но вы отправили свои контейнеры через «Трансавто», и бандиты их прихватили.

— What's mean «prihvatili»? — спросил Винсент.

— А все остальное ты понял? — снова удивился Брух. — «Прихватили» — значит отняли, арестовали, забрали себе.

— Они захватили мои контейнеры?!

Брух кивнул.

У Винсента от ужаса отпала челюсть.

— Там на полмиллиона оборудования!

— Поэтому они его и прихватили, — усмехнулся Брух.

— Jesus! И вы собираетесь воевать с ними этими машинами? У вас что — вообще нет полиции в этой стране?

— Ты же сам сказал, что наша полиция коррумпирована. — Брух вытащил из-под сиденья несколько короткоствольных автоматов «АКС», бросил один из них на переднее сиденье Машкову, а второй протянул Винсенту, но тут же передумал: — Хотя нет, вам нельзя, вы иностранцы.

— Значит, вы тоже бандиты... — не то спросил, не то заключил Винсент, глядя, как Машков умело заряжает «АКС». — Shit! А я собирался сделать чистый бизнес хоть раз в жизни...

— Нет, я не бандит! — решительно опроверг Брух. — Я бизнесмен! — И в гневе стал мешать английские и русские слова: — As the matter of fact, я один из самых успешных бизнесменов в России! Потому что моя фирма делает реальную работу. И самую тяжелую: фундаменты, тоннели метро, подземные гаражи! У меня работают пять тысяч рабочих, каждый получает тысячу долларов в месяц и выше! И это в то время, когда по всей стране средний заработок сорок долларов. Но ты не можешь иметь у нас никакой бизнес без того, чтобы на тебя не наезжали бандиты. Нужна «крыша», protection. И у меня была дилемма: платить «крыше», то есть бандитам, или создать свою систему безопасности. Но такую, чтобы никакие бандиты не совались, ты понял? Well, я выбрал второе. Это стоит мне кучу денег, я держу четыре сотни охранников, все с легальным оружием, но зато...

— Четыре сотни?!! — не поверил своим ушам Винсент и наклонился к Бруху своим левым ухом.

— Внимание! — прервал их беседу голос Машкова, поскольку армада их машин свернула в этот миг с шоссе в какие-то переулки, заполненные складскими помещениями, ангарами грузовых машин и разгрузочно-погрузочными площадками. Машков приказал по радиопередатчику: — Всем бригадам! Я второй! Слушай мою команду! Расходимся веером, берем «стрелку» в кольцо. Первая, вторая и четвертая колонны — налево...

— What is 'strelka'? — негромко спросил Винсент у Бруха.

Но вместо Бруха ему жестами ответил Робин: «стрелка» — это место встречи двух банд для выяснения отношений.

— Откуда ты знаешь такие нюансы? Тоже из газет? — удивился Винсент.

Робин кивнул.

Армада из восьмидесяти грузовиков, самосвалов, передвижных подъемных кранов, бетономешалок, автобусов, джипов и прочих машин плотно забила все улицы, переулки и проходные дворы вокруг грузового пакгауза, на котором в окружении четырех легковых «Жигулей» с короткостриженными вооруженными бандитами-качками стоял длиннющий фургон «Трансавто» с контейнерами компании «Сэйф уэй интернешнл».

— Ч-черт! — негромко выругался Машков.

— В чем дело? — спросил Брух.

— Отморозки, — пояснил Машков и приказал шоферу: — Стоп! Все остаются здесь!

— Еще чего! — подался к двери Брух.

— Сидеть, бля! — властно крикнул на него Машков. И добавил спокойней: — Здесь я командую, Ефимыч. — И объявил по радио: — Внимание! Грузовики — вперед! Всем высунуть носы, но на «стрелку» не выезжать! — Он повел взглядом по кругу: из каждой улочки и переулка действительно стали высовываться передние бамперы тяжелых траков и самосвалов. — Шестой, я тебя не вижу! Прием!

— Я — шестой. А так? Прием, — ответил голос по радио, и тут же из переулка слева высунулась бетономешалка с медленно вращающейся «кастрюлей».

— Хорош! Стоп! — приказал Машков. — Всем стоять на месте! У них четыре машины, шестнадцать стволов. Стрелки — на исходные, разобрать по башкам справа налево и доложить. Прием!

Радиопередатчик тут же закипел ответами:

— Первый — на цели...

— Второй — на цели...

— Третий — на цели...

Когда доложился десятый, Машков прервал их:

— Хорошо, все на целях. Не стрелять! Я пошел один. — Машков положил на сиденье свой «АКС» и вышел из машины, сказав шоферу: — Запри двери, никого не выпускай.

Шофер кивнул, щелкнули электрические дверные замки, но двигатель продолжал работать. Шофер взял автомат, оставленный Машковым, снял с предохранителя, дослал патрон в патронник и, опустив рулевую колонку «линкольна», тоже изготовился к стрельбе.

Через переднее стекло было видно, как Машков, широко разведя руки в стороны, медленно пошел к машинам бандитов. Все окна в этих машинах были опущены, из них торчали стволы автоматов и ручных пулеметов.

— Oh, God, it's serious! (Боже, это всерьез!) — сказал Винсент и спросил у Робина: — What is 'otmorozki'?

Робин пожал плечами.

— Отморозки — это дебилы, молодые козлы! — с ожесточением в голосе вдруг сказал шофер, не поворачивая головы. — Они не в бандах и не признают никаких правил. Даже машины у них без номерных знаков...

— Ш-ш-ш! Заткнись! — приказал ему Брух и негромко сказал в свою золотую зажигалку «Филипс»: — Витя, я тебя не слышу, прибавь звук.

И тут же из зажигалки донеслось дыхание Машкова и его скрипучие шаги по снегу.

— Вот так. Так нормально, — сказал в зажигалку Брух.

Винсент и Робин переглянулись. Робин пальцем показал на свой зуб мудрости, и Винсент понял его: микрофон был у Машкова в одном из тыльных зубов.

Тем временем Машков приблизился к машинам бандитов. Это действительно были молодые, лет по восемнадцать — двадцать, ребята с одинаково выстриженными под дикобразов затылками и все как один одетые в камуфляжные куртки. Но вооружение у них было разномастное — от старых ручных пулеметов и автоматов Калашникова с деревянными прикладами до наганов «желтой», китайской, сборки, то есть пригодных лишь для трех — пяти выстрелов. Только у одного парня — лобастого, узкоглазого и узкогубого, со срезанным левым ухом — был вполне приличный «люгер», а из верхнего кармана куртки торчала «Моторола». Машков обратился к нему:

— Привет! Ты старший?

— А ты кто? — спросил тот, не сводя свой «люгер» с Машкова, но с беспокойством зыркая глазами по сторонам на окружившие их грузовики и бетономешалки.

— Я начальник службы безопасности «Земстроя». У меня четыреста стволов, и все они тут...

— Только не пугай, бля! — нервно перебил одноухий. — Я на твои стволы ложил с прибором! Я из одного «люгера» в тебе семь дырок сделаю...

— Только одну, больше не успеешь, милой. У тебя есть бинокль?

— На хуй мне бинокль?

— Ну у тебя глаза молодые, посмотри внимательно: в каждой моей тачке сидят по три снайпера с визуалкой. Знаешь такие? Лазерная наводка. То есть в каждый из ваших затылков смотрят сейчас по два ствола, а на тебя, милок, четыре. И в зубах у меня микрофон, так что они слышат каждое наше слово. Ты спускаешь курок и они спускают курок — пиздец, «стрелка» кончилась, все мозги на асфальте.

— И твои тоже.

— И мои, согласен. Но рядом с твоими. Тебе от этого легче?

— А хули ты хочешь?

— Эта фура моя.

— Ни хуя! Эта фура «Трансавто» и в ней контейнеры каких-то америкашек. Мы с них получим по тридцать кусков за штуку или взорвем на хуй. Без балды.

— Эти американцы сидят у меня в машине, вон в той, могу познакомить. А груз заряжен на Пречистенку, в мой новый офис, можешь проверить накладную — получатель «Земстрой».

— А мне по хуй — «Земстрой», «Хуйстрой»! — психанул бандит. — Тридцать кусков за контейнер или я их взрываю на хуй! — И поднял левую руку с коробкой радиовзрывателя.

— Oh, God! — сказал в «линкольне» Винсент.

Машков с усмешкой посмотрел на парня:

— Ну чё ты понтяришь, мил человек? «Взорву»! Я же тебя на понт не беру. А знаешь, скольких я уже взорвал? Но к тебе я пришел без оружия, с уважением. Ну, вышла ошибка: не те фуры вы взяли. С кем не бывает? Отдали, я сказал «спасибо» — и разошлись как друзья.

— Десять кусков, — примирительно сказал одноухий.

Машков отрицательно покачал головой:

— Не проходит, милок. И не потому, что я жмот. Просто если я тебе хоть один хруст отстегну, завтра на меня вся Москва наедет. Понимаешь?

— А чё ты все «милок» да «милок»! Какой я те на хуй «милок»? Я тебя щас шмальну, как зайца...

Машков улыбнулся:

— Молодец! Обратил внимание! Из тебя толк будет, могу на работу взять. Дело в том, браток, что «милый» — это мой пароль для снайперов: пока я тебе «милым» зову, ты живешь. Понял?

Парень озадаченно заморгал глазами, соображая.

— Ну все, уберите стволы, а то у меня руки устали, — сказал Машков, опуская руки. — Значит, решаем так: я приказываю своим отъехать и дать вам почетную дорогу. Седьмой, ты меня слышишь? Ответь гудком.

Один из грузовиков ответил ревом клаксона.

— Хорош! — сказал Машков. — Сдай назад, пусть ребята проедут.

Главарь бандитов в сомнении смотрел на грузовик, который медленно пятился, освобождая проезд по узкому переулку. Отсюда, с его позиции, было совершенно неясно: есть позади этого грузовика другие машины, из которых можно будет расстрелять отъезжающих, или нет там никаких засад.

— Имей в виду, если что — взрываю фуру! — Парень показал Машкову радиовзрыватель. — Эта штука берет с километра!

Машков кивнул:

— Понял. Езжай, милый.

— Лады, поехали, — приказал одноухий своему шоферу.

Четыре авто с бандитами, взревев двигателями и гудками, двинулись в освободившийся переулок. Из их окон отмороженные дикобразы победными, как в кино, жестами вздымали кверху свои стволы.

Водитель «линкольна» рывком бросил машину вперед, к Машкову, открыл ему переднюю дверь. Тот устало, как выжатая тряпка, повалился на сиденье, откинул голову и закрыл глаза. Брух потянулся вперед своим тяжелым телом и поцеловал Машкова в затылок:

— Красиво, Витек! Макаренко, сука буду!

Робин переглянулся с Винсентом и вдруг выскочил из машины, бегом пробежал к фургону и нырнул под него.

Машков, открыв глаза, проследил за ним и сказал вяло:

— Да нет! Какая взрывчатка? Это понты были...

И в тот же миг Робин вынырнул из-под фургона с большим, как кирпич, куском пластиковой взрывчатки в руках. Из взрывчатки торчал короткий, как ниппель, кусок радиовзрывателя.

— Епать! — в ужасе выдохнули Машков и Брух.

— Jesus! — сказал Винсент.

Робин, зыркнув глазами по сторонам, бегом ринулся к бетономешалке, вскочил на нее сзади. Держа взрывчатку в зубах, сбил с «кастрюли» бетономешалки зажимы замков ее крышки и, надрываясь, попытался свернуть эту крышку. Но она не поддавалась.

Водитель бетономешалки и два снайпера, сидевшие с ним, выскочили из кабины и бросились наутек.

Брух, побелев, закрыл глаза.

Робин, надрываясь, все не мог свернуть крышку бетономешалки.

И вдруг Винсент высунулся из машины и заорал во все горло:

— Opposite! It's Russia! (Наоборот! Это Россия!)

Робин крутанул крышку в другую сторону, она поддалась. Он открыл ее, швырнул взрывчатку в жидкий бетон и тут же закрыл «кастрюлю», набросил на крышку зажимы замков и, уже не закручивая ее, спрыгнул с машины, побежал к «линкольну».

За его спиной бетономешалка подпрыгнула от грохнувшего в ее чреве взрыва, но жидкий бетон удержал взрыв внутри «кастрюли».

— Ебаные отморозки! — крутанул головой Машков.

— Fuckin' Russia! — сказал Винсент.

18.

Вечером расслаблялись сначала в ночном клубе «Мастроянни», потом в казино «Золотое руно» (где Винсент, зная свою слабость и помня наказ Амадео Джонсона, наотрез отказался зайти в игорный зал), потом в дискотеке «Станиславский» и в стриптиз-баре «Живаго». По случаю бескровного завершения разборки с бандитами Георгий Брух был в ударе и собрал большую компанию именитых киноактеров и режиссеров, министров и банкиров. В полумраке бара звучала томная музыка, уголок небольшой сцены с вертикальным металлическим шестом был залит мягкими лучами двух прожекторов, и в их скрещении роскошные русские стриптизерки выделывали черт знает что. Затем, раздевшись догола, они оставили в покое отполированный их плотью металлический шест и стали садиться клиентам на колени. Упругими юными сиськами щекотали им лысины, шеи, уши, носы и прочие чувствительные места.

Брух щедро совал этим девочкам двадцатидолларовые купюры в раструбы их коротких сапожек.

Возбужденный семидесятилетний кинорежиссер, гордость советского и постсоветского кинематографа, по-офицерски вставал со стула и церемонно протягивал стриптизеркам руку:

— Даниил!

Известный кавказский актер, сутулый от груза славы и возраста, выпрямился от этих ласк, как витязь в седле, его шея и лицо налились кровью, а лысая макушка увлажнилась и воссияла так, что, казалось, сейчас из нее вырвется фонтан спермы.

Винсент старался держать на лице выражение бывалого человека, но когда голая стриптизерка легла ему на колени и ногами обняла за шею, щекоча подбородок выстриженным лобком, а руками медленно-медленно повела вниз по брюкам, дыхание у Винсента остановилось и подбородок отпал.

И в этот миг в бар вошел Юрий Болотников. Как обычно — с новой «ассистенткой» немыслимой красоты. Склонившись к Бруху, он прошептал ему что-то на ухо.

— Кто-о??! — изумленно воскликнул Брух.

— Тихо! Не ори! — сказал Болотников и опять зашептал ему что-то, косясь на Винсента.

— Прямо сейчас? — снова громко изумился Брух.

Болотников кивнул.

Брух встал, подошел к Винсенту и, убрав голые ноги стриптизерки с его ушей, сказал на своем дубовом английском:

— I am sorry interrupt you, sir. I know it is not good moment. But our president want to see you. (Извините, что отвлекаю, сэр. Я понимаю, что не вовремя. Но наш президент хочет вас видеть.)

— Президент чего? — хрипло спросил Винсент.

— Президент России, сэр.

Стриптизерка рухнула на пол с винсентовских колен.

19.

Винсент думал, что его везут в Кремль, но правительственный «Мерседес-600» миновал Боровицкие ворота Кремля, перелетел по Большому Каменному мосту через Москву-реку, свернул направо под знак «проезд запрещен» и по пустой Якиманской набережной выскочил на улицу Якиманку к высоким металлическим воротам, за которыми темнело огромное неосвещенное многоэтажное здание. Только при очень хорошем зрении можно было прочесть на его фронтоне крупные темно-золотые буквы: HOTEL «PRESIDENT». Перед отелем был обширный двор с десятком темных «мерседесов» и «ауди» и суетой каких-то рослых мужчин, одетых в куртки спецназа и «Витязя».

Офицер охраны, сидевший в «мерседесе» рядом с водителем, что-то сказал в микрофон «воки-токи», тут же из каменной сторожки справа от ворот вышли два охранника. Они пристально осмотрели с обеих сторон кабину «мерседеса» и сидящего в ней Винсента и тоже сказали что-то в свои радиопередатчики. Ворота медленно открылись. «Мерседес» въехал во двор и остановился у широких и темных стеклянных дверей парадного подъезда. Офицер охраны выскочил из машины, открыл Винсенту дверь и тут же, словно из темноты, соткались еще три офицера двухметрового роста, двое из них стали слева и справа от Винсента, а третий быстро ощупал его с головы до щиколоток жесткими, как дубовые оглобли, руками.

— Чисто, — сказал он в свой «воки-токи» и чуть подтолкнул Винсента. — Пошли.

Так — взятый четырьмя охранниками в каре — Винсент прошел сквозь распахнувшиеся стеклянные двери и оказался в гигантском и совершенно безлюдном беломраморном фойе, буквально залитом электрическим светом. Феноменально огромная хрустальная люстра парила под высоченным лепным потолком. Несколько беломраморных ступеней, укрытых ковровой дорожкой, вели — мимо фонтана и дорогих кожаных кресел — в глубь вестибюля, к лифтам.

Эскорт стремительно, почти бегом, провел Винсента в кабину одного из них, старший офицер, который ощупывал Винсента на улице, вставил свой ключ в панель с кнопками этажей, повернул его и нажал безномерную и почти неприметную кнопку. Двери лифта сомкнулись, кабина бесшумно взлетела в высоту и замерла, как понял Винсент, на самом верху здания.

При выходе из лифта была стандартная, как дверной проем, рама металлоискателя, за ней — еще три офицера охраны с короткоствольными автоматами и новая проверка на ощупь с головы до ног. При этом из карманов Винсента быстро и почти неслышно было извлечено все — от документов и кошелька до завалившейся в подкладку зубочистки. Все это было аккуратно сложено в деревянный лоток-коробочку.

— При выходе получите, — было сказано Винсенту. — Пошли.

Теперь уже не четверо, а всего лишь двое охранников повели Винсента по длинному коридору к двери, перед которой стояли два автоматчика в камуфляже и в ботинках с высокой шнуровкой. Старший охранник кивнул им, и они расступились.

Винсент шагнул в открывшуюся дверь.

Но за ней еще не было президента, там, в комнате, похожей не то на приемную, не то на прокуренный армейский штаб, стоял маршал Сос Кор Цннь. На этот раз он был без кителя, только в армейской рубашке, а его короткая, лопатой борода укрывала приспущенный узел галстука. За спиной маршала сидели за столами несколько офицеров —

секретарей и адъютантов, кто-то из них говорил по радиотелефону, а солдат в белом фартуке кипятил самовар.
Подле высоких дубовых дверей сидел на стуле подтянутый
рослый майор с ядерным атташе-кейсом на коленях.

— Ага! — сказал маршал Винсенту. — Касабланка! Как
поживаешь?

— Thank you, — осторожно ответил Винсент и только
теперь заметил слева от себя на стене два десятка телемониторов, на их экранах были видны все подъездные пути к «Президент-отелю», его парадные и служебные подъезды и двери,
коридоры, фойе, ресторанные залы и кабины лифтов.

— Что ж ты, понимаешь, мэру Москвы подарил машину, а нам не подарил? — сказал маршал.

— You mean: to you personaly or to your president? (Вы
имеете в виду: вам персонально или президенту?) — уточнил Винсент.

— Ю Мин — Ху Ин! — передразнил маршал, открыл
высокую дубовую дверь, заглянул в нее, потом кивнул Винсенту: — Заходи.

Неужели придется и президенту дарить «порше»? Винсент почувствовал, как он непроизвольно сделал полный
вдох, словно перед прыжком в воду. И, машинально по-
правив галстук, шагнул в дверь президентских покоев.

Но за дверями не оказалось никакой особой помпезности.

Неяркий свет торшеров, дорогая старинная мебель,
плотные шторы на окнах и большой телевизор чуть в стороне от камина. По телевизору опять выступал президент —
точно такое же обвисло-алебастровое лицо и странно-стек-
лянные глаза, как и в том выступлении, которое видел
Винсент чуть ли не в первый день своего приезда в Россию.

— Наши общие задачи — укрепление демократии и
подъем экономики... — говорил президент по телевизору.

Винсент в недоумении остановился: зачем его привезли
сюда, если президент в это время на телестудии?

Неожиданно звук на экране пропал, только губы президента продолжали шевелиться, как у куклы из папье-маше.

Зато из глубокого, с высокой спинкой кресла напротив телевизора мужской и удивительно знакомый голос спросил:

— Значит, тебе, понимаешь, не нравится мое выступление?

Винсент наконец сообразил, что это и есть президент — просто он смотрит видеокассету со своим собственным выступлением.

— Папа, пусть человек зайдет, освоится, — сказал женский голос, и тут же из второго кресла несколько тяжело и неловко поднялась молодая, лет тридцати пяти женщина с крупным, как у президента, лицом и с животом последних дней беременности: — Здравствуйте. Come in, please. Mister...

— Vincent Ferrano, — представился Винсент и шагнул вперед, поскольку президент, сидевший к нему спиной, протягивал ему руку, не вставая из кресла. Он был одет по-домашнему — в темную шерстяную рубашку и светлый вязаный свитер, джинсы и шерстяные носки. Пожав руку президенту («Good evening, Mister President! Good evening, Madam!»), Винсент успел отметить, что пожатие президента было крепким, как у хорошего теннисиста, и что вообще президент выглядит куда лучше, чем по телевизору.

— Take a seat, — показала на кресло дочь президента, у нее был неплохой, но явно от британских учителей английский. — What do you want for a drink? (Что вы будете пить?)

— Oh, nothing, don't bother... (О, ничего, не беспокойтесь...)

— Что он говорит? — нетерпеливо, как ребенок, спросил президент.

— Ничего, папа, мы еще не начали разговор.

— Почему? Спроси: чем ему не нравится мое выступление?

— Well... — сказал Винсент, не ожидая перевода. — I think it's obvious. First of all you look mach better in real then on a screen. But it should be at least equal...

— Ему не нравится, как ты выглядишь на экране, — перевела дочь президенту. — Он считает, что в жизни ты куда лучше.

— Еще бы! — сказал президент. — При Сталине этих засранцев за такую съемку живо бы к стенке поставили! Сделали из меня Мао Цзэдуна, понимаешь!

— Папа! — укоризненно сказала дочь.

— Ладно. Это было во-первых. А что еще? — требовательно сказал президент Винсенту.

— Sir, have you ever heard about election campaign' experts? (Сэр, вы когда-нибудь слышали о специалистах по избирательным кампаниям?) — спросил Винсент.

— No, we don't. Tell us. (Нет. Расскажите.) — ответила вместо отца дочь, и Винсент вдруг ощутил, что это и есть то, из-за чего его сюда позвали, и что дочь президента присутствует здесь не только в качестве переводчицы — в ее тоне вдруг приоткрылись твердость и властность наследственного лидера.

— О'кей, — сказал Винсент. — Как я уже говорил моим русским партнерам, военное положение вводить нельзя — это дверь к перевороту. Потому что военные хуже рэкетиров: рэкетиры берут двадцать процентов, во всяком случае — в моей стране, а военные берут все. Это закон истории, с этим не нужно спорить. И вся ваша экономика рухнет, как при любом путче, и мой бизнес сгорит, и мне придется бежать отсюда, да и вам тоже. Поэтому у меня есть только один шанс спасти тут свой бизнес — помочь вам выиграть выборы. Но извините меня, мистер Президент, вы не можете выиграть их такими речами! — Он кивнул на телеэкран и вытер платком вспотевшую шею: он впервые в жизни читал нравоучения президентам и к тому же видел, как по мере его лекции темнело и тяжелело лицо русского президента. Но отступать было некуда, и он продолжил: — Говорят, ваши помощники звонят менеджерам заводов и приказывают им заставить рабочих голосовать за вас. Это правда, мадам?

— Более или менее... — вынужденно подтвердила дочь президента.

— Но это нонсенс! Из этого ничего не выйдет! По приказу нельзя ввести демократию даже в Китае! Демократия —

это как ваша беременность, мадам, она не может быть частичной! Если вы начали играть в демократию, вы должны и выиграть по правилам демократии! Вы должны вести избирательную кампанию, как Рональд Рейган или хотя бы как Клинтон — ездить по всей стране и иметь за спиной команду экспертов этого дела! Вы когда-нибудь слышали про «фокус-группы»? Вы знаете, что думают про вас избиратели в сибирской деревне? Well, я не специалист, но я выбирал уже восемь наших президентов и могу сказать: ни один из них не выиграл бы без команды профессионалов. Эти эксперты стоят тех денег, которые им платят: они знают, как строить рекламную кампанию, где и когда выступать, что говорить людям и что не говорить им никогда. Это их профессия. Попросите Клинтона, пусть он пришлет вам свою команду. Или, если хотите, я их вам сам привезу. Они научат ваших людей, как вести этот бизнес. Я не откажусь от чашки чая, мадам...

— О, конечно. Секунду. Папа, ты будешь чай?

Президент мрачно кивнул, его дочь нажала кнопку телефонного селектора:

— Три чая.

В наступившей паузе Винсент изможденно утирал лицо и шею, а президент смотрел на него в упор немигающими глазами. Его пухлые губы были обиженно надуты, как у ребенка, но взгляд был тяжелым и жестким.

— Уже пятый иностранец, папа, твердит нам про этих экспертов, — негромко сказала дочь президента. — Коль, Миттеран, Мейджор...

Открылась дверь, солдат в белом переднике внес поднос с печеньем и чаем.

— Ты храбрый мужик, — вдруг усмехнулся президент, глядя на Винсента.

— You are a brave man, — перевела дочь.

— Спасибо. Я только пытаюсь спасти свой бизнес.

Солдат поставил поднос на журнальный столик и вышел.

Президент снял трубку с красного телефона, стоявшего на тумбочке возле его кресла.

106

— Билла Клинтона, — сказал он.

Винсент непроизвольно посмотрел на часы. В Москве было 11 вечера, а в Вашингтоне, следовательно, три часа дня.

— Алло! — сказал президент в трубку. — Гуд афтер нун, Билл! Хау ар ю? — Он подождал, пока дежурный на «горячей линии» переводчик перевел ему ответ Клинтона, потом сказал: — О, у меня столько иностранцев вокруг, что я скоро вообще, понимаешь, заговорю по-вашему. Я тебя не отвлекаю от работы? С Доулом беседуешь? Молодец, культурно у вас. Один есть вопрос, понимаешь. Тут говорят, что на президентских выборах у тебя работала команда, которая крутила всю кампанию... Нет, Билл, я не прошу их у тебя. Ни в коем случае, понимаешь. Можешь представить, что тут будут орать, если ко мне прилетит твоя команда из Вашингтона! Коммунисты и так вопят, что я продал тебе всю Россию. Но скажи честно: эти ребята действительно знают какие-то трюки? Что? — Президент рассмеялся и сказал дочке: — Он говорит, что самый большой трюкач в этом деле — он сам. Но он слегка занят в своем Белом доме и осенью у него тоже выборы... — И опять в телефон: — Нет, это я не тебе, Билл, это я своей дочке. Да, передам. Я вообще, понимаешь, думаю сделать ее начальником моего избирательного штаба. — И упредительным жестом остановил изумленную дочь, продолжая свой разговор с Клинтоном. — А то, понимаешь, эти засранцы, мои помощники, ни хрена не умеют, кроме как приказы отдавать. Ну ладно, Билл, работай. Я тут подумаю. Хиллари привет... — Он положил трубку и взял с подноса стакан с чаем.

— Папа, ты это всерьез? — спросила дочь президента.

Он развел руками:

— А кому еще я могу доверить свою избирательную кампанию?

— Но я же должна рожать!

— Да... Это, понимаешь, тоже факт... — Президент усмехнулся и показал на Винсента: — Но вот он тоже считает, что даже из-за твоих родов мы не можем, понимаешь, отложить президентские выборы. Так что ты и решай: приглашать иностранцев тебе в помощь или сама справишься.

Винсент с напряжением вслушивался в их русский разговор, понимая лишь общий смысл его.

Дочь президента посмотрела на него и сказала:

— Thank you for your time. Мы обдумаем все это. Спасибо, что пришли.

— Это вы оказали мне честь, мадам, — сказал Винсент, вставая.

20.

Света в подъезде не было, почтовые ящики были разбиты, а у провалившейся в штольню кабины лифта шестнадцатилетние подростки курили не то гашиш, не то марихуану и слушали «хэви-металл» из переносного мага. Но при виде двух качков, сопровождавших Машкова, нехотя расступились и пропустили его к лестнице. Лестница оказалась загаженной и темной, с прожженными от сигарет поручнями и с похабелью грязных рисунков на стенах, не крашенных со времен социализма.

— Ну народ! Где живут, там и срут! — сказал Машков. — Как скоты!

Сам подъем был для них не в тягость, но в лесах вокруг дачного поселка «Земстроя», где Машков каждый день гонял своих бойцов по полной программе тренировок спецназа, не было, конечно, такой вони от кошачьей мочи, наркоты и старых окурков.

На шестом этаже, посветив зажигалками, они нашли дверь с цифрой «63». В отличие от пяти соседних деревянных дверей она была стальной, некрашеной, без глазка и даже без кнопки звонка.

Машков нагнулся, приложил ухо к замочной скважине, послушал тишину, потом зажигалкой постучал в дверь и послушал снова. Никто не ответил, но мимолетный шорох за дверью заставил Машкова постучать сильней, кулаком. Потом снова послушать и застучать еще громче.

— Кто там? — прямо за дверью вдруг прозвучал осторожный женский голос.

— Александра, это Машков, открывай!

Ответом было молчание.

— Сашка, ты слышишь, бля? — нетерпеливо сказал Машков, он был вспыльчивым человеком. — Открой дверь!

— Я не могу... — донеслось из-за двери.

— Почему?

— Я это... я болею...

— Чумой, что ли? Открывай!

— А что вам нужно?

— Проведать тебя пришел. Ты же болеешь. — Машков подмигнул своим бойцам и тут же снова вспылил: — Ну, долго я буду кошачье дерьмо тут нюхать?

— А ты иди, Витя. Спасибо, что пришел. Я уже поправляюсь. Я завтра буду на работе. Честное слово.

— Сашка, ты меня знаешь. Или ты открываешь, или я выбью дверь к ебаной матери! Считаю до трех! Раз!..

— Витя, подожди! Я не могу открыть... Я это... Ну, у меня нет ключа.

— Та-ак... А где твой... как его зовут?

— Костя. Его нет.

— И давно? Давно его нет?

— Ну какая разница? Он придет и откроет. Просто я свой ключ потеряла. Иди, пожалуйста, и не беспокойся. А я пойду лягу. Пока...

— Стой, бляха-муха! — Машков стукнул ногой по двери. — Я спрашиваю: давно его дома нет?

Удаляющиеся шаги были ему ответом.

Машков кивнул своим бойцам на дверь. Жесткими ладонями они тут же бегло прощупали пазы между дверью и дверной рамой, тихо доложили:

— Нет, не выбить. Но можно с крыши в окно спрыгнуть.

— Сейчас! — саркастически сказал Машков. — Козел я, что ли?

Он достал из кармана моток бикфордова шнура и пакетик, похожий на жевательную резинку. Извлек из этого пакетика тонкий брусочек мягкой пластиковой взрывчатки, размял его в руках в шнурок, вставил этот «шнурок» в замочную скважину, а оставшуюся часть навернул на конец бикфордова шнура и прилепил к двери. Показал своим бойцам, чтобы они отошли в сторону, и на всякий случай крикнул за дверь:

— Сашка, ты там? Уйди в комнату!

Никто не ответил.

— Ладно, ушла, наверное, — сказал он сам себе и, разматывая бикфордов шнур, тоже отошел от двери. Поочередно окинул взглядом все пять соседних дверей, но там не было никаких признаков жизни. Хотя в двери шестьдесят первой квартиры глазок был ниже и светлее, чем в остальных, и из-под двери через узкую щель сочился свет, Машков усмехнулся, прижался спиной к этому глазку и зажигалкой поджег бикфордов шнур.

«Бух!» — громкий, как лопнувшая покрышка, взрыв огласил весь подъезд и выжег дыру на месте дверного замка в стальной двери. Машков и его парни тут же ринулись вперед, распахнули эту дверь и оказались в крохотной и абсолютно пустой прихожей стандартной однокомнатной хрущевки. Навстречу им из дверной щели в комнату выглянули испуганные глаза Александры, но тут же исчезли за прикрытой дверью.

— Не входите! — крикнула она изнутри и клацнула там навесным крючком.

Машков, не отвечая, пнул и эту дверь с такой силой, что она распахнулась настежь, выбросив крючок вместе с петлей, болтами и прочими потрохами.

То, что он увидел, заставило его в оторопи замереть на месте.

Александра пряталась за распахнутой дверцей одежного шкафа, под этой дверцей видны были только ее голые босые ноги, а над дверью — испуганные глаза. Но самым непонятным и странным была полная оголенность квартиры — пустота в одежном шкафу, отсутствие занавесок и штор на окнах, скатерти или хотя бы клеенки на столе и даже одеяла и простыней на софе. Иными словами, здесь не было никаких тряпок, даже наволочки на подушке. Оглянувшись на прихожую, Машков увидел, что и там, на вешалке, тоже нет никакой одежды, а под ней — никакой обуви.

— Так! — сказал он, начиная ориентироваться в ситуации. — Ну, выходи, Сашка! Все ясно.

— Я не могу, я голая.

— Выходи, я кому сказал!

— Пусть они уйдут...

Машков снял с себя куртку, бросил ее через дверцу шкафа Александре и кивком головы приказал своим парням выйти в прихожую.

Набросив его куртку на плечи и запахнувшись, Александра осторожно появилась из-за двери. На ее ногах и на шее были темные синяки. Машков шагнул к ней вплотную и рывком сдернул свою куртку.

Александра, ахнув, инстинктивным движением рук закрыла грудь и пах.

Но Машков уже увидел то, что ему было нужно: все тело Александры было в синяках и кровоподтеках.

Он вернул ей свою куртку:

— Все. Закрывайся! — И крикнул своим бойцам: — Стас! Коля!

Те с любопытством заглянули в комнату.

— Ладно, не зырьтесь! — Машков достал из кармана пачку десятидолларовых купюр, отстегнул сотни три и вручил своим бойцам: — Живо в ближайший магазин, купите ей какую-нибудь одежду и обувь. Какой у тебя размер, Саш?

— Размер чего? — спросила она.

Он окинул ее цепким взглядом:

— Запоминайте: обувь — тридцать четвертый размер. Одежда — сорок четыре. Лифчик — второй. Дуйте! Хотя нет, стоп! — Машков прошел на кухню и открыл холодильник. Там было абсолютно пусто. — С-с-сука!! — процедил он и повернулся к парням: — Жратву тоже купите. Но немного — только фрукты и все.

Вернулся в комнату и приказал Александре:

— Так, садись! Когда это случилось? Только не врать!

— Ты его убьешь? Витя, не убивай его, я тебя умоляю! — Александра вдруг рухнула перед ним на колени. — Я прошу тебя, Витя!

— Это случилось позавчера, — сухо сказал ей Машков. Он выпытал у тебя про американцев и навел на них тех отморозков, а тебя в день наезда не пустил на работу. А когда мы отняли у них фуру, он вернулся и тебя же спьяну отфиздил. И унес всю одежду, чтобы ты выйти не могла. Так?

— Витя, не убивай его, Витенька! — Ползая перед ним на коленях, Александра хватала его за ноги. — Я тебя умоляю!

— Да буду я руки марать об эту тварь! Отстань! Они его, поди, уже сами пришили за такую «наводку».

— Ой! — в ужасе обмерла Александра.

Он остро взглянул на нее и снял с пояса мобильный телефон «Моторолу».

— А мы счас узнаем. Говори номер его мобильного.

Александра смотрела на него в замешательстве.

— Ну, чего? Ты хочешь знать, он жив или нет? — спросил Машков. — Если они его пришили, то сразу — такие дела не откладывают. А если он жив, я его пальцем не трону, клянусь. Ну! А то ты тут на коленях ползаешь, а он, может, покойник давно. Какой у него был номер?

— Девятьсот... шестьдесят... семь... — заторможенно, с распахнутыми от ужаса глазами произнесла Александра, все еще стоя на коленях перед Машковым. — Двадцать семь... сорок два...

Машков быстро набрал шесть цифр и стал слушать пустоту.

Александра, не подозревая обмана, тревожно всматривалась в его лицо.

Выдержав паузу, Машков захлопнул откидной микрофон телефонной трубки и пожал плечами:

— Не отвечает.

— И? Что это значит? — лихорадочно спросила Александра и выкрикнула: — Что это значит, Витя?!

— Откуда я знаю! — ответил он с досадой. — Может, они его и вправду сделали уже. А может, он где-то пьяный с бабой трахается и трубку не берет. На хрена он тебе вообще нужен, козел вшивый! — Незаметным от Александры движением Машков снял со стены свадебную фотографию Александры с крупным, хотя и несколько рыхлым парнем, сунул себе за пазуху и нагнулся к Александре, поднял ее: — Знаешь что? Пойдем отсюда. В машине ребят подождем.

И, крепко держа ее под локоть, властно повел из комнаты.

— Почему? Куда? — спрашивала она на ходу.

— Потому что эти отморозки могут и сюда прийти. В любую минуту. Понимаешь? Поживешь с нами на даче...

— Стой! — Она вдруг уперлась руками в проем наружной двери. — Тут же дверь теперь сломана... Соседи все порастащат... Телевизор...

— Насрать на телевизор! Что тебе дороже — жизнь или «Поле чудес»?

— Но я ж босиком!

Машков задумался лишь на миг, а потом шагнул к шестьдесят первой квартире и нажал кнопку звонка. Никто не ответил, но он поднес к дверному глазку десятидолларовую купюру и громко сказал:

— Червонец за тапочки! Долларами!

И сунул конец этой десятки под дверь.

В тот же миг кто-то быстро утянул эту десятку с другой стороны двери, потом защелкали засовы, и дверь приоткрылась на ширину цепочки. За ней стоял маленький, под высоту дверного глазка, старичок с большой допотопной двустволкой на изготовку. Из-за его спины высокая старуха протягивала Машкову старые тапочки.

— Спасибо! — Машков взял тапочки и бросил их Александре: — Надевай!

Дверь шестьдесят первой тотчас закрылась, но Машков, обведя взглядом все соседние двери, громко сказал:

— Между прочим, шестьдесят третья заминирована! Кто хоть ложку там сфиздит, взорвется к еманой матери!

Но ровно через минуту, когда черный джип «Чероки» с Машковым и Александрой отчалил от подъезда и, приседая в рытвинах, выкатил по снего-грязи со двора на улицу имени Дмитрия Ульянова, на лестничных площадках шестого и пятого этажей этой хрущевки тихо открылись двери всех квартир, и осторожные старушки и старики бесстрашно, как мыши, юркнули в незакрытую дверь шестьдесят третьей квартиры. Буквально в минуту они вынесли из нее все — телевизор, кухонную посуду, три банки с вареньем, остатки муки в пакете, швейную машину, бутылку с подсолнечным маслом, подушки, навесной оконный карниз, три стула, китайский термос, флакон с шампунем, торшер и даже половичок под мусорное ведро.

21.

— Когда я думаю, за кого пойти голосовать, я задаю себе такой вопрос: а за кого пойдут голосовать все жулики и бандиты России? — обращался к толпе ростовчан Го Ву Хин, знаменитый поэт, художник и депутат Думы. — За Зю Гана или за Ель Тзына? За новых коммунистов или за так называемых демократов? Попробуйте и вы ответить на этот вопрос, а я свой выбор сделал — я буду голосовать за Зю Гана!..

В Кремле сотрудники Ситуационного центра уныло смотрели на экраны телемониторов, транслирующих многотысячные коммунистические митинги по всей стране.

— Братья и сестры! Перед нами два пути, — объявлял в Архангельске известный писатель Про Ха Ной. — Один — по которому мы шли десять последних лет. На нем мы потеряли страну, все свои национальные богатства и несколько миллионов людей, убитых на родной земле или не родившихся вообще. И при этом Ель Тзын пытается нам внушить, что есть только этот путь, который он называет «реформами». Путь разорения страны, нищеты и несчастья народа. Но нет! Есть второй путь, братья и сестры! И когда мы пойдем голосовать, мы будем голосовать за второй путь, за лидера всенародного фронта Зю...

— Зю Гана!!! — подхватывала многотысячная толпа в Костроме, Краснодаре, Хабаровске и Владивостоке.

— Фактически мы уже победили! — сообщал в Санкт-Петербурге полковник-журналист Ан Пил. — Это ясно показывает рейтинг нынешней власти, моральный и физический паралич президента и его окружения. Потому что народ России сделал свой выбор. С нашим приходом к власти каждый человек будет твердо уверен, что за свою работу он получит не символическую зарплату, а хорошие деньги. Его мать, жена, дочь будут окружены заботой и вниманием, защищены от уродств продажного образа жизни. Его семью не будут отравлять порнухой с телеэкранов, его душу не будут развращать западной поп-культурой. Мы выбросим с телевидения гешефтмахеров и инородцев, растлевающих наших детей отбросами голливудской продукции...

И в «Президент-отеле», где размещался Штаб избирательной кампании президента, царили апатия и растерянность. Работники штаба вяло перебирали стопки унылых уличных плакатов с портретами президента в фас и профиль, лениво и без толку звонили по телефонам в свои региональные штабы и невольно прислушивались к торжествующим на телеэкранах голосам коммунистических ораторов.

— Мы готовы быстро и эффективно решить все проблемы, чтобы не стало голодных, бездомных, брошенных людей. *Мы знаем, как это сделать!* — заявлял вождь новых коммунистов Зю Ган. — Мы покончим с позорным состоянием наших людей, ограбленных своим правительством и его фаворитами. Граждане великой России снова обретут уверенность в том, что жулье всех мастей, преступники и бандиты не будут свободно жировать на глазах всех людей, а будут сидеть в тюрьме. *Мы...*

— *Знаем, как это сделать!* — тысячеголосо подхватывала толпа в Охотном ряду перед зданием Государственной думы.

И в Барвихе, на даче президента восемь самых знаменитых артистов и режиссеров России в панике показывали президенту на телеэкран и кричали в истерике:

— Смотрите! Смотрите, что творится по всей стране!

— Вы не можете проводить выборы в такой обстановке! Это — самоубийство!

— На этой демагогии коммунисты вернулись к власти в Польше, Болгарии, Словакии!

— Они возродят КГБ, ГУЛАГ, ждановщину!

— Отмените выборы! Мы обратимся к вам публично, с коллективным письмом от имени всей российской интеллигенции!..

И в МИДе, в высотном доме на Смоленской площади, два козырных туза российской иностранной политики — советник президента по международным вопросам Рю Ри Кой и министр иностранных дел При Май Кой — огорченно читали шифровку, только что поступившую из Российского посольства в Вашингтоне:

«...последний телефонный звонок Ель Тзына Биллу Клинтону был расценен им как сигнал «SOS!» и просьба прислать команду американских мастеров проведения избирательных кампаний. В связи с этим в Белом доме состоялась серия совещаний с мозговым «танком» ЦРУ, Госдепартаментом, советником по национальной безопасности, а также усиленные консультации с Американским посольством в Москве. Все участники этих совещаний оценили шансы Ель Тзына на победу в выборах как нулевые, а вероятность возвращения коммунистов к власти в России — как очевидную неизбежность. Рекомендации советников американскому президенту были однозначны: ни в коем случае не вмешиваться в ход избирательной кампании в России, а через частные фонды или лекционные агентства немедленно пригласить лидера коммунистов Зю Гана в США для знакомства и поисков предварительных контактов...»

116

И только в Никольском переулке, в подземном Оперативном штабе чрезвычайных ситуаций, было по-деловому спокойно. На телеэкранах красные ораторы лишь беззвучно размахивали руками, словно в немом кино. Не обращая на них внимания, несколько генералов стояли над картой страны, испещренной красными кружками и синими стрелами, и внимательно слушали проект правительственного указа, который зачитывал им молодой пресс-секретарь в форме капитана ФСБ:

— «В связи с эскалацией диверсионных действий чеченских бандитов, взрывов в московском и санкт-петербургском метро, на вокзалах и в других местах крупного скопления населения и в целях спасения от гибели невинных людей на избирательных участках, во время митингов и демонстраций, правительство Российской Федерации считает целесообразным, идя навстречу призывам общественности, отложить президентские выборы и временно ввести в стране режим безопасности населения. С такого-то — тут пропуск — числа отменить все митинги, демонстрации и другие массовые мероприятия. Для обеспечения безопасности населения ввести во все крупные города — Москву, Санкт-Петербург, Екатеринбург и другие — воинские части и обязать их...»

Генералы одобрительно кивали головами.

А в Охотном ряду, куда с перерытого Манежа переместился теперь эпицентр главных публичных акций страны, с балкона Думы Зю Ган, налегая мощной грудью на частокол микрофонов, продолжал над морем голов, красных знамен и транспарантов:

— Да, мы фактически уже победили! Начать действовать — вот чего мы хотим! И мы сделаем так, что само имя — РОССИЯНИН — станет символом состоятельности, престижа и силы в окружающем нас мире! *Мы знаем, как это сделать!* Мы — Россия, мы — великий народ, и нет на свете силы, которая бы нас одолела! Дайте же мне свои руки, дайте мне свои голоса, и мы все вместе возродим Россию! *Мы...*

— *Знаем, как это сделать!*..

Под эхо этих слов, летящих из уличных репродукторов, мощных мегатонных динамиков и с экранов домашних телевизоров, медлительный лифт в угловом доме на Пушкинской площади поднимал молодую женщину в теплой куртке с капюшоном, одетым поверх пухового платка, и ее телохранителя — крупного мужчину с внешностью витязя. Еще два витязя, опережая кабину лифта, быстроного взбегали по лестнице. На третьем этаже один из них задержался, а второй взлетел на шестой этаж, зорко огляделся и тут же спустился на три пролета, чтобы видеть подходящую к площадке четвертого этажа кабину лифта. Кабина, дернувшись, остановилась, витязь-телохранитель вышел из нее первым, за ним — женщина в пуховом платке. На площадке было чисто и светло, из четырех квартирных дверей доносился все тот же зычный голос Зю Гана. Женщина нашла квартиру с цифрой «34» на двери и нажала кнопку звонка, сказала своему телохранителю: «Вы останетесь тут». Он кивнул, она чуть подождала и нажала опять.

— Who is it? — по-английски спросил из-за двери мужской голос.

— Please, open, — по-английски ответила женщина.

Дверь отворилась, на пороге стоял Винсент в перепачканной краской спортивной майке, в трусах до колен и с малярной кистью в руках. За его спиной, на лестнице-стремянке, возвышалась под потолком фигура Робина с отверткой в зубах — он менял лампочку в плафоне на потолке. По сдвинутой от стен мебели, по устланному газетами полу, ведрам с краской и рулонам обоев было ясно, что они приводят в божий вид только что снятую квартиру.

— Здравствуйте, — сказала Винсенту женщина. — Я пришла попросить вас выполнить ваше обещание.

— Какое обещание? — в недоумении спросил Винсент, не узнавая женщину.

С экрана стоявшего на полу телевизора Зю Ган продолжал внушать стране неизбежность своей сокрушительной победы на президентских выборах.

— Вы меня не помните? — спросила женщина. — Вы обещали нам привезти из Америки специалистов по избирательным кампаниям.

— Oh! — охнул Винсент. — Вы?.. Но вы были беременны...

— Да. — Женщина улыбнулась. — Но это не навсегда. Я родила. Так как насчет американских специалистов? Если хотите, можете вылететь за ними сегодня. Мы вам дадим самолет.

— Самолет? — Винсент, проверяя, не ослышался ли он, в изумлении повернулся к Робину.

Тот, все еще стоя на стремянке, жестом спросил, кто эта женщина.

— Idiot! — негромко сказал ему Винсент, забыв, что посетительница только что говорила с ним по-английски. — Это дочь русского президента!

Робин от удивления открыл рот, отвертка и плафон рухнули на пол.

— Oh, excuse us! Заходите, please! — засуетился Винсент.

— Нет, спасибо. Я должна идти кормить сына. Так что вы нам скажете?

22.

Возбужденный и раскрасневшийся после триумфального выступления, лидер неокоммунистов в сопровождении своей свиты победоносно шел по коридору Думы. Перед ним, отступая спиной, катилась толпа русских и иностранных фото- и телерепортеров, вспыхивали блицы, и юные журналистки, держа на вытянутых руках диктофоны, наперебой сыпали вопросами:

— Как вы решите чеченскую проблему?

— Будете ли национализировать банки?

— Что будет с Курильскими островами?

— Почему в разгар избирательной кампании вы отправляетесь в США?

— Как вы относитесь к экспансии НАТО на восток в связи с вероятностью возвращения коммунистов к власти в России?

— Верно ли, что в Америке вы постараетесь убедить американского президента в неизбежности вашей победы и возможности существования коммунизма с человеческим лицом?

— Сумеете ли вы вернуть России Черноморский флот?

— Кто войдет в состав вашего правительства?

— Будет ли введена цензура?

Держа правую руку в брючном кармане штанин, с трудом вмещающих его толстые, как у Наполеона, ноги, а в левой руке — букет белых тюльпанов, Зю Ган на ходу отвечал:

— В неизбежности нашей победы никого убеждать не нужно, она очевидна. Мы создадим широкое коалиционное правительство народного доверия. Не по принципу партийной принадлежности, а по деловым качествам. Уже сейчас мы готовы предложить посты в нем некоторым членам нынешнего руководства...

Вся его плотная фигура, стильный костюм, французский галстук на белоснежной сорочке, крупное лицо, высокий лоб с залысиной, преждевременной для пятидесятилетнего мужика, его светлые глаза, мерцающие под тонкой ниткой бровей из татарского разреза век, его по-утиному широкий нос и даже бородавки на переносице — все излучало несокрушимость и уверенность в победе. Именно таким напором и медвежьей поступью таких же косолапо-толстых ног завоевывали власть и женщин Нерон, Наполеон, Мао Цзэдун и Фидель Кастро.

— Нравственная цензура есть во всех странах. А вот такого распущенного телевидения, как у нас, нет ни в одной стране! Зато свирепствует политическая цензура. Даже Го Ву Хину не дают выступить по телевидению, и мне придется отдать ему свое время...

Тут журналисты наткнулись спинами на широкую дубовую дверь, отделяющую от общего коридора анфиладу кабинетов думского комитета по безопасности культуры и единства. В двери стояли квадратноплечие думские охранники с мобильными «воки-токи» в руках. Они пропустили Зю Гана и его свиту, но отсекли журналистов. Пройдя за дверь, Зю Ган расслабился и уже усталой походкой прошел мимо секретарей в просторный, словно министерский, кабинет Го Ву Хина, руководителя комитета и создателя широко известных песен «Реквием по России» и «Родина стонет, родина плачет».

Сам Го Ву Хин — лысый мужчина с манерами и усами гусара, выдающими самолюбивый характер, но с тяжелыми, как у всех стареющих китайцев, мешками под глазами и с малыми остатками коротких седых волос за ушами — ждал Зю Гана с демонстративным спокойствием старшего товарища, углубленного в чисто мужское занятие: попыхивая коротким турецким чубуком и поглядывая на телеэкран, он специальным набором щеток чистил свою коллекцию курительных трубок. В кабинете стоял густой аромат голландского табака, смешанный с запахом индийского чая, который — на подносе, в стаканах с подстаканниками и с тарелкой тонко нарезанного лимона — как раз к приходу Зю Гана ставила на письменный стол стройная и вызывающе красивая секретарша Го Ву Хина.

— Ну? Как я выступил? — спросил Зю Ган, тяжело садясь в кресло, но не у письменного стола, чтобы не выглядеть просителем на приеме у дядюшки Го, а возле журнального столика.

— По-моему... неплохо... — с нарочитой весомостью разделяя каждое слово, произнес Го Ву Хин и только после этого оторвался от своего занятия и поднял на гостя глаза. — Но нужно было четче определить: ваша партия не берет на себя ни ленинские, ни сталинские преступления. Вот что ваши коммунисты должны объяснять людям. Когда рабочих расстреливали в Новочеркасске... когда из страны выгоняли Солженицына, Ростроповича, Зиновьева... хозяином России были уже Ель Тзыны, Шева Рна Дзе, Яко Вле Вы... а не новая партия Зю Гана... Чаю хотите? Или коньяк? — И поскольку гость не определил свой выбор, сказал секретарше: — Подай коньяк.

Этими простыми словами он как бы сразу отделил Зю Гана от его свиты, которая заняла периферию кабинета, и обозначил, что тут происходит разговор только их двоих — будущих лидеров России.

— У Ель Тзына есть только один шанс остаться у власти, — сказал Зю Ган, как бы невзначай отдавая секретарше цветы, — ввести чрезвычайное положение!

— Струсят, — ответил Го Ву Хин, ревниво проследив за этим жестом гостя.

Но секретарша никак не выразила своего отношения к букету, поставила его в вазу на полке книжного шкафа, перенесла поднос с чаем на журнальный столик перед Зю Ганом и вытащила из бара бутылку «Хенесси».

Между тем Зю Ган повернулся к своему партийному заместителю — кудряво-рыжему плотному мужчине лет сорока пяти — и жестом попросил его открыть свой атташе-кейс. Тот тут же вытащил из атташе-кейса какой-то документ, а Зю Ган кивком головы велел передать его Го Ву Хину.

— Что это? — спросил тот.

— Беловежское соглашение девяносто первого года о роспуске Советского Союза. Оно было принято втайне от страны, когда Ель Тзыну нужно было свалить Горбачева. Но Дума вправе его денонсировать, и мы сделаем это. Завтра же! Если вы нас поддержите.

— И тогда? — Го Ву Хин, не читая документа, посмотрел Зю Гану в глаза.

— А тогда какой у них выход? — нетерпеливо вмешался рыжий заместитель Зю Гана. — Это решение поставит Ель Тзына вообще вне закона!

— И тогда он расстреляет Думу из танков, — продолжил свою фразу Го Ву Хин, как бы игнорируя вставку рыжего.

— Прикажет расстрелять! — поправил его Зю Ган. — Но выполнит ли армия его приказ? — Он отхлебнул чай. — Если, конечно, не только мы, коммунисты, окажемся в Думе под обстрелом...

Го Ву Хин отложил текст Беловежского соглашения и снова поднял глаза на собеседника. В словах Зю Гана ему послышался укор за то, что 4 октября 1993 года, когда по приказу Ель Тзына танки расстреливали Белый дом с маршалом Хасом, генералом Ру Цкоем и Зю Ганом, Го Ву Хина не было с ними. Но Зю Ган ответил ему невинным взглядом.

— Значит, вы... решились? — спросил Го Ву Хин.

— Мы не можем упускать момент! — напористо сказал Зю Ган. — Сегодня мой рейтинг — семьдесят три процента, а Ель Тзына только шесть. Даже американцы уже похоронили его и зовут меня в Штаты знакомиться. Так зачем нам ждать до июня?! Мало ли что может случиться. Нет, нужно подтолкнуть, ускорить процесс! Вызвать огонь на себя, а потом объявить импичмент президенту!

Го Ву Хин встал и, прикусив мундштук трубки, в мудрой задумчивости прошелся по кабинету. Он знал силу паузы и вес своего народного авторитета. Если он, с его репутацией всенародного кормчего правды, примкнет к коммунистам, чаша весов истории непреложно качнется в их сторону. Подойдя к окну, он медленным взглядом окинул расходящийся внизу в метельном ветре митинг, шелуху плакатов и газет, летящую над Охотным рядом, и недалекий, всего за ямой на Манежной площади, Кремль. Так близко, так совсем рядом были от него купола Кремлевского дворца и здание царского Сената, а ныне Администрации президента!

— Что ж... — раздумчиво произнес он тоном человека, роняющего исторические слова. — Граф Толстой говорил, что человек должен менять убеждения, стремиться к лучшему... Но мои убеждения не изменились. Я как был против партийной номенклатуры, а не против честных коммунистов, так и остался. А именно она, эта бывшая номенклатура, и засела сейчас в Кремле. И с ее антинародной, преступной властью действительно пора кончать. Я... я поддержу вас.

23.

Круговые сверла землепроходческого щита с надсадным ревом вгрызались в веками слежавшуюся породу. В темном и грязном подземном туннеле, освещенном лишь редкими лампочками подвесной времянки, вагонетки, подрагивая на узких рельсах, волокли к подъемнику выгрызаемую щитом породу. Это на глубине тридцати трех метров под Охотным рядом рабочие «Земстроя» прокладывали канализационный коллектор будущего торгового комплекса «Манежная площадь».

Выше, в туннелях Московского метрополитена, перегруженные утренними пассажирами поезда радиальных линий останавливались у платформ станций «Охотный ряд», «Площадь Революции» и «Театральная», чтобы разгрузиться и загрузиться новыми потоками москвичей, спешащими на работу в разные концы российской столицы.

Еще выше, в подземных переходах, шла бойкая торговля утренними газетами, сигаретами, детективной литературой, семечками, лотерейными билетами, мороженым и новорожденными котятами.

А на поверхности, по Тверской улице и Охотному ряду, сквозь мелкую утреннюю поземку катил поток машин... снегоуборочные комбайны железными челюстями жевали сугробы... москвичи с портфелями и «дипломатами» выскакивали из переполненных троллейбусов и автобусов и спешили в министерства, комитеты и департаменты... милиция свистками гоняла пешеходов, спешащих перебежать Охотный ряд поверху, вместо того чтобы пользоваться подземным переходом... и рядовые депутаты Думы, поглядывая на часы, наспех доедали бутерброды в думском буфете и спешили в зал заседаний, предъявляя охранникам свои депутатские «корочки»...

Из этих ручейков думских депутатов, рассаживавшихся в красные бархатные кресла, теле- и кинооператоры, стоя за камерами, привычно выбирали лишь знаменитые лица — Жир Ин Сэна, фанфарона и лидера либерально-демократической партии... Йяв Лин Сана, экономиста и западного любимца... бывших знаменитых демократов... мудро-непотопляемого коммуниста Лу Кяна... и, конечно, вождя новых коммунистов Зю Гана.

— Ты это... поторапливайся, милок, — сказал Го Ву Хин думскому парикмахеру, следя на телеэкране за заполнением зала заседаний.

— А спикер еще не пришел, так что три минутки у вас есть! — Парикмахер, молодой, крупный и рыхлый парень, последними щелчками ножниц срезал волосы в ушах своего знаменитого клиента, щеткой почистил ему шею и поднес зеркало к затылку. — Вы думаете, Дума к концу дня денонсирует Беловежское соглашение?

Го Ву Хин в зеркале напротив придирчиво осмотрел седую опушку своего лысого затылка. Потом произнес с авторитетностью усталого оракула:

— Не к концу дня, молодой человек, а через сорок минут.

— Но ведь это ставит президента вне закона, он не сможет промолчать, — сказал парикмахер как бы между делом.

Го Ву Хин зорко посмотрел на него:

— Не сможет, говорите? И что он сделает?

— То же, что с предыдущей Думой. Нас расстреляют.

— Гм-м... Вы, молодой человек, аналитик...

Тут на телеэкране возникло лицо председателя Госдумы, усевшегося на свое место и наблюдающего за последними пробежками в зал опаздывающих депутатов.

— Пора! — Го Ву Хин встал и сунул парикмахеру в карман халата пятитысячную купюру.

— Спасибо. — Парикмахер стряхнул с его плеч белую накидку.

— А насчет ваших прогнозов — поживем, увидим... — Го Ву Хин вышел в пустую комнатку ожидания, облачился там в свой светлый, в мелкую клеточку пиджак, который всегда выделял его среди остальных депутатов, одетых в черно-серое, и неспешно направился по думским коридорам в зал заседаний. Парикмахерская находилась в самом дальнем конце левого крыла думского здания, и идти Го Ву Хину до зала заседаний было минут пять.

А за его спиной, в парикмахерской, парикмахер уже стоял у телефона и докладывал в трубку:

— Постриглись все коммунисты и даже Го Ву Хин. Как перед боем, да. Я говорил с каждым, и вот картина. Они идут на конфликт сознательно. Вариант разгона Думы учтен и, как я понял, желателен. В ответ немедленно вступает план «Декабрь». У них есть силы, пара дивизий ВДВ, которые тут же захватят Останкино, Белый дом и Кремль. То есть сегодня ночью или максимум завтра начинается гражданская война и полный обвал на бирже. Я не знаю, сколько можно на этом заработать, но мои десять процентов до утра сбросьте на Кипр...

Между тем Го Ву Хин уже подходил к думскому залу заседаний. Он появился там как раз тогда, когда председатель Думы начал чтение заявления коммунистической фракции Думы о преступном характере Беловежского соглашения президентов России, Украины и Белоруссии. Но, увидев Го Ву Хина, прервался, и все телекамеры показали стране ту уважительную паузу, в которой Го Ву Хин шел к своему месту.

Именно в это время к служебным воротам Думы подъехал продовольственный фургон. Шофер фургона и сидевший с ним рядом грузчик в фирменном комбинезоне кремлевской спецбазы «Продснаба» привычно поздоровались с охранником, который тут же выцыганил у них полпачки «Мальборо».

— Чё вы сегодня привезли слугам народа? — спросил он.

— Да все те же, бля, «ножки Буша», — ответил шофер и, проехав через открытые ворота во двор Думы, задом подал свой фургон к двери грузового подъезда. Навстречу ему вышла пожилая и в перманенте дама — заведующая думской столовой, но шофер и грузчик, открывая задние двери фургона, сказали ей: — Идите, Клавдия Викторовна, на склад, мы все занесем. А то застудитесь!

— Спасибо. Потом сочтемся, — сказала заведующая, которая в любом случае должна была отстегнуть шоферу и грузчику что-нибудь из привезенных продуктов. Взяв у шофера накладную, она ушла к лифту, спустилась на склад.

А шофер с грузчиком начали разгружать фургон, извлекая из него коробки с консервированными фруктами и ящики «Chicken Legs, USA». Впрочем, от более пристального, чем у думских охранников, взгляда не ускользнуло бы и некоторое отличие этой разгрузки от всех предыдущих, а именно, что на сей раз — едва заведующая ушла — из недр фургона быстро выскочили два дополнительных и в таких же фирменных комбинезонах грузчика, удивительно похожих на отмороженных, у которых не так давно Машков отвоевал фуру с оборудованием «RUSAM Safe Way International, Inc.». Но поскольку никого с «более пристальным взглядом» поблизости не было, и заметить, что один из этих «грузчиков» вообще без левого уха, было некому, эти «грузчики», держа в руках заморские ящики «Chicken Legs, USA», тут же исчезли в двери грузового подъезда. Здесь вместо того, чтобы лифтом спустить «ножки Буша» в подвальный склад, они поднялись на второй этаж и, не отпуская кабину, быстро сняли с себя фирменные комбинезоны, под которыми оказались стандартно серые пиджаки и брюки, похожие на одежду внутренних думских охранников. Оставив ящики на полу кабины, они отправили ее вниз, а сами спокойной походкой хранителей порядка двинулись в дальний конец коридора.

Тем временем под землей, на тридцатитрехметровой глубине, ударно-вращательные сверла землепроходческого щита вдруг уперлись в некое жесткое препятствие и с визгом стали брызгать искрами в разные стороны.

— Стоп! Стой, еёнать! — заорал оператор щита своему напарнику. — Выключай! Штеки поломаешь на фуй!

В разом наступившей тишине они оба соскочили с операторского пульта, угодили сапогами в мокрую породу и грязь, но, не обращая на это внимания, взобрались на насыпь отвала к своим штекам и стали руками ощупывать неожиданную преграду.

— Бетон, что ли? — сказал помощник, снимая с лица респиратор.

— Да какой в жопу бетон? Откуда тут?

— Ну, бетон, сам видишь!

— Еп-тать! Неужели мы не туда забурили? Брух яйца оторвет!

— Да мы правильно идем, чё ты? Зови инженера!

А в зале заседаний Думы председатель уже заканчивал свое выступление, читая:

— «Тайный сговор в Беловежской пуще президентов России, Украины и Белоруссии привел не только к развалу СССР. Он привел к выселению миллионов русских из бывших советских республик, к развалу экономики, к войне в Чечне и к потере Россией Черноморского флота, Севастополя и других исконно российских территорий. Он привел к утрате Россией звания сверхдержавы, к нашему международному унижению. Коммунистическая фракция Думы предлагает денонсировать Беловежское соглашение как тайное, антинародное и преступное». Все, господа депутаты. Предлагаю приступить к голосованию.

— Позвольте! — донеслось из кресел партии Йяв Лин Сана. — А как же обсуждение?

Но этот и несколько ему подобных возгласов тут же утонули в решительно-веселом гуле зала:

— А чо обсуждать? Нечего обсуждать! Голосуем!

И руки депутатов потянулись к кнопкам голосования на их столах.

Председатель удовлетворенно обвел глазами зал, останавливая свой взгляд лишь на ключевых фигурах — Жир Ин Сэне, Го Ву Хине, Лу Кяне, Зю Гане. Каждый из них кивком головы утвердил его в принятом решении.

Как раз в эту минуту два «думских охранника» вошли в парикмахерскую, заперли за собой дверь и, достав пистолеты из плечевых кобур, через комнатку ожидания прошли в небольшой, на два кресла, парикмахерский зал. При их появлении у молодого парикмахера побледнело лицо и выпала из рук телефонная трубка.

— Садись! — пистолетом показал ему на парикмахерское кресло одноухий гость и положил трубку на рычаг: — Отстучался, падла.

Парикмахер, завороженно глядя на пистолет, сел.

— Ребята, я все объясню!..

— Ага, сейчас послушаем, — сказал второй отмороженный. Зайдя за кресло, он вдруг снял с себя поясной ремень, накинул его на торс парикмахера и тут же затянул так, что практически приковал того к креслу. — Кого ты тут на кого наводишь, сейчас все расскажешь.

Тем временем второй бандит своим поясным ремнем пристегнул к подножке кресла ноги парикмахера.

— Да я не сбегу, братки! Вы чего? — попробовал дернуться парикмахер. — Я ж объясняю...

Но теперь, когда он был уже намертво привязан к креслу, они не тратились на разговоры. Да и он онемел, потому что в огромном зеркале напротив себя увидел, как, стоя за его спиной, одноухий извлек из своего кармана плотный полиэтиленовый мешок и...

Рванувшись всем своим крупным телом, парикмахер лишь чуть-чуть поколебал привинченное к полу кресло. Правда, он успел вскрикнуть, но в тот же миг одноухий натянул ему на голову полиэтиленовый мешок, а его помощник обернул шею парикмахера шпагатом и затянул с такой силой, что у того глаза полезли из орбит и все тело задергалось в конвульсиях.

24.

— Это чистая провокация! Они провоцируют нас, понимаете?!

— Ну и хрен с ними! Сколько можно терпеть?

— Сидят, понимаешь, на шее народа, получают бешеные зарплаты, дачи, машины, секретуток и ни за что не отвечают!

— Миллиарды стоит нам этот парламент, а помощи никакой, сплошной саботаж!

Чрезвычайное заседание Совета безопасности, собранное распоряжением президента, взбешенного издевательской денонсацией Беловежского соглашения, было настолько шумным, что стенографистки, путаясь в голосах министров, едва успевали выхватывать из общего гула отдельные фразы:

— Как можно проводить реформы, если парламент уже два года не утверждает ни закон о земле, ни закон о собственности?!

— Только палки в колеса ставят на каждом шагу!

— Да разогнать их к чертям собачьим!

— Так они как раз и ждут этого! Со вчерашнего дня ни один депутат не вышел из Думы. Специально ночуют там — боятся, что мы их обратно не впустим!

— Но мы не можем второй раз расстрелять парламент!

— Можем, почему не можем? Это первый раз было страшно. А второй...

— А кто сказал, что придется стрелять? Да подвести танки к окнам — они сами разбегутся, как тараканы. Зю Ган это не генерал Ру Цкой, он знает, что для армии он никто.

Стоявший у окна за спинами членов Совета маршал Сос Кор Цннь с тревогой следил за мучнисто-бледным лицом президента и с одобрением — за этой шумной дискуссией. Лучше, чем кто-либо в этом кабинете, маршал знал, что у президента нет ни одного, ни единого шанса выиграть выборы. Да, пять лет назад тайный сговор президентов России, Украины и Белоруссии сделал Горбачева президентом исчезнувшей страны по имени СССР, и вообще Ель Тзын умеет замечательно выигрывать все закулисные схватки за власть. Но он понятия не имеет, что делать с этой властью, и от этого неумения — болеет! А тем временем именно к нему, к маршалу, стекаются из службы безопасности, прокуратуры, Министерства внутренних дел, контрразведки, экономической и даже космической разведки ежедневные сводки о реальном положении дел в стране. Шесть процентов политического рейтинга Ель Тзына — это тоже натяжка и липа, которую он, Сос Кор Цннь, заставил сделать руководителей институтов изучения общественного мнения, чтобы не доводить президента до нового инфаркта. И точно так же, щадя больное сердце Ель Тзына, маршал организовал вокруг него блокаду негативной информации — никакие критические публикации в прессе и панические докладные министра финансов и министра экономики вот уже полгода не достигают его стола. Все хорошо в вашем королевстве, товарищ президент, а с отдельными недостатками мы справляемся сами. Конечно, в Думе свили гнездо наши враги-коммунисты, но народ и не мнит себе иного, кроме вас, правителя. Ель Тзын доверчиво зачитывал перед телекамерой заготовленные для него тексты и щедро раздавал людям Сос Кор Цння генеральские звания и лицензии на льготный экспорт сырья и прочие подковерные блага.

Но в результате маршал сам попал в роковую ловушку: чем ближе день выборов, тем неотвратимей момент истины! Казна пуста, половина бюджета страны — лишь векселя правительства, и уже пять месяцев нет денег на зарплату не только миллионам шахтеров, учителей и строителей, но даже милиции! Если Ель Тзын выйдет на выборы, он узнает правду и либо умрет от разрыва сердца, либо разорвет на части его, Сос Кор Цння. А потому — никаких выборов! Красно-розовые депутаты Думы вконец обнаглели — 250 голосами против 98 поставили вне закона всю деятельность президента! Но если Совет безопасности проголосует сейчас за роспуск Думы, а Дума в ответ на это объявит импичмент президенту...

— Все! Пошумели, понимаешь, — сказал вдруг президент. И медленно, с затрудненным дыханием продолжил в разом наступившей тишине: — Это моя вина, понимаешь... что мы в 91-м не уничтожили коммунистов. Нужно было объявить их вне закона и все... А я, конечно, вас пожалел. Да и себя, понимаешь, как-то не с руки вне закона объявлять... А теперь оно и аукается... — Ему было трудно говорить, он явно уставал от этого. И только усилием воли преодолел эту слабость: — Но я их тогда сохранил — я их теперь и раздавлю, понимаешь! — Он сжал в кулак беспалую левую руку. — Будем голосовать. Кто за то, чтобы очистить, понимаешь, это гнездо саботажа от нечисти? Прошу, понимаешь, поднять руки.

Тут президент обвел взглядом большой квадратный стол, за которым сидели члены Совета, и остановил глаза на премьер-министре.

Премьер молчал, насупившись как всегда и глядя в зеленое сукно стола.

— Ну! — требовательно сказал президент. — Ответственность я, понимаешь, беру на себя и сам подпишу указ о роспуске Думы и аресте коммуняк. Кто «за»?

Первым поднял руку генерал Бай Су Кой, министр безопасности.

Вторым — бравый министр пожарной охраны, который год назад обещал президенту за два дня усмирить взбунтовавшуюся южную провинцию Чечня и увяз там со своими пожарниками по сей день.

Через минуту — замедленно или быстро — поднялись почти все руки. Кроме — премьер-министра и министра внутренних дел.

— Вы против? — спросил президент премьера.

— Я воздержался, — ответил тот.

— А вы? — глянул президент на министра милиции.

— Я не могу приказать милиции стрелять по парламенту, — ответил тот, нахохлившись эполетами генеральского мундира. — Это неконституционно...

— Не тебе, а мне судить, что в этой стране конституционно! — прервал его президент.

— Чистеньким хочешь быть? — тут же поддержали президента с противоположного конца стола.

— Нашими руками жар загребать?..

Маршал Сос Кор Цннь тоже подался всем телом вперед и впился взглядом в дерзкого министра. Уже не первый раз

132

этот генерал Ку Ли вставляет ему палки в колеса. Что он там плетет президенту о контратаке коммунистов на Останкино, Белый дом и Кремль? Плевать на их сраные атаки! Он ведь тоже не пальцем делан — час назад он приказал министру обороны слить горючее из всех баков бронетехники в войсках ВДВ. Пешком они пойдут на Москву, что ли? Но и это учтено: уже подняты по боевой тревоге Таманская и Кантемировская дивизии ФСБ, танковая бригада в Теплом Стане и все части Спецназа. И всего шесть минут лету от Чкаловска до Манежа и Охотного ряда — как только президент подпишет указ о введении чрезвычайного положения, Чкаловская эскадрилья десантных «МИ-26» высадит на крышу Думы две сотни штурмовиков «Витязя» и «Каскада»...

— Ладно, помолчите, — оборвал прения президент и обратился к министрам безопасности и пожарной охраны: — Как вы? Справитесь без милиции?

— Ну а чё там? Не Чечня! — сказал министр-пожарник. — Закладываем мину в Думе, говорим, что она чеченская, и под этим предлогом оккупируем здание.

— Да можно еще проще! — предложил Бай Су Кой. — Окружить здание танками и пустить «Дурман» по системе кондиционеров. Они и выскочат из Думы!

У маршала Сос Кор Цннья отлегло от души, но тут в комнату неслышно вошел Ил Ю Шин, щупленький и похожий на грача первый помощник президента, и зашептал что-то на ухо Ель Тзыну.

— Что, что? — удивленно переспросил тот. Послушал быстрый шепот помощника и сказал ему: — Да ты громче скажи. Чтобы все, понимаешь, услышали.

Ил Ю Шин нехотя поднял глаза на присутствующих — он всю жизнь предпочитал оставаться в тени и не любил публичных выступлений. Но теперь деваться было некуда, все взгляды были устремлены на него, и он сказал, буквально выдавливая из себя каждое слово:

— Получена информация из Думы. Там что-то с канализацией. И грязь — ну, то есть вы понимаете, что — течет из всех унитазов. Из-за вони и — ну, как это? — ну, по естественной нужде депутаты вынуждены покинуть здание. Уже сто сорок три разъехались по домам, а остальные — ну, сколько они могут выдержать?..

Последние его слова утонули в облегченном хохоте присутствующих. Члены Совета безопасности хохотали до слез и чуть не падали со стульев — но, конечно, вовсе не потому, что эдакая смешная неприятность случилась в Думе со строптивыми депутатами парламента. А просто радуясь своему освобождению от необходимости соучастия в новом расстреле парламента и начале новой гражданской войны в стране.

— Обосрались господа депутаты!

— Обкакались!

— Всю Думу засрали! Ха-ха!

— В такой момент!..

— Н-да... — сказал президент. И вдруг повернулся к Сос Кор Цнню: — Видишь, какая ситуация? Расстрелять обосравшийся, понимаешь, парламент мы не можем! Народ нас не поймет!

И развел руками.

Маршал в бешенстве рванулся к выходу из комнаты.

25.

— Костя!!! Пустите меня!! Костя!.. — Александра билась в истерике и рвалась из рук Винсента, Робина и Машкова, но они не выпускали ее.

Обезображенный труп крупного молодого мужчины лежал за полосатыми милицейскими барьерами на мостовой Охотного ряда, рядом с ямой, наспех раскопанной как раз там, где еще несколько дней назад шумел под балконом Думы многотысячный коммунистический митинг. Движение по Охотному ряду было перекрыто милицией, и мощные струи воды из пожарных брандспойтов шевелили труп, отмывая его от канализационной жижи, которая, гнилостно булькая, угрожающе вздымалась из свежевырытой ямы и соседних канализационных люков. Насосы «Земстроя», чавкая и урча брезентовыми шлангами, с трудом успевали откачивать эти нечистоты в цистерны земстроевских бетономешалок.

— Это ты!! Ты!! — Рыдающая Александра била Машкова кулаками в грудь.

— Да ты что? С ума сошла?! Его в думском сортире утопили, у меня туда и пропуска нет! — Машков, оглядываясь на толпу вокруг, нервно сказал Винсенту и Робину: — Да уведите вы ее на фуй отсюда, истеричку ебаную!

Над трупом стояли трое мужчин в грязных, резиновых и глухих, как у подводников, комбинезонах-скафандрах и еще несколько мужчин в таких же грязных комбинезонах вылезали из канализационных люков по соседству. Это они только что извлекли труп из-под земли, и теперь рабочие водой из брандспойтов смывали с них вонючую жижу. Затем, зажав от вони носы, помогли одному из этих мужчин снять резиновый шлем. Оказалось, что это — Георгий Брух.

— Какое вы имели право перекрыть канализацию в Думе? — тут же подступил к нему крупный кудряво-рыжий помощник Зю Гана.

— Пошел на хер! — отмахнулся Брух, провожая глазами Робина и Винсента, которые почти на руках несли рыдающую и взбрыкивающую Александру в машину.

— Что? Вы... — Кудряво-рыжий даже задохнулся от наглости Бруха. — Вы ответите за хамство! Я депутат Думы!

— Тем более пошел на хер, убийца!

— Кто убийца? Я?! Вы слышали? — обратился рыжий к окружающим. — Вы свидетели! Он нанес оскорбление депутату Думы! Я сейчас вызову прокурора!

— Это я сейчас вызову прокурора. — Стягивая с себя резиновый скафандр, Брух приказал своему секретарю-телохранителю: — Набери генерального, 292-88-69. — Потом, взяв трубку «Моторолы», сказал в нее: — Юрий Ильич, это Брух. Только что из канализационного коллектора Государственной думы извлечен труп мужчины, мужа моей сотрудницы. Я не криминалист, но, по-моему, депутаты думы уже стали спускать своих политических противников просто в канализацию! Что? Я не знаю, кто убийца, но Думу я вынужден на недельку закрыть. Да, может, я и не имею на это права, но выхода нет, Юрий Ильич, нужно ее от дерьма очистить. Нет, я не в политическом смысле, я в прямом. Да, труп там пока один, но канализация буквально забита гондонами! Какими гондонами? Использованными, конечно. Так что теперь хотя бы ясно, чем они там занимаются...

В это время черный «кадиллак» маршала Сос Кор Цннья вихрем промчался мимо заградительных барьеров и с визгом тормозов остановился рядом с Брухом. Маршал вышел из кабины и, плохо сдерживая бешенство, сказал:

— Та-ак! Опять ты? То коллектор кремлевской связи перебил, то канализацию в Думе! Сядешь на червонец, бля! Сам посажу!

— Спасибо, — сказал Брух. — Хоть там отдохну от вашего дерьма.

Маршал, озадаченный его дерзостью, показал на труп:

— Это кто?

— Костя Каневский, муж моей сотрудницы и парикмахер в Думе. Кто-то в Думе сбросил его в канализацию, а он, видите, здоровый парень — коллектор закупорил...

— А ты тут при чем? — снова взъярился маршал. — Ты кто? Говночист или строитель? Зачем ты полез в это дерьмо?

— А у ваших ассенизаторов никакой техники нет. Если б не я, тут бы сейчас по колено говна было. Но у меня к вам действительно дело есть, Сос Корыч. Это хорошо, что вы приехали. — Брух фамильярно взял маршала под руку, отвел в сторону метров на пятнадцать и сказал только ему одному, показывая вниз, под мостовую Охотного ряда: — Что у вас тут?

— Где? — не понял маршал.

— Тут, внизу, на глубине тридцати метров?

— Ничего. А в чем дело?

— Вы уверены? Никаких секретных объектов?

— Да нет! А в чем дело?

Брух сунул руку в карман и извлек из него маленький черный пистолет.

— Ты что?! С ума сошел? — отшатнулся Сос Кор Цннь.

— Да не бойтесь... — усмехнулся Брух. — Это не мой.

— А чей?

— Смотрите.

Маршал взял пистолет, посмотрел на рукоятку, инкрустированную перламутром. На перламутре было четко выгравировано:

Иосиф Сталин

Маршал изумленно посмотрел на Бруха:

— Ты где взял? В Кремле?

— Тсс! — сказал Брух и пальцем показал вниз.

Тем временем «линкольн» Бруха, вырвавшись из автомобильной пробки, мчался по осевой полосе вверх по Тверской. В машине, на заднем сиденье билась в истерике Александра, кричала Винсенту и Робину по-русски и по-английски:

— Они все убийцы! Все! Зачем вы сюда приехали?! Они и вас убьют! Тут все убийцы! Думаете денег тут заработать? They'll fuck you up, они вас употребят, выебут, вытрут об вас ноги и дальше пойдут!

Шофер с каменным лицом вел машину, а Винсент и Робин, сидя по обе стороны от Александры, пытались успокоить ее.

— Come on, Sacha! — беспомощно твердил Винсент. — Baby, cool down, please! Не будь плакать...

В его голосе были странные для него самого ноты бессилия и сочувствия.

А Робин пытался взять Александру за руки, но она вырывалась, рвала с себя куртку, ботинки, свитер и кричала:

— Я не могу! Я не хочу их одежду! Это все кровь! Они все убийцы! Все! Бегите отсюда! Бегите из этой страны! Она проклята!

— Да ебните вы ее чем-нибудь! — не выдержал все-таки шофер, въехав во двор и останавливаясь у подъезда, в котором жили Винсент и Робин. — Или водки ей дайте!

А когда Робин и Винсент все-таки исхитрились завести Александру в лифт и поднялись в свою квартиру, они с изумлением обнаружили в ней Юрия Болотникова.

— You? — растерянно захлопал глазами Винсент. — How you got here? (Ты? Как ты сюда попал?)

— Это не имеет значения, — спокойно сказал ему Болотников, сидя перед телевизором с бокалом бренди в руках. — Мы с вами через час вылетаем в Лос-Анджелес. Собирайтесь.

— Зачем? — спросил Винсент.

— За вашими ебаными избирательными гуру. Как вы обещали нашему президенту.

Винсент растерянно оглянулся на Робина, который в это время усадил Александру на кухне и налил ей стакан водки.

Она сидела над этой водкой такая беззащитная, такая открытая... Впервые за все время пребывания Винсента в России ему вдруг совершенно расхотелось уезжать отсюда.

26.

Стальная клеть опустила Бруха и маршала Сос Кор Цннья в шахту под Манежной площадью. На них были каски, резиновые сапоги и брезентовые куртки. Освещая себе путь шахтерскими лампочками-«коногонками», они пошли вдоль тусклых рельсов по наклонному, мокрому и грязному туннелю. Навстречу им попался рабочий с автоматом «ППШ» в руках.

— А ну назад, твою мать! — жестко приказал ему Брух. — Положить все на место! Бегом, бля!

Рабочий смущенно бросился бегом обратно.

— Это новый туннель, — на ходу рассказывал Брух. — Мы его бьем для канализационного коллектора Манежного комплекса. На такой глубине под Москвой еще никто не работал. То есть это мы раньше так думали. А теперь... Смотрите!

Он остановился у жесткого выступа породы — огромного камня со словно вмурованной в него человеческой челюстью. Брух посветил на него фонариком и сказал:

— Наверное, это первый житель Москвы. Я хотел выдрать этот камень и подарить мэру города, но меня отговорили, сказали, что он обидится. А вот здесь... — Брух двинулся дальше, к отвалу свежей породы, на которой лежали брошенные рабочими респираторы. — Здесь мои рабочие наткнулись на бетонную стену. Проверили по картам городских коммуникаций — ничего тут нет. Спросили у ФСБ, ФАПСИ — может, это их стена? Тоже нет. Стали бурить — метр, второй — сплошной бетон. Шесть метров! Но когда пробились... Смотрите!

С этими словами он откинул брезентовый полог, перекрывающий туннель, и они оказались перед лестницей-времянкой, спускающейся в огромный подземный бункер. Маршал в изумлении остановился: это, без сомнения, был запасной бункер ставки Сталина — здесь все было так, как в кремлевском кабинете Сталина и в фильмах о нем. Такая же, как в сороковых годах, мебель. Стены отделаны карельской березой. Жесткий ковер на полу. Портрет вождя над его же письменным столом. Стул с плоской подушкой, которую Сталин подкладывал под себя, чтобы выглядеть выше ростом. Зеленая малахитовая пепельница. Папиросы «Герцеговина Флор». Пустой графин для воды. Жесткий диван-топчан. Маленький маршальский китель Сталина на деревянной вешалке. Небольшой столик секретаря с пишущей машинкой «Ундервуд» и стопками бумаги и копирки. Рядом на тумбочке — три противогаза и три фонарика-«жучка». Два книжных шкафа со стеклянными дверцами, запертыми навесными замками, а за стеклом — полное собрание сочинений Маркса, Энгельса, Ленина, Сталина и Большая Советская Энциклопедия. В углу бункера — пирамида автоматов «ППШ» с ящиком запасных круглых дисков. А под бетонным потолком — лампочки в металлической оплетке.

— Тут даже пыли не было, — сказал Брух, первым спускаясь в бункер. — Мы подвели электричество, включили и — пожалуйста! А там еще вторая комната, кухня, туалет, душ. И замурованный вход.

— Думаешь, он тут жил во время войны? — спросил Сос Кор Цннь, следуя за Брухом.

— Нет. Тут вентиляционные люки с фильтрами из гусиного пуха. То есть это бомбоубежище на случай атомного удара. Я думаю, когда американцы сбросили бомбу на Хиросиму, а у Сталина еще не было атомного оружия, он тут же построил себе этот бункер. А потом Маленков или Хрущев его замуровали.

Сос Кор Цннь молча прошелся по бункеру, заглянул в ящики письменного стола и вопросительно посмотрел на Бруха.

— Нет, там ничего и не было, клянусь! — усмехнулся Брух. — Мои рабочие только пуговицы с его мундира стащили. Ну и пару «ППШ», наверное.

— Придется это снова замуровать, — сказал маршал.

— Да вы что! У меня тут туннель...

— Обойдешь! — перебил Сос Кор Цннь. — Нам только не хватает в центре Москвы сталинскую Мекку устроить! Интересно, а выпить тут у него ничего не было?

Брух молча подошел к книжному шкафу, своим ключом открыл навесной замок и распахнул дверную створку. На нижних полках шкафа, под собраниями сочинений классиков марксизма-ленинизма, редутом стояли бутылки старых грузинских вин и армянских коньяков: «Хванчкара», «Киндзмараули», «Арарат». Готовясь к длительному пребыванию в бункере, Сталин не мог, конечно, не позаботиться о спиртном. Брух взялся за бутылку любимого сталинского вина «Киндзмараули» и вопросительно посмотрел на Сос Кор Цння. Маршал кивнул, он знал толк в этом деле. Брух открыл небольшой выдвижной ящик под нижней книжной полкой, достал пробочник и два граненых стакана. Подул в стаканы, умело открыл бутылку и разлил по стаканам густое темное вино.

— За Родину, за Сталина? — сказал он, поднимая свой стакан.

— Ну ты и сука! — возмутился маршал. — Что у вас за манера такая — все обосрать, даже такой момент!

— У кого у нас? — спросил Брух.

— У евреев! Если б ты знал, какую ты мне операцию сорвал этим думским дерьмом!

— Я??! — изумился Брух. — Коммунисты Думу засрали, а я виноват?

Но маршал смотрел на него молча и словно не слышал этих слов.

— Слушай, — сказал он вдруг, — я все думал: откуда Тан Ель узнала про твоих американцев?

— Какая танель? — не понял Брух.

— Не танель, а Тан Ель, дочка Ель Тзына, — поправил маршал, пристально глядя Бруху в глаза. — Ладно! Я все равно докопаюсь. — Маршал поднял свой стакан: — Попробуем настоящее сталинское... — но вдруг осекся и посмотрел себе под ноги. — Е-мое! Это что?

Под ногами маршала и Бруха пол увлажнился подозрительно вонючей жижей. Оба рыскнули глазами по сторонам и только теперь заметили приоткрывшиеся в бетонном полу щели.

Брух еще не успел сообразить, что это такое, как, откинув полог туннеля, в бункер заглянул Машков.

— Ефимыч, атас! — крикнул он Бруху. — Тут автоматика, бля! Аварийное затопление!

Бросив стаканы и брезгливо прыгая по хлынувшей в бункер вонючей жиже, Брух и Сос Кор Цннь побежали к лестнице. Наверху Брух надел респиратор и оглянулся. Видимо, где-то в недрах старых канализационных систем открылись аварийные шлюзы затопления, и теперь этот сталинский бункер быстро заполнялся канализационным дерьмом Российской

141

Думы с плавающими в нем резиновыми презервативами, пачками из-под «Мальборо», женскими гигиеническими тампонами, пластиковыми пакетами голландского табака и рваными полиэтиленовыми сумками с рекламой «Шанели». Вся эта масса, торжествующе булькая, медленно поглотила пирамиду автоматов «ППШ», письменный стол с «Герцеговиной Флор» и бутылкой «Киндзмараули», столик с «Ундервудом», а потом — сталинский китель на вешалке, книжный шкаф с грузинскими винами и сочинениями классиков марксизма-ленинизма и, наконец, сталинский портрет на стене.

— Поздравляю! Демократия победила, — сказал маршалу Сос Кор Цнню брутально-ядовитый Брух.

ЧАСТЬ ТРЕТЬЯ

27.

Перелет из сумрачно-холодной зимней Москвы в солнечную Калифорнию размягчает душу и вызывает прилив романтизма даже у таких закоренелых бизнесменов, как Винсент Феррано и Юрий Болотников.

— Oh, God! — говорил Винсент Болотникову, стоя на балконе пентхауса юридической фирмы «Ллойд USA, Ltd.» и с блаженством греясь под солнцем, как кот у печи. — Я не помню, когда я последний раз видел солнце. Как вы живете в вашей стране? Откуда вы можете брать жизненную энергию, если у вас месяцами нет солнца? Посмотри на это! — Он показал на небоскребы лос-анджелесского даунтауна и панораму города от пляжей Санта-Моники до киностудий Голливуда и особняков Беверли-Хиллз. — Вот что могут сделать люди, когда они получают солнечную энергию каждый день! Ты можешь сравнить это с московским пейзажем? Каждый раз, когда я возвращаюсь из-за границы, я говорю себе: Винсент, ты самый счастливый сицилийский сукин сын! Ты живешь в лучшем штате лучшей в мире страны, но что ты сделал для нее?

— Грабанул дюжину банков, — усмехнулся Болотников. Он сидел в кресле, с дринком в руках и тоже грелся в живительно-теплых солнечных лучах.

— О нет! — Винсент протестующе поднял руку. — Я никогда не грабил банки. Я делал разные глупости в молодости и отсидел за них, но банки я не брал, нет. И у меня

143

уже давно легальный бизнес, я плачу свои налоги. Но приходит время, когда ты говоришь себе: «Hell, я скоро уйду, а что я оставлю стране, которая дала мне все?» Ведь все эти парки, музеи, университеты — разве они построены на наши налоги? No way! Их подарили городу такие же сукины дети, как я, но только разбогатевшие в сотни раз больше меня. И вообще, кто построил эту страну? Отбросы Европы! Авантюристы, нищие, беженцы от закона и погромов! Разве приличный инженер или врач с клиентурой бежал сюда из Европы два века назад? И ты видишь, что мы построили всего за двести лет? Нет, если я сделаю деньги в России — я имею в виду настоящие деньги, — я тоже подарю городу какой-нибудь музей или парк. Парк имени Винсента Феррано! — мне нравится эта идея...

— Ты очень романтичен, — насмешливо сказал Болотников.

— Господа! — позвал их изнутри Амадео Джонсон.

Винсент и Болотников направились в кабинет Мэтью Ллойда, главы фирмы «Ллойд USA, Ltd.». Ллойд сидел за старинным, диккенсовским бюро с компьютером и кипами документов и папок. Несмотря на британских предков, он был типичным преуспевающим калифорнийцем — моложавый мужчина неясного возраста в промежутке между тридцатью семью и пятьюдесятью, с загаром яхтсмена на крупном лице и фигурой теннисиста. Помимо йельских и гарвардских дипломов, его кабинет был украшен фотографиями хозяина в обнимку со всеми последними президентами США от Картера до Клинтона, а также — с Кристофером, Рубином, Доулом, Гинриджем, Кеннеди, Рокфеллером и прочая и прочая, включая десяток ведущих звезд Голливуда. Судя по тому как скромно держался в этом офисе Амадео Джонсон, Ллойд был не только знаком со всеми этими магнатами американской политики, бизнеса и киноиндустрии, но и сам принадлежал к их клану.

— О'кей, джентльмены, — сказал Ллойд Винсенту и Болотникову. — Поскольку вы прилетели сюда из Москвы, я понимаю, как это смертельно важно для России. И я отложил все дела и сам занялся вашим вопросом. Должен сказать, что, к моему удивлению, я встретил очень сильное сопротивление этой затеи. Несмотря на все мои связи с Белым домом, они там категорически против участия нашей команды в русской избирательной кампании. Наше правительство не вмешивается во внутренние дела иностранных государств — вот их позиция. Так, во всяком случае, это звучало.

— Ясно! — сказал Джонсон. — Опять забздели коммунистов...

Но Ллойд глянул на него таким взглядом, что Джонсон осекся.

— Во всяком случае, — продолжил Ллойд, глядя на Винсента и Болотникова, — я обязан вас предупредить: команда, которая поедет с вами, ни в коем случае не представляет американское правительство. Это ясно?

Болотников утвердительно кивнул.

— О'кей. — Ллойд усмехнулся. — Но мы еще живем в свободной стране, здесь, слава Богу, любой может уехать работать за границу. За исключением президента, конечно. Однако формальности есть формальности, мы не можем их избежать. Слушайте. — Он нажал клавишу на кийборде компьютера и зачитал с экрана: — «Соглашение между «Ллойд USA, Ltd.» и российским правительством о создании группы советников по проведению президентской избирательной кампании и условиях их работы...»

— No way! Исключено! — перебил Болотников.

Ллойд изумленно посмотрел на него.

— Я не могу подписать такой документ, — объяснил Болотников. — Если он попадет в прессу — коммунисты нас с дерьмом смешают. Правительство нанимает американцев для проведения избирательной кампании президента России?! На какие деньги? Нет, вот мистер Ферранó, у него в Москве фирма, и это он приглашает туда американцев — экспертов, скажем, по изучению автомобильного рынка.

— Но платите вы, — быстро сказал Винсент.

145

— О, конечно! — подтвердил Болотников. — Платит мой банк, но и деньги будут идти с вашего бизнес-счета, а мы их будем вам возмещать где угодно — здесь, там...

Ллойд вопросительно глянул на Амадео Джонсона, тот кивнул.

— О'кей, — согласился Ллойд, — я скажу, чтобы тут переделали. Но суть остается той же: за наши услуги по сбору команды из семи человек мы не берем с вас ни цента, это подарок нашей фирмы вашему президенту. Хотя в этом году у нас тоже президентские выборы, вы все равно получаете лучших из лучших, это я гарантирую. Но, безусловно, все расходы по пребыванию этой команды в Москве — это за ваш счет плюс каждый из них получает в месяц по десять тысяч. Поверьте, они стоят куда больше! Я надеюсь, когда они выиграют кампанию, ваш президент пригласит нас на банкет и мы будем иметь длительные деловые контакты с вашей страной. Договорились? — Ллойд прямо посмотрел Болотникову в глаза и протянул ему руку.

Тот немедленно пожал эту руку в знак заключения устного соглашения.

— Great! — сказал Ллойд и быстро вызвал на экран компьютера другой файл. — Еще один контракт. Только я не знаю, с кем его подписать... — Он в затруднении перевел взгляд с Болотникова и Винсента на Джонсона и обратно. — Хотя нет! Знаю! Со всеми вами.

— О чем? — спросил Джонсон.

Ллойд быстро прочел с экрана:

— «Предоставляя в распоряжение российского президента команду самых опытных экспертов по проведению избирательных кампаний, фирма «Ллойд USA, Ltd.» оставляет за собой эксклюзивные права на создание любого художественного произведения — книги, кино, телесерии и т.п. — на материале событий, которые случатся с этой командой во время их работы в России. Ни один участник команды или организаторы их поездки в Россию не имеют права без ведома и письменного согласия фирмы «Ллойд USA, Ltd.» использовать этот материал в масс-медиа или продать его».

146

Ну, и так далее, тут всякие легальные пункты насчет копирайта. — Ллойд оторвал глаза от экрана. — Господа, как только вы подпишете это соглашение, все семь экспертов в вашем распоряжении.

— Goddam, you are smart! (Черт возьми, ты не промах!) — хлопнул себя по ляжке Амадео Джонсон. — Сколько ты слупил за эту историю?

— Не твое дело! — улыбнулся Ллойд.

— Но ты уже толкнул ее, точно?

— Sure, — снова улыбнулся Ллойд. — Мы в Голливуде.

— Shit! — завистливо сказал Амадео и пояснил недоумевающим Винсенту и Болотникову: — Это же охуительный политический триллер! Новая «великолепная семерка» летит в Россию, чтобы спасти от коммунистов русскую демократию и президента, который вот-вот проиграет выборы! Международный блок-бастер! Тонны денег! — Он повернулся к Ллойду: — Кому ты продал эту историю? Оливеру Стоуну? Или Спилбергу?

28.

Между тем в Москве, на Пречистенке, полным ходом шел монтаж прибывшего из США оборудования. Шесть грамотных инженеров и монтажников, откомандированных Брухом в распоряжение «Рос-Ам сэйф уэй интернешнл», уже и без помощи Александры понимали жестикуляцию Робина и буквально на глазах превращали бывший зал Клуба политпросвещения работников мукомольной промышленности в современный цех разборки и сборки кузовов автомобилей — с поточным конвейером, оборудованным мощными гидравлическими домкратами и подъемниками, с металлорежущими и кевларотянущими станками, с навесными блоками воздушной транспортировки тяжелых деталей, с камерами закачки в дверные панели пулевязкого углепластика, с испытательными стендами, принудительной вентиляцией и стеллажами для запчастей — титановой стали, кевларовых панелей, пуленепробиваемого поликарбонатного стекла и всякого иного технического оснащения.

Вторая группа — строители — занималась превращением ветхой дворовой пристройки с классами рукоделия и игры на баяне в кирпично-бетонный гараж с мойкой, сушкой, а также сигнализацией и прочими системами защиты — в гараже должно было одновременно находиться до двадцати «мерседесов», что для нынешней Москвы весьма рискованно.

И еще несколько слесарей и плотников трудились на втором этаже здания, превращая бывший «Ленинский уголок» и кабинеты самоучебы в офисы, душевую для рабочих, комнату отдыха и т.д.

Робин, который действительно переселился сюда из квартиры на Пушкинской площади, работал по двадцать часов в сутки — и за менеджера, и за монтажника, и за строителя, изъясняясь с русскими языком чертежей, международно известными жестами «вира» и «майна» и лишь изредка прибегая к помощи Александры — тогда он по-английски писал в блокноте какие-нибудь подробности своих инструкций и просил Александру перевести. А русские вообще не нуждались в переводчике, поскольку Робин практически понимал почти все, что они говорили ему по-русски. И Александра, одетая в глухой, под горло, черный свитер, закрывающий синяки на шее, и в такую же темную шерстяную юбку, сидела у телефона и факса во временном офисе на втором этаже, вела факсовую переписку со штаб-квартирой «Мерседес-Бенца» по поводу первого заказа на сто машин «Мерседес-600» и забивала в память компьютера адреса первых клиентов «Рос-Ам сэйф уэй», поставщиков оборудования и другую конторско-бухгалтерскую информацию. А в обеденный перерыв готовила для рабочих бутерброды и кофе.

Ежедневно сюда звонил из Америки Винсент. Александра подробно докладывала ему, как идут работы, какие факсы прибыли от поставщиков броневой стали с уральского танкового завода и производителей кевлара на рязанском «почтовом ящике», но чувствовала, что Винсента это мало интересует — он перебивал ее, спрашивал «а чем ты занята?», а потом резко и почти не прощаясь обрывал разговор. Но на следующее утро звонил снова: «How are you? Как там Робин? А что ты сейчас делаешь?» И почти каждый день в «Сэйф уэй, инк.» наведывался Брух — тоже с утра, когда он, по своему обыкновению, объезжал все свои строительные объекты. В сопровождении Машкова и секретаря-телохранителя Брух, шумно дыша, обходил все помещение, вникал в подробности монтажа оборудования, тут же звонил по «Мотороле» в свое управление и требовал от снабженцев новые строительные материалы, сантехнику или чертежи бетонного забора, которым он решил обнести здание «Сэйф уэй» и часть прилегающего к нему двора. И исчезал так же стремительно, как появлялся, — черный «линкольн» уносил его на следующий объект.

Но сегодня Брух приехал позже обычного и, не заходя ни в будущий цех, ни в гараж, поднялся прямо в офис к Александре.

— Одевайся, поехали! — сказал он.

— Куда?

— На кладбище, «куда»! Сегодня ж девятый день со дня его смерти...

Александра посмотрела Бруху в глаза, потом перевела взгляд на Машкова, на секретаря-телохранителя Бруха и снова — на Бруха. У всех у них были лица людей, выполняющих свой скорбный долг — точно такие, какими они были неделю назад на похоронах ее мужа, тоже организованных Брухом.

Александра стала натягивать меховые сапоги, потом вспомнила:

— Я должна сказать Робину.

— Он знает, он тоже едет, — сказал Брух.

Оказалось, что ради поездки на могилу ее мужа Брух приехал на двух машинах, захватив с собой православного священника для свершения поминальной молитвы и ящик с водкой и закуской для поминок покойного. Приехав на дальнее, Филевское кладбище, шоферы Бруха поставили этот ящик у заснеженной могилы с временной табличкой «Константин Каневский, 1952 — 1996», и тотчас сюда — сквозь метель — отовсюду стянулись кладбищенские инвалиды, оборванцы, нищие старухи, рабочие, рывшие могилу неподалеку, и даже директор кладбища. Они богомольно слушали священника, старательно крестились и повторяли за ним слова молитвы:

— Сам Господи успокой душу убиенного раба Твоего Константина в месте светлом, в месте злачном, в месте покойном...

Но едва молитва кончилась, они толпой налетели на водку и закуску. Отталкивая друг друга, они в минуту все выпили и съели, попрятав часть еды и бутылок в свои лохмотья, и тут же пристали к Александре с требованием дать им денег «на помин души убиенного». Брух раздал им целую пачку «деревянных» десятитысячных купюр, но они все не отставали, пока Машков матом и пистолетом не отогнал их прочь.

После этого Машков достал из кармана бутылку «Столичной», разлил ее на всех по бумажным стаканам, стал к могиле и сказал:

— Ну что, Костя? Теперь ты понял, что был не прав? — И подождал, словно убитый мог ответить ему из могилы. А после паузы продолжил: — Ладно. Мы тебя прощаем. Только скажи Сашке, что это не я тебя грохнул. — Машков повернулся к Александре: — Слышь, Сашка? Чтоб я с ним рядом лежал — это не моя работа. Ты мне веришь?

— Ве... верю... — неслышно, сквозь метель, вымолвила Александра, ее голова и плечи уже были покрыты снегом, и даже на ресницах наросла снежная опушка.

Машков сделал выдох, ногтем отметил полстакана водки и залпом выпил свою половину, а вторую половину вылил на могилу — поделился с покойником.

Брух, Робин, Александра и священник тоже выпили, не чокаясь.

Священник осенил Александру крестом и сказал ей:

— Господь простил рабу Константину грехи его, и ты, вдова, прости убиенного за побои. Сама установи предел своему трауру, а кольцо свадебное носи на другой руке, по-вдовьи...

Робин, стоя рядом, прислушивался к этим словам, не столько понимая их, сколько догадываясь об их смысле. Но думал о другом. Он вспоминал день, когда Болотников увез Винсента в аэропорт, а он остался вдвоем с Александрой на кухне их квартиры на Пушкинской площади. Тогда тоже была метель...

29.

Если Мэтью Ллойд рассчитывал сделать «тонны денег» на фабуле тайной миссии новой американской «великолепной семерки», отправляющейся на выручку русскому президенту, то нужно признать, что первую «тонну» он потерял на завязке этой истории. Потому что эта завязка не подарила американской семерке никаких занимательных эпизодов — за исключением, конечно, типично российского административного бардака, свойственного любому русскому начинанию — от запуска ракет на Марс до подавления чеченских повстанцев. Как говорят в Китае, «хотели как лучше, а получилось как всегда», то есть: никакого персонального самолета Винсенту, конечно, не дали. Болотников сказал — из опасения, что передвижение президентского авиалайнера (а уж тем более его полет в США!) отслеживается оппозицией с помощью скрытых коммунистов в правительственном авиаотряде и в кремлевском окружении президента. Потому перед самым отлетом Винсента и Болотникова из России на деловом совещании в «Президент-отеле» было решено дождаться, когда они соберут в США команду американских экспертов и вместе с ними прилетят в какой-нибудь европейский город поближе к российской границе. А уж тогда... Мол, члены правительства летают в Европу почти каждый день, заодно заберут там американцев.

Но когда обычным рейсом компании «Финэйр» группа Винсента и Болотникова прибыла в Хельсинки, чтобы пересесть в еще вчера обещанный Москвой самолет, оказалось, что и в хельсинкском аэропорту, забитом русскими челноками, никакой кремлевский лайнер их не ждет. Болотников стал вызванивать Кремль, «Президент-отель» и диспетчера правительственного аэродрома «Внуково-2» и после десятого звонка выяснил, что самолета и не будет, поскольку исчез автобус, который привозит во «Внуково-2» летчиков и стюардесс президентского авиаотряда. Куда мог исчезнуть целый автобус, никто не знал — может, шофер запил, а может, в аварию попал, но послать за экипажем другую машину никто не удосужился, так что покупайте билеты на обычный рейс, сказали Болотникову, а в Москве мы вас встретим. Конечно, Болотников не сказал американцам, что из-за какого-то алкаша шофера даже президентские самолеты не взлетают в России, а наврал про тайный конфликт на китайской границе, куда-де срочно вылетело все российское правительство на всех правительственных самолетах.

После этого выяснилось, что все места на ближайшие рейсы в Москву раскуплены русскими челноками, везущими в Россию тюки и ящики скупленного на европейских барахолках ширпотреба. Пришлось Винсенту купить на свою кредитную карточку все билеты первого и бизнес-класса на последний вечерний рейс, а Болотников снова стал терзать свою «Моторолу», чтобы сообщить в Москву время их прилета. Затем, чтобы убить время, Болотников пригласил американцев в «Александр Невский» — лучший, по его словам, русский ресторан за пределами России. И это действительно был отличный ресторан в самом центре Хельсинки, у набережной Финского залива и памятника Екатерине Второй — с изысканными блюдами старинной русской кухни, приготовленными по рецептам прошлого века, когда здесь, в Хельсинки, постоянно располагались гренадерские и драгунские полки царской армии.

Размягченные финской водкой, русской икрой, рыбной кулебякой, гусиными паштетами, свиными холодцами, блинами с семгой, слоеными расстегаями, супом из раков, жаренными в тесте куропатками, тушенной в вине лососиной, запеченной в горшочках олениной и прочими деликатесами, американцы поднимали громкие тосты за американо-русскую дружбу и пели «Катюшу» и «Очи черные». Они оказались действительно хорошо подобранной командой, сработавшейся на десятке, если не больше, губернаторских, сенатских и президентских выборов: тучный и бабьеподобный Хью Риверс и поджарый, с офицерской выправкой и седыми усами сорокалетний Джим Рэйнхилл были «мозговым танком» этой команды, черный увалень Патрик Браун — ее административным гением, рыжебородый и совершенно лысый астматик Марк Бреслау — аналитиком и стратегом, двухсоткилограммовая Лэсли Голдман — имиджмейкером, а тридцатилетние Сэм Грант и Ал Паркер — специалистами по социологическим опросам и зондированию общественного мнения. Но называть их «великолепной семеркой» было бы кощунством по отношению к Юлу Бриннеру и остальным членам той знаменитой кинокоманды. Если они и были на кого-то похожи, то скорее на бригаду вооруженных «лаптопами» бухгалтеров, отправляющихся на ревизорскую проверку.

Но Винсенту они нравились. И вообще, несмотря на неорганизованность русской стороны и странное — с утра — молчание телефона в московском офисе «Сэйф уэй, инк.», Винсент чувствовал себя на подъеме, ведь он был инициатором действительно исторического события — американской помощи первым демократическим выборам в России! Так моряки, доставившие американскую армию в Нормандию, гордились своей причастностью к разгрому нацистов, так мелкий испанский бандит Васко Нуньенс де Бальбоа, открыв Панамский перешеек и Тихий океан, ясно ощущал свое историческое величие. И только одно темное облако омрачало сиятельные горизонты Винсента — воспоминание об Александре, оставленной им наедине с Робином в их московской квартире. Винсент и сам толком не понимал, почему это его беспокоит. Ему было пятьдесят четыре, а Александре — от силы тридцать, то есть она вполне годится ему в дочери. Конечно, это ничего не значит, но, черт возьми, — что в ней притягательного? Невзрачная русская замухрышка и «метла» с вечно падающими чулками! Любая девка из Западного Голливуда даст ей сто очков вперед! А уж про московских стриптизерок с их торчащими сиськами и говорить нечего! И все-таки... все-таки было, было в ней нечто, что поразило Винсента как раз накануне его отлета из России. В ее истерике над трупом мужа было какое-то неведомое Винсенту исступление женственности и даже не столько женственности, а — материнства! Да, и в Италии, и в США жены тоже плачут по своим умершим или погибшим мужьям. Но на такую запредельную истерику способны там только матери, а не жены. Да и то не все. И в те минуты, когда Александра билась в его руках, брыкалась, материлась и рыдала по своему мужу, Винсент вдруг подумал, что никто, даже дети, никогда не любили его вот так, до крика. И никто не будет так убиваться по поводу его смерти. И он, живой, вдруг позавидовал этому мертвому, в канализационном дерьме парню. И совсем иной, а никакой не замухрышкой и «метлой» он вдруг увидел тогда Александру и открыл что-то знобяще-томительное в ее близоруких серых глазах, в изгибе ее спины, повороте шеи...

Какого же черта не отвечает телефон в его офисе? Куда этот fucking Робин и Александра могли деться в будний день? И что, что случилось между ними в ту ночь, когда Винсент улетел? Правда, за те пятнадцать лет, что Робин проработал у Винсента, он никогда не проявлял интереса ни к женщинам, ни к мужчинам. Он был как бы вне всего — секса, политики, денег и даже уплаты налогов. Только машины! Они были его жизнью, страстью, религией, работой и отдыхом. Винсент и познакомился с ним из-за машин. Правда — не автомобилей, а игральных автоматов. Тогда, в 1980-м, в каком-то баре в Монтебелло Робин, бездомный и пьяный в стельку ветеран вьетнамской войны, вступился за игральный автомат, который люди Винсента собирались расстрелять за неуплату хозяином бара помесячного «налога» калифорнийскому мафиозному клану Джузеппе Лучано.

«Речь», которую пьяный Робин жестами и мычанием изобразил тогда в защиту всех машин вообще и игрального автомата в частности, произвела на бригадира команды Винсента Феррано такое глубокое впечатление, что он отвез Робина на свое ранчо «Морнинг дрим», поселил там и поручил отремонтировать для его детей хотя бы пару из той сотни игральных автоматов, которые в разное время его люди изъяли у строптивых хозяев бензоколонок и баров. Штук двадцать этих автоматов были разбиты еще во время пребывания у своих хозяев, еще несколько — по дороге на ранчо «Морнинг дрим», но большая часть получила смертельные пулевые ранения уже здесь, на ранчо, во время «отдыха» людей Винсента вдали от посторонних глаз.

Сразу после этого Винсент «присел» в Риверсайдскую федеральную тюрьму и, вернувшись на свое ранчо через три года, не поверил своим глазам: во-первых, Робин был еще здесь, и во-вторых, из сотни старых игральных автоматов, которые до отсидки Винсента служили тут мишенями для прицельной пистолетной и автоматной стрельбы, этот Робин собрал двадцать семь новеньких машин, раскрасил их автомобильной краской и поставил под навесом на веранде так, что хоть открывай филиал Лас-Вегаса! А заодно из завалов брошенных в прериях старых автомашин собрал два грузовика, две «амфибии» и двенадцатиметровый лимузин. И тогда, глядя на этих монстров, Винсент изобрел свой нынешний бизнес: бронированные автомобили для вождей просыпающихся народов Африки, Азии и Южной Америки, сбросивших с себя вековое ярмо британского и американского империализма!

Наверное, Робин догадывался, что, помимо африканских и арабских лидеров, Винсент сбывал бронированные авто и мексиканским наркобаронам, японским бандитам, перуанским марксистам, чилийским партизанам и сандинистским вождям Никарагуа. Но его это не интересовало. В 1985 году, то есть незадолго до появления видеомагнитофонов, Винсент оборудовал на «Морнинг дрим» небольшой кинозал с монтажным столом и «мавиолой», чтобы

Робин мог сколько угодно и как угодно — и на экране, и на столе — смотреть фильмы про Джеймса Бонда и его эпигонов, а точнее, вырезать из кинолент и изучать кадры с диковинными бондовскими автомобилями. И, конечно, тут же копировать их в металле на радость щедрым клиентам из числа растущих, как грибы после дождя, вождей мелконациональной независимости в Гвиане, Мозамбике, Чили, Чечне и т.д. — по всем континентам! Эта воистину творческая работа поглощала все время и все мысли Робина, а Винсент, тщеславный, как все итальянцы, не жалел денег на развитие бизнеса — тем паче что сам Робин не стоил ему ни цента. Зато — самые новейшие металлообрабатывающие станки, любые автомобили и запчасти к ним, любые металлы, от броневой и танковой стали до легчайшего кевлара, алюминия и титана, и, конечно, все военные и технические журналы по автомобилестроению, танкостроению, подводному флоту, стрелковому и ракетному оружию! Библиотеки, которую собрал за эти годы Робин на «Морнинг дрим», не было даже у Тома Клэнси. И при этом личные потребности Робина сводились к минимуму — еда, одежда и два толковых помощника-мексиканца. А женщины... Нет, Винсент никогда не замечал его интереса к ним, он не видел в его фильмотеке даже порнофильмов. Но хрен знает, что может сделать с человеком Россия! Ведь даже он, Винсент Феррано, почему-то думает по ночам об этой чертовой Александре и звонит в Москву каждый день! Но не может же он напрямую спросить у Александры, что там у нее с Робином?! И теперь чем ближе Москва, тем больше он нервничает и тем чаще набирает московский номер своего офиса на болотниковской «Мотороле».

Но ответом ему — лишь длинные гудки.

— Shit! — отбросил он трубку.

В этот момент официант «Александра Невского» положил на стол счет, а Болотников сдвинул его к Винсенту. Винсент взял счет, и настроение у него окончательно упало: «исторический» американо-российский обед обошелся ему в две тысячи семьсот тридцать два доллара.

30.

В тот день, когда Болотников увез Винсента в аэропорт, за окном их квартиры тоже была метель, и в этом метельном снегу, над памятником русскому поэту Александру Пушкину, ирреально парила гигантская неоновая реклама кока-колы. В щели плохо подогнанных окон задувало морозным ветром. Александра уже выпила второй стакан водки, занюхала его своим маленьким кулачком и вдруг подняла на Робина свои серые глаза.

— Ну? — сказала она с непривычной требовательностью. — А ты что ж не пьешь? Выпей с вдовой!

Она налила ему полный стакан, но он отрицательно покачал головой и показал жестами:

«Нет! Нет! Только немножко. Четверть стакана!»

Александра усмехнулась надменно, перелила половину его водки в свой стакан и спросила:

— Гребаешь русскими бабами?

Он показал, что не понял, но она не стала переводить, а, выпив и проследив, как он выпил, продолжала по-русски:

— Что ж — так и живешь бобылем? Брезгают американки немыми?

Он опять не понял и, увидев, как она хмельным жестом снова потянулась к бутылке, первым взялся за эту бутыль, чтобы убрать ее. Но рука Александры легла на его руку и потянула бутылку к себе.

«Нет! — категорически показал Робин второй рукой. — С тебя хватит!»

— Дурак ты американский! — ответила она, глядя ему прямо в глаза.

Их лица были совсем рядом, ее рука сжимала его руку, ее серые глаза вспыхнули странными протуберанцами, а зрачки вдруг расширились и целиком, с потрохами, вобрали Робина внутрь своего омута и опустили вниз, в глубину ее жаркой и обволакивающей плоти.

Так опаляет вас приоткрытый на миг зев мартеновской печи, так не яблоком (забудьте эти библейские сказки!), но взглядом разбудила Ева мужчину в Адаме!

От этого первобытно-физического ощущения эротической близости у Робина ватно ослабли колени и рука выпустила горлышко бутылки.

А Александра, усмехнувшись победной полуулыбкой рафаэлевской Мадонны, придвинула к себе бутылку и вылила в свой стакан остатки водки.

Но выпить она не успела — вся ее фигура вдруг обмякла, плечи и руки расслабились, глаза закрылись, и она упала щекой на стол, опрокинув стакан с водкой.

Робин испуганно наклонился к ней, но тут же успокоился — приоткрыв губы и ровно дыша, Александра спала глубоким пьяным сном. Словно в этой эротической вспышке выплеснулись ее последние силы.

Он еще постоял над ней, думая, как быть, а потом легко поднял на руки ее тонкое безвольное тело и отнес в спальню, уложил на кровать. Расстегнул молнии на ее меховых сапогах, снял их, но дальше раздевать не стал, а сел рядом на стул и долго смотрел, как она спит.

Во сне ее щеки зарозовелись, губы приоткрылись и лицо стало по-детски расслабленным и беззащитным.

Он встал и двумя галстуками заткнул щели в окне. Затем вытащил из-под Александры свой палас из деревянных шариков, положил его в чемодан, а сверху какое-то нижнее белье, полотенце, зубную щетку, бритву и прочие мелочи и, оставив на тумбочке ключи от квартиры, вышел на улицу с чемоданом в руке, миновал табун зябнущих юных проституток под аркой у магазина «Наташа», голоснул такси и уехал на Пречистенку, в офис. И с тех пор в их отношениях с Александрой как бы повисла пауза — ни он, ни она не возвращались к тому дню, и Робин даже не знал, где она живет — в его квартире на Пушкинской площади или вернулась к себе. Только сегодня утром, подавая ему и рабочим кофе с бутербродами, Александра словно бы вскользь сказала ему по-английски:

— Между прочим, можешь вернуться в свою квартиру. Ключи на твоем столе. Я съехала.

158

Он ничего не ответил, но почувствовал, как у него перехватило дыхание: неужели она ждала его все эти восемь дней?

Но теперь, вернувшись с кладбища в свою квартиру на Пушкинской площади и с ходу, по-мужски, шагнув в гостиную, Робин не узнал ее. Тут царило необычное тепло и тот уютный порядок, навести который способны только женщины: все оконные рамы, из которых прежде так дуло, были заклеены нарезанными из газет бумажными полосками; на подоконнике появилась какая-то ваза с камышами, и голые прежде стены в гостиной оживились двумя эстампами с весенним пейзажем; газеты «Moscow News», «New York Times», «Московский комсомолец», «Правда», «Советская Россия», «Известия», «Аргументы и факты» и журналы «Newsweek», «Итоги» и «Лица», валявшиеся прежде по всей квартире, были стопкой сложены на журнальном столике...

Осторожно отступив от этой чистоты в прихожую, Робин снял мокрые ботинки и — в одних носках — медленно обошел остальные комнаты. На кухне вся посуда вымыта и расставлена на полках кухонного шкафа, а уродливый кухонный стол украсился новой скатертью. В спальнях Робина и Винсента кровати застелены, а все грязное белье постирано и аккуратно сложено в шкафу. И даже в ванной комнате возник женский порядок и ощущение уюта...

Остановившись у кухонного окна, Робин смотрел на вечернюю метель, хмельно гуляющую под столбами старинных уличных фонарей, и боялся сам для себя определить причину своего внутреннего смятения. Метель за окном усиливалась, она уже раскачивала уличные фонари, вырвала у какой-то женщины зонтик и заставляла даже мужчин отворачивать лицо от злого встречного ветра. Но здесь, в квартире, горячие батареи парового отопления дышали жаром из-под подоконников, здесь было тепло, чисто, уютно. И — чудовищно сиротно. Робин с изумлением вслушивался и всматривался в себя, он, как все инвалиды, всегда остро и точно ощущал каждую перемену внутри себя, но на этот раз он не понимал, что с ним происходит. Неужели это климат? Неужели только там, в Калифорнии, в тепле и солнце аризонских прерий, он мог, как Адам в раю, годами не замечать своего одиночества, а тут, среди русских морозов и метелей, отсутствие солнечного тепла не возмещают ни исступленная работа, ни спиртные напитки?

Но он не может позволить себе поддаться искушению!

Робин открыл холодильник (в котором тоже все было аккуратно разложено), достал из него бутылку джина и банку с тоником, хотел сделать себе дринк в стакане, но передумал и отхлебнул прямо из горлышка. Чистый джин шаровой молнией упал в желудок, Робин зажмурился, тряхнул головой, но никакого дополнительного, а тем паче отвлекающего эффекта не последовало. Наоборот, неизвестно откуда вдруг захлестнула душу волна тревоги. И, с изумлением вслушиваясь в себя, Робин встал из-за стола, решительно прошел в прихожую, натянул ботинки, куртку, шапку-ушанку и вышел из квартиры.

Даже метель, налетевшая на него при выходе из подъезда, не остановила его. Наклоняясь всем телом вперед, он направился через подворотню на улицу. Ежедневно с наступлением темноты здесь пряталась от ветра группа юных проституток в дешевых и укороченных до попок пальто. Впрочем, некоторые из них — посменно, что ли? — согревались в стоявшей во дворе милицейской машине, а остальные, притопывая на морозе ножками в тонких колготках и покуривая, как солдаты, в кулак, выглядывали из подворотни на улицу в ожидании подъезжающих машин. На пешеходов эти проститутки, дежурившие стайками вдоль всей Тверской, никогда не обращали внимания, их клиентами были только причаливающие к тротуару в иномарках «новые русские» бизнесмены, «отмороженные» бандиты, качки из частных охранных фирм и охочие до русских дев иностранцы из ближнего и дальнего зарубежья — грузины, турки, чечены, арабы, китайцы и индусы. Робина поначалу шокировала открытость, с которой русские полицейские занимаются сутенерством в самом центре российской сто-

160

лицы и берут взятки с бандитов и нарушителей правил уличного движения, но потом рабочие в его офисе на Пречистенке объяснили ему, что средний заработок их полицейского — сорок долларов в месяц и равен стоимости десяти гамбургеров в московских «Макдоналдсах», да и эту зарплату они не получают месяцами. «Но как же они кормят своих детей?» — жестами удивился Робин. «А вот так! — отвечали ему. — У нас каждый кормится с того места, на которое влез. Что милиционер, что президент...»

Робин прошел мимо проституток на улицу и голоснул такси, дежурившему поодаль, возле тумбы с портретом Ель Тзына, на лбу которого кто-то нарисовал шестиконечную звезду и большой пенис. Но никто не обращал на эти рисунки внимания, зато на поднятую с тротуара руку в Москве мгновенно реагирует почти каждый автовладелец (и это тоже говорит об их нищенских заработках). Вот и сейчас к Робину устремились сразу три «жигуля», однако он предпочел такси — те же рабочие (и Александра) не советовали ему брать, как говорят в России, «частников», а рекомендовали пользоваться только такси или черными служебными «Волгами», водители которых тоже кормятся таким образом со своих мест.

В такси было жарко и накурено. Робин сел на переднее сиденье рядом с водителем, достал из кармана перекидной блокнот, открыл его, быстро нашел нужную страницу и показал ее водителю. На странице было написано крупными русскими буквами:

ПРЕЧИСТЕНКА, 127.

Шофер — круглолицый, с татарским разрезом глаз и с дешевой папиросой в золотых зубах — посмотрел на Робина и осторожно спросил, отчаливая от тротуара:

— Иностранец? German?

Конечно, Робин мог написать ему «USA» или даже по-русски «Америка», но он уже знал нравы московских таксистов — скажи им, что ты иностранец, и они повезут тебя самым дальним маршрутом. Поэтому Робин просто показал пальцем на свой закрытый рот.

— Немой, что ли? — уже грубей сказал шофер.

Робин кивнул и, когда через пару минут машина остановилась возле его офиса на Пречистенке, снова нашел в своем блокноте нужную страницу.

— «Ждите!» — прочел на ней шофер и спросил недовольно: — А сколько ждать-то? Деньги или залог оставь!

Робин сунул ему русскую десятитысячную купюру, показал на пальцах «две минуты» и, спешно выйдя к парадной двери, нажал кнопку звонка, хотя охрана, он знал, должна была видеть его и без этого — телекамеры наружного наблюдения были поставлены тут Машковым по приказу Бруха сразу после того, как Машков отбил у отмороженных автофургон с оборудованием. И, едва охрана открыла Робину дверь, он взбежал по лестнице в офис на второй этаж, включил компьютер Александры и нетерпеливо дождался картинки «Windows 3.1». Еще несколько движений «мышки», и вот он уже в файле «Staff», и бежит курсором по строкам до буквы «К» и строки — «КАНЕВСКАЯ Александра Андреевна — ул. Дмитрия Ульянова, 44-б, кв. 63». Перерисовав этот адрес в блокнот, Робин, не обращая внимания на зазвонивший телефон, выключил компьютер и бегом вернулся в такси.

— Сколько? — спросил шофер, прочитав адрес.

Это тоже было московской экзотикой — садясь в такси, здесь нужно заранее договориться с водителем об оплате. Но как мог Робин знать, где находится улица какого-то Ульянова и сколько стоит туда доехать? Он пожал плечами.

— Пятьдесят тысяч, — сказал водитель.

Робин кивнул и показал жестом: «Вперед! Поехали!»

Машина, тараня снежную метель, понеслась к Садовому кольцу.

А в хельсинкском аэропорту Винсент в пятый раз в сердцах бросил трубку на рычаг телефона-автомата и пошел на посадку в самолет за толпой русских челноков, волочивших

162

в самолет под видом ручной клади коробки с видеомагнито-фонами «Филипс», приставками «Дэнди», кухонными ком-байнами «Крупс» и телевизорами «Хитачи».

31.

Когда среди продуваемых пургой черемушкинских хру-щоб, больше похожих на стадо замерзших в ночи наполео-новских солдат, водитель такси все-таки отыскал, матерясь, «этот гребаный», по его словам, дом номер 44-б, Робин уже утратил половину своей решительности. Но в руках у него были цветы, которые он купил по дороге, да и отсту-пать было некуда — высадив его, такси тут же укатило, желтые огоньки машины разом исчезли в снежной замети.

Прикрывая ухо от ветра и утопая ботинками в снегу, Робин пробежал к неосвещенному подъезду, дернул двер-ную ручку. Но дверь была закрыта, а рядом с ней, на стене висел железный ящик с десятком кнопок, и Робин только теперь сообразил, что, не зная кода, он никогда не попадет в этот дом. Однако он потыкал рукой в эти кнопки — без-результатно, конечно. И стучать бессмысленно — никто не услышит. Все же он постучал, ругая себя последними сло-вами за свой же идиотизм. Без толку. Наверное, летом или вообще в теплую погоду можно дождаться, когда кто-то выйдет из подъезда или войдет в него — в конце концов, сейчас всего восемь вечера. Но при таком морозе и ветре...

Чувствуя, что у него немеют от мороза уши, нос и ко-лени, а на этих fucking усах, которые он завел для маски-ровки, уже наледенели сосульки, Робин оглянулся в поисках такси или любого иного транспорта. Но пусто было вокруг, лишь пурга летала по темным улицам, как шайка бандитов по захваченному городу. Стоявшие вразброс бетонные ко-робки шестиэтажных домов, одинаковые, как костяшки до-мино, заперлись от нее замками своих парадных дверей и блекло светили в темень маленькими желтыми окнами. Ни такси, ни частника, ни даже автобусной остановки! Только жестокий мороз и ветер, режущий дыхание, как наждачная бумага. Fucking idiot! Ромео сраный! Он даже не знает, в какую сторону бежать к метро! Это Россия, идиот, это не Аризона и даже не Вьетнам! Там, во Вьетнаме, были москиты и джунгли, но все-таки ты мог идти, мог ориентироваться по солнцу... А тут? Он даже не знает и не видит, в какой стороне центр города...

Робин в ожесточении снова загрохотал по двери обмерзающим кулаком и ботинком.

И вдруг что-то шарахнуло по кустам у него за спиной и остервенелый собачий лай заставил его отшатнуться. Прямо перед ним, натягивая поводок, бесновался от злобы черный ретривер.

— Фу! — кричал собаке мужчина с другого конца поводка. — Фу, греб твою мать! Да замолчи ты, сука! — И уже Робину: — Ты чё — пьяный? Или дурной? Тут забито еще при Хрущеве! А дверь с другой стороны! Закурить не найдется?

Робин жестами показал, что не курит, и, чувствуя, что жизни в нем осталось лишь на две минуты, на негнущихся ногах пошел по снегу вокруг дома.

Действительно, вход в дом был с другой, тыльной стороны и — о Господи! спасибо тебе! — настежь распахнутая дверь сама стучалась и билась в дом от ветра. Но ее никто не закрывал, и Робин снова подивился этой загадочной стране — зачем забивать парадные двери, если тыльные распахнуты настежь?

Он вошел в совершенно черное парадное и перевел дыхание, чувствуя, как здесь, в безветрии, расслабляются его душа и легкие. Но куда идти? Нащупав рукой стену, он пошарил по ней в поисках выключателя и не обнаружил его. Сделал шаг, второй, каким-то шестым чувством предугадал ступени и пошел по ним вверх. Откуда-то сверху просочился неясный свет и шум. Робин уже уверенней взошел по лестнице к шахте лифта и нащупал кнопку. Но лифт на кнопку не отозвался, и Робин, вздохнув и только теперь различив в промороженном воздухе запахи кошачьей мочи и окурков, стал подниматься по лестнице пешком, сообразив, что квартира номер 63 должна быть на шестом этаже.

Чем выше он восходил, тем громче становился шум сверху, или, точнее, музыка, запах марихуаны и громкие голоса.

На площадке пятого этажа было уже светло от света, падавшего сверху, а на шестом...

На шестом этаже стальная и обезображенная недавним взрывом дверь с номером 63 была полуоткрыта, из нее-то и исходили яркий свет, оглушительная музыка, запахи наркоты и шум голосов, а рядом с этой дверью, у стены сидела на полу Александра — в странной, как в прострации, позе и с остановившимся взглядом.

Робин в изумлении остановился.

Александра увидела его и тихо произнесла сухими губами:

— Thank you for coming. They throw me out. (Спасибо, что пришли. Они выбросили меня.)

«Кто? Почему?» — спросил он жестами.

— Teenagers. They've made a pill-pad here. (Подростки. Они устроили тут притон.) — И, увидев, что он повернулся к двери, добавила: — Нет! Не ходите туда!..

Но он вошел в эту дверь, по-прежнему держа в руке букет.

То, что он увидел, даже трудно назвать русским словом «притон» или английским pill-pad. А легче — хлевом или зверинцем для пьяных и только входящих в матерый возраст свиней. Огромная трехсотсвечовая лампа горела в маленькой прихожей, заваленной куртками и другой одеждой, зато в комнате и на кухне все верхние лампы были вывернуты и нечто вроде красного ночника мигало в углу в такт оглушительной «хэви-металл». Под эту музыку человек двадцать полуголых подростков от тринадцати до семнадцати лет, валяясь на полу, курили марихуану, пили водку, тискали таких же пьяных и накуренных полуголых девчонок и с хохотом надували гондоны, протыкая их затем сигаретами. В темном туалете трое занимались групповым сексом, а в ванной какой-то парень, хмельно шатаясь, слепо мочился мимо умывальной раковины.

Робин понял, что в одиночку ему с этим стадом не справиться, и повернулся, чтобы уйти. Но в этот момент какая-то девка, пробегая, выхватила у него цветы, а сзади возле уха он ощутил нож, острием впившийся в шею.

— Стой, бля, зарежу! — сказал ломкий мужской голос.

Робин замер, и тут же сильный удар в спину бросил его лицом к стене, какие-то руки ухватили за локти и за ноги, а на голову набросили полиэтиленовый мешок и на шею — разом затянувшуюся петлю. Поняв, что это конец, Робин дико замычал и дернулся с той неимоверной силой, которая бывает только у немых, но петля от этого затянулась еще туже — под радостно-торжествующий хохот подростков и быстрые руки, снимающие с Робина часы и вытаскивающие деньги из его карманов.

Он задохнулся и почувствовал, что от боли глаза полезли из орбит, а его тело уже само, без его воли, продолжает дергаться, теряя силу...

Но он слышал смех — его убивали весело, шутя, под музыку «хэви-металл».

Внезапно раздался выстрел, и с оглушительным звоном взорвалась трехсотсвечовая лампа; стало абсолютно темно, и в этой темноте неузнаваемо жесткий голос Александры хрипло сказал:

— Лежать, бляди! Все на пол! Кто стоит — перестреляю в жопу!!

И в темноте действительно прозвучал еще один выстрел, но только Робин своим профессиональным слухом различил, что стреляли мелкой дробью из какого-то очень старого дробовика. А подросткам было не до этих тонкостей, они упали на пол, и в тот же миг сухая рука Александры схватила Робина за руку и потащила прочь из квартиры. Он уже на ходу, на лестнице сорвал с головы полиэтиленовый мешок, краем глаза успел заметить маленького старичка, удовлетворенно закрывшего дверь своей соседней квартиры, и снова — вниз, бегом, за Александрой, волочившей за собой уже пустую двустволку.

Они выбежали во двор, в пургу и, даже не чувствуя ее ледяного ожога, прямо по сугробам побежали на улицу, Александра на ходу замахала винтовкой катившему по мостовой автобусу. Но водитель автобуса лишь сделал вид, что тормозит, а когда Александра и Робин подбежали к двери, дал газ и укатил из страха перед их двустволкой. Александра матерно выругалась, забросила винтовку в снег и потащила Робина куда-то вперед, в темень — к метро.

Однако без денег их и в метро не пустили, а когда через три часа они «зайцами» — на троллейбусах и трамваях — все же добрались до Пушкинской площади и, обмороженные, поднялись в квартиру, там сидел Винсент, только что прилетевший из Хельсинки.

— Oh, — сказал он ревниво. — Where have you been? Bolshoy theater? (Где вы были? В Большом театре?)

— Водки! — попросила Александра, сбрасывая пальто.

Но Винсент, заметив свежий круговой рубец на шее Робина, округлил глаза:

— Что это? Она пыталась тебя линчевать?

— Give us vodka! — приказала ему Александра. — Быстрей!

Винсент переводил глаза с Робина на Александру и обратно, пытаясь определить, что случилось между ними, но никаких конкретных выводов сделать не смог и принес с кухни бутылку водки и стаканы.

Александра взяла только бутылку, поставила ее на пол, а сама, сев на табурет, спустила на колени чулки и стала стаскивать с себя промороженные сапоги. Но они не снимались.

— Помогите мне. — Она протянула ноги Винсенту и повернулась к Робину: — Ты тоже снимай ботинки! Now! Быстрей!

— Слушай, — сказал ей Винсент, потянув за сапоги. — Я думаю, я нашел для тебя новую работу. Американской команде, которую я привез, нужен хороший переводчик. Я сказал им, что ты — самая лучшая...

Тут ее сапоги слетели вместе с примерзшими чулками, и Винсент увидел, что ее ноги бело-ледяные, как алебастровые.

— Oh, my God! — испугался он. — Ты их отморозила!

— It's alright. — Александра плеснула водку себе на ноги и стала изо всех сил растирать левую, самую замерзшую. — Помогите Робину.

— Он сам справится. — Винсент стал перед ней на колени и, растирая ей водкой ноги, спросил: — Ну? Что ты думаешь насчет этой работы? А?

— Well... Я не знаю... — Александра глотнула водку прямо из бутылки и передала ее Робину, пытаясь заглянуть ему в глаза. Но он взял бутылку, избежав ее взгляда, и, отводя глаза, стал тоже растирать водкой свои замерзшие ноги.

32.

МЕМОРАНДУМ № 1

РУКОВОДИТЕЛЯМ ШТАБА ИЗБИРАТЕЛЬНОЙ КАМПАНИИ ПРЕЗИДЕНТА РОССИЙСКОЙ ФЕДЕРАЦИИ

Уважаемые господа! Благодарим Вас за приглашение принять участие в проведении Вашей избирательной кампании. До выборов осталось меньше трех месяцев, а согласно опубликованным данным рейтинг популярности Вашего кандидата драматически уступает рейтингу его соперников. Считая себя теперь членами Вашей команды и учитывая свой многолетний опыт проведения избирательных кампаний, предлагаем следующую программу предварительных действий:

1. Срочное и любой ценой прекращение войны в провинции Чечня — история не знает случаев переизбрания Президента, который проигрывает войну.

2. Полное удаление Президента от рутинно-административной работы, его концентрация на выработке стратегии и мероприятий по созданию экономической стабильности в стране. История не знает примеров переизбрания Президента в условиях падения экономики.

*3. Немедленное создание небольших, из трех — пяти чело-
век, оперативных бригад социологов, которые под руководством
членов нашей группы должны в двухнедельный срок облететь двадцать пять — тридцать регионов страны, чтобы с помощью разработанной на Западе методики определить на «фокус-группах»
городских и сельских избирателей приоритетные политические,
экономические и эмоциональные ориентиры Вашего населения
и отношение избирателей к платформам Президента и его соперников.*

4...

Маршал Сос Кор Цннь отложил меморандум и поднял
глаза на Юрия Болотникова.

— Какие еще «фокус-группы»? — сказал он по-русски. —
Что за херня?

— Они могут объяснить подробно. — Болотников кивнул на сидевших в маршальском кабинете Хью Риверса и
Марка Бреслау. — Насколько я понимаю, это и есть их главная карта. Они опрашивают избирателей и по своей мето-
дике точно определяют, есть у кандидата шансы на победу
или нет. Но самое главное — они выпытывают, что эти
избиратели хотят. После этого их кандидат обещает народу
именно это и — выигрывает.

— Да? — Маршал саркастически усмехнулся. — И за
этой херней ты летал в Калифорнию? Переведи им: наш
народ хочет «а», — он стал загибать пальцы, — реки с мо-
лочными берегами, «б» — скатерть-самобранку и «в» — иметь
в президентах золотую рыбку. Или щуку, ага — чтоб жить
по щучьему велению, но по своему хотению. Сможешь перевести?

— Боюсь, что у них другой фольклор, — сказал Болотников и перевел американцам: — Маршал считает, что наши
избиратели хотят жить как в сказке: ничего не делать, но
все иметь.

— Он имеет в виду: как в раю? — спросил Бреслау. —
Или как при коммунизме?

— Как раз это мы и должны выяснить, — сказал Риверс.

Оба американца утопали в старинных, семнадцатого века царских креслах с витыми позолоченными ножками и подлокотниками и, судя по их лицам, были потрясены имперскими размерами маршальского кабинета и богатством его отделки. Но если б знали они, в каком состоянии этот дворец достался маршалу от прежней власти! Все ковры были протерты, паркет скрипел и вываливался даже в кабинетах Брежнева и Суслова, а кондиционеров не было вообще! Президенту страны негде было принять иностранных гостей! Он, Сос Кор Цннь, всего за три года буквально возродил царственное величие и золотую лепоту кремлевских зданий! Да так, что у любого иностранца — от Клинтона и Коля до этих американашек — челюсть отваливается от изумления...

Часы на соседней Спасской башне пробили без четверти полдень. Сос Кор Цннь подошел к окну, в которое билась снежная метель. Окно выходило на Ивановскую площадь в Кремле и на стоявший на этой площади гранитный памятник Ленину — покрытый снегом и окруженный заснеженными соснами. Солдат в расстегнутом полушубке широкой лопатой расчищал дорожку к памятнику, но позади него поземка тут же наметала новый сугроб.

Маршал засмотрелся на этот сизифов труд, и ощущение безнадежности стиснуло его душу. Неужели и все его труды — насмарку?! После нелепого провала с разгоном обосравшейся Думы Ель Тзын категорически отказывается от «силового варианта». То ли Тан Ель напела ему про волшебную мощь этих американских мастеров избирательных кампаний, то ли старик и вправду уверовал в свою непобедимость. Но чудес не бывает, и никакие американцы не спасут Ель Тзына и, следовательно, его самого, Сос Кор Цння, от суда, который устроят над ними коммунисты, когда придут к власти. Да, конечно — первое, что сделает Зю Ган, захватив Кремль, это показательные судебные процессы над правительством Ель Тзына. За развал Советского Союза, за проигранную Чечню, за потерю Севастополя и Чер-

170

номорского флота, за катастрофу в экономике и за тайные игры с нефтью, алмазами, газом, алюминием, цветными металлами и урановой рудой — игры, от которых голова кружится похлеще, чем в любом казино! Чтобы прикрыть свою неспособность разом накормить страну, Зю Ган, как Сталин в тридцатые годы, устроит показательные процессы над «ворами-министрами, которые разграбили страну». Пытками, которые не снились даже Берии и Наджибулле, коммунисты будут вытряхивать из ельтзынских сотрудников их подлинные и фиктивные номера счетов в швейцарских и оффшорных банках и годами кормить публику этими судами над «расхитителями России». А сами в это время будут сбывать на Запад сибирскую нефть, газ, алюминий, алмазы и золото еще дешевле, чем...

Скромный кашель Болотникова вернул маршала в его кабинет.

— Что мне им сказать, Сос Корович? — осторожно спросил Болотников. — И вообще, куда их девать?

— А я их не вызывал. — Маршал безразлично пожал плечами. — Посели их в «Президент-отеле». Или это... Знаешь, что? Пусть едут по стране! — Он вдруг оживился от неожиданно осенившей его идеи: — Ага! Действительно! Пусть едут! А через две недели пусть доложат Ель Тзыну, какие у него шансы выиграть выборы. Но только без подтасовки! Яйца оторву! Так и скажи им, не стесняйся! Мы им, бля, деньги за это платим! — И маршал сам обратился к американцам по-русски: — Очень хорошо, что вы прилетели, господа! Нашему президенту как раз и нужна независимая экспертиза! — И добавил уже для одного Болотникова: — Может, тогда он поймет, что нужно отменить эти выборы, пока не поздно.

— А из каких фондов оплачивать их поездку? — спросил Болотников. — Я посчитал: это обойдется тысяч в сто. Долларов, я имею в виду.

— Это меня не касается! — небрежно отмахнулся маршал. — Найдешь деньги. — И церемонно протянул руку Риверсу и Бреслау: — Сэнкю, джентльмены! Вери сэнкю!

Когда за американцами и Болотниковым закрылась дверь, маршал прошел в соседнюю комнату отдыха, достал из бара бутылку коньяка, налил себе полстакана и нажал какую-то кнопку на настенной панели. Тотчас на стене разошлись деревянные створки фальшивого книжного шкафа, открыв двенадцать телевизионных блоков по восемь экранов в каждом блоке. На этих экранах были видны практически все служебные и личные помещения президента, премьер-министра, руководителей президентской администрации и избирательного штаба в «Президент-отеле». Ель Тзын спал, премьер-министр принимал японскую делегацию, а в «Президент-отеле» Штаб избирательной кампании проводил очередное бесполезное совещание.

Но не эти экраны привлекали внимание Сос Кор Цнння. А самый нижний левый экран, на котором светились столбики длинных цифр и замысловатых буквенных сокращений. Но маршал умел читать эти сокращения и понимал смысл этих цифр. Это умельцы ФАПСИ подключились к компьютерным системам восемнадцати ведущих российских банков и рапортовали о перемещении денежных потоков из России и обратно. И согласно их данным позавчера из России ушло 863 672 920 американских долларов, вчера 1 321 642 531 доллар, а сегодня уже 1 894 741 652 доллара, и цифра эта продолжает накручиваться, как счетчик спидометра. А вот обратно в Россию пришли лишь какие-то жалкие триста миллионов...

Но если вкладчики крупнейших банков стали с такой скоростью отгонять за рубеж свои деньги, не нужно быть ни социологом, ни политиком, чтобы понять, к чему готовится страна.

Маршал в сердцах отпил глоток коньяка, и в этот миг телефон издал низкий по тону гудок. Маршал поднял трубку:

— Да?

— Сос Корович, — доложил секретарь. — Включите НТВ. Шахтеры объявили всероссийскую забастовку.

«Началось, бля!» — подумал маршал.

33.

Да, это началось. Шахтеры Заполярья и Сибири оккупировали шахты и объявили голодную забастовку до тех пор, пока им не выплатят зарплату за последние пять месяцев. Телевидение всего мира показывало этих небритых людей в грязных робах и касках, сидящих в темных подземных угольных туннелях. И их нищие семьи, замерзающие в нетопленых сибирских квартирах или дежурящие у шахт с плакатами: «ДОЛОЙ ПРАВИТЕЛЬСТВО ВОРОВ!»

Через два дня к забастовке шахтеров присоединились школьные учителя. Они прошли демонстрациями по всем городам страны, над их рядами морозный ветер трепал красные коммунистические знамена и транспаранты:

**МЫ НЕ ПОЛУЧИЛИ ЗАРПЛАТУ С ОКТЯБРЯ
ПРОШЛОГО ГОДА!
ЧЕМУ МЫ МОЖЕМ УЧИТЬ ДЕТЕЙ,
ЕСЛИ У НАС ГОЛОДНЫЕ ОБМОРОКИ?**

и

**ЕЛЬ ТЗЫН — ПЬЯНАЯ СВИНЬЯ,
УБИРАЙСЯ ИЗ КРЕМЛЯ!**

Коммунисты, используя момент, призвали ко всеобщей национальной забастовке с единым лозунгом: «ПРЕЗИДЕНТА — В ОТСТАВКУ! ПРАВИТЕЛЬСТВО — ПОД СУД!» В сотнях городов на этот призыв охотно откликнулись миллионы рабочих предприятий военно-промышленного комплекса. Поддержку лозунгу выразили молодежный союз «Наша Держава», «Союз воинов России», ассоциация «Духовное наследие» и профсоюз работников текстильной промышленности.

Международный Красный Крест предложил России продовольственную помощь с условием распределения продуктов среди голодающих только силами зарубежных сотрудников Красного Креста.

Объединенные Американские профсоюзы предложили безвозмездный заем профсоюзу российских шахтеров.

Международный валютный фонд остановил выплату российскому правительству очередного трехмиллиардного транша с требованием отчитаться, куда потрачены предыдущие два миллиарда долларов, выделенные еще три месяца назад только на зарплату шахтерам.

В этом мартовско-апрельском буране политических страстей, среди моря многотысячных демонстраций, митингов, шествий, забастовок, прокламаций, яростных речей, политических пророчеств, гневных телевизионных интервью и даже телевизионных драк между лидерами различных партий и движений никто не обращал внимания на семь крохотных групп социологов, которые под видом сотрудников Института изучения общественного мнения кочевали по всей стране, часами интервьюируя тех же бастующих шахтеров, учителей, студентов, челноков, военнослужащих, колхозников, строителей, бизнесменов, пенсионеров и даже бандитов. В Сибири, в Заполярье, на Урале, в Поволжье, на Кубани, в Санкт-Петербурге они показывали группам по восемь — десять человек одно и то же последнее телевизионное выступление президента и скрытой камерой фиксировали их реакцию на каждое его слово, жест и обещание. Они задавали людям одни и те же вопросы, точнее — сотни вопросов на одну и ту же тему, а среди этих вопросов были утоплены главные и как бы лакмусовые тесты их социологического и психологического исследования российского электората. Да, никто не видел этой ежедневной кропотливой работы, этих километров видеопленок, этих сотен страниц русско-английского перевода, над которыми корпела Александра, этих компьютерных файлов и дискеток со скрупулезным анализом каждой рабочей сессии и каждого интервью. Эту работу не освещала пресса, не показывало телевидение. Широкая публика видела на телеэкранах совсем иное: суетливое метание премьер-министра по всколыхнувшейся в забастовках стране, его косноязычные выступления перед шахтерами и учителями и его «твердые» обещания выплатить зарплату «в течение месяца», «в течение двух недель» и «максимум десяти дней». Но, словно издеваясь над своим и без того униженным и голодающим Старшим Братом, небольшой отряд чеченских партизан именно в это время спускается с Кавказских гор, проникает в глубь российской территории и берет в заложники целый город. И впервые в мировой истории правительство огромной страны, всего несколько лет назад владевшей половиной земного шара, вынуждено принять условия крошечного отряда малочисленного народа и униженно подчиниться всем его требованиям!

Дума гудела распаленными речами...

Москва вскипала массовыми демонстрациями и митингами...

Деловые круги знали, что у правительства есть только одна возможность срочно погасить всенародную забастовку — выплатить долги по зарплатам. Пусть за счет печатного станка, пусть ценой нового витка инфляции, но — удержать страну от тотального бунта. И потому — спрос на доллары стремительно возрос...

По стране покатилась волна налетов на банки и обменные пункты. Вооруженные автоматами бандиты безжалостно расстреливали любую охрану, взрывали сейфы, угоняли бронированные машины с инкассаторами, брали в заложники и убивали банкиров и богатых банковских вкладчиков...

В аэропортах невозможно было достать билеты на самолеты, улетающие на Запад, — «новые русские» спешно отправляли из России свои семьи...

Из страха перед гражданской войной тринадцать крупнейших банкиров страны публично потребовали у президента найти компромисс с коммунистами, передав Зю Гану и его соратникам все министерские портфели, включая портфель премьер-министра...

А проснувшийся от летаргического безделья президент вдруг странно помолодел от этой заварухи. Так старый конь выпрямляется и бьет копытом при звуках боевой трубы, так злой кровью бешенства восстанавливается эрекция у импотента, так выстрелы над ухом поднимают из логова сибирского медведя!

— Где деньги? — с угрозой в голосе вопрошал он в Кремле у премьер-министра и членов его кабинета.

Чер Мыр Дин, знаменитый неизменной насупленностью своего премьерского лица, движением упрямого подбородка приказал министру финансов и председателю Центрального банка отчитаться. Те тут же положили перед президентом папки с документами.

— Что это? — брезгливо спросил президент.

Но он уже и сам видел, что это — министры молча раскладывали перед ним его собственные указы и поручения освободить от уплаты налогов крупнейших поставщиков спиртных напитков и сигарет, экспортеров газа, алюминия, алмазов, нефти, редких металлов и даже мочевины.

— Это я подписал? — Президент перебирал бумаги с видом человека, впервые державшего их в руках. Везде, на всех фирменных президентских бланках с двуглавым российским орлом, с печатями и многочисленными штампами президентской канцелярии и нижеподчиненных ведомств, красовалась его размашистая подпись. Для сложения цифр, которые фигурировали в этих документах, не хватило бы памяти никаких калькуляторов. Одиннадцать триллионов рублей — комиссии маршала Сос Кор Цння на восстановление Чечни... Миллион тонн руды, сто тысяч тонн алюминия и пятьсот тонн титана — капитану кремлевской теннисной команды с правом их безналоговой продажи за границу... Восемьдесят пять тысяч тонн меди — скульптору Це Рю Ли на отливку суперпамятников Колумбу в подарок США и Испании... Сто миллионов долларов — на открытие частной инвестиционной компании... Триллионы рублей — на праздничный парад в День Победы над Германией... Золото из ГОХРАНа — на купола храма Христа Спасителя... Алмазы из ГОХРАНа — российско-американской фирме «Фантом-AS» для продажи в США...

— И это я подписал? — Лицо президента темнело и наливалось кровью, но он листал документы дальше.

Спортивный фонд освободить от уплаты налогов на импорт и продажу в России спиртных напитков... Девяносто семь процентов всей добычи якутских алмазов — южноафриканской фирме «Бирс»... Российскую православную церковь освободить от уплаты налогов на импорт и продажу в России сигарет... Корпорацию «Северроникель» освободить от уплаты налогов на экспорт цветных металлов... Фирму «Юган» — от уплаты налогов на экспорт газа... Банк «Престольный» назначить правительственным агентом по сбору налогов в Сибири... Банк «Коммерческий» назначить правительственным агентом по сбору налогов в южных регионах... «Бере-банк» назначить агентом по...

— И это я подпи...

Сорок миллиардов долларов, четверть национального бюджета страны, составляют только его, личные налоговые освобождения. Шестьдесят процентов налоговых средств в руках частных банков...

Президент посмотрел на стоявшего в стороне маршала Сос Кор Цннья.

— Иди сюда, — позвал президент.

Маршал не двигался.

— Лучше иди сюда, сука, — не повышая голоса, повторил президент.

Маршал, побледнев, сделал несколько шагов к его столу.

— Ближе, — приказал Ель Тзын.

Маршал сделал еще шаг.

— Ближе, я сказал.

Маршал подошел к нему совсем вплотную.

Президент своей крупной беспалой рукой взял его за галстук и с силой навернул этот галстук себе на кулак — так, что разом покрасневшее лицо Сос Кор Цннья оказалось на уровне его коленей.

— Сколько ты берешь за мою подпись, сука?.. Молчи, бля, пока я тебя не убил!.. Значит, так... — Президент чуть ослабил удавку и повернулся к министрам: — Сколько мы должны шахтерам?

— Три с половиной триллиона рублей, — поспешно сказал Я Син, министр экономики.

— В долларах! — потребовал президент. — В триллионах не понимаю.

— Семьсот миллионов долларов, — объяснил Ли Ф Шин, финансовый гуру президента.

— Так вот, — президент снова затянул галстук-удавку на шее уже хрипящего Сос Кор Цнння, — через три дня принесешь эти деньги. Или я тебя удавлю вот этой рукой. Все! Пшел вон!

И — ногой отбросил от себя почти бездыханного маршала, тот мешком рухнул на ковер президентского кабинета.

— Все свободны! — объявил президент министрам.

И в тот же вечер в телевизионном обращении к стране сказал:

— Дорогие россияне! Сограждане! Я изучил бюджет и нашел, где взять деньги на погашение государственных задолженностей по зарплатам. Я даю вам свое крепкое президентское слово, что через пять дней шахтеры получат зарплаты, учителя начнут получать зарплаты и даже пенсионеры получат пенсии...

Но шахтеры Сибири не верили ни одному его слову и плевали в экраны.

И учителя Поволжья не верили ему и крыли его пятиэтажным матом.

И пенсионеры не верили ему и на полуслове выключали телевизоры.

И даже дети рисовали на его портретах непотребные рисунки и писали матерные частушки.

Но он собирался удивить их и впервые за пять лет своего президентства выполнить свое крепкое слово.

34.

— У вас багаж — больше тридцати кило! За каждое кило перевеса — процент от стоимости билета! — сказала дежурная хабаровского аэропорта.

Александра захлопала глазами, соображая: билет от Хабаровска до Москвы — миллион шестьсот тысяч рублей и, следовательно, за каждое «кило перевеса» — сколько? Шестнадцать тысяч? Или сто шестьдесят?

— Но мы уже платили за багаж на Камчатке! — напомнила ей по-английски двухсоткилограммовая Лэсли Голдман. За две недели поездок по стране и ежедневных восьмичасовых интервью русских «фокус-групп» американцы поразительно быстро научились улавливать смысл почти любой русской фразы.

— Здесь другая авиакомпания, — объяснила дежурная, когда Александра сказала, что они уже платили за багаж в Петропавловске, а здесь, в Хабаровске, у них просто пересадка. — У вас двадцать кило перевеса, триста двадцать тысяч рублей. Будете платить или я вас снимаю с рейса?

— We'll pay! Плат-ить! — сказал Патрик Браун, спиной и локтями сдерживая напор толпы пассажиров, скопившихся в хабаровском аэропорту за пять дней нелетной погоды. В своих светлых надутых куртках и таких же сапогах он и Лэсли Голдман выглядели заморскими пингвинами среди этой толпы сибирских лесорубов, нефтяников, толкачей, челноков и старателей, одетых в кожухи, меховые полушубки и китайские ватные куртки.

Александра нехотя отсчитала триста двадцать тысяч рублей, это были последние командировочные деньги, и ей жаль было тратить их на перевозку дурацких сувениров, которые американцы тащили с собой с Курильских островов и Камчатки — огромные, как слоновьи уши, ракушки, сушеная морская капуста и в бутылках из-под кока-колы — «живая вода» из Долины гейзеров.

— Может, хоть ракушки оставим? — спросила она у Лэсли.

— Ни за что! — сказал Браун.

И только после проверки паспортов, когда обнаружилось, что весь этот багаж им придется самим тащить в самолет, американцы приуныли:

— Oh, God! Неужели тут нет грузчиков?

179

— В нашей стране еще нет слуг, мы только что из коммунизма! — усмехнулась Александра и следом за остальными пассажирами волоком потащила свою сумку по заледенелому летному полю к стоявшему вдали «Ту-154».

— Shit! — сказал Браун и последовал ее примеру.

— Fucking Siberia! — И Лэсли Голдман вытащила из своей сумки килограммов десять ракушек и оставила их в снежном сугробе.

Пряча носы и уши от морозной сибирской метели, пассажиры наперегонки спешили к самолету, тащили, отталкивая друг друга, по высокому трапу свои чемоданы и сумки и спешно занимали места в самолете. Американцы, которые за две недели усвоили уже и эту систему посадки в русские автобусы, поезда и самолеты, запыхавшись и с выпученными глазами, плюхнулись на последние свободные кресла — Лэсли Голдман и Браун в двенадцатом ряду, а Александра напротив них и через ряд — в четырнадцатом. Только теперь, в самолете, они почувствовали, как устали от этой поездки! Но слава Богу — все, они провели сорок шесть интервью «фокус-групп» по всему Дальнему Востоку России и побывали даже у пограничников на военных кораблях, которые до сих пор носят имена коммунистических идолов — «Феликс Дзержинский» и «Сергей Киров». Как объяснили им офицеры, всего два года назад пограничные войска были элитой КГБ, и ни у кого из них нет охоты расставаться ни с этим статусом, ни с этими «славными» названиями, ни с портретами Дзержинского, которые висят во всех казармах, где они побывали.

После двухнедельного постоя в суровых сибирских гостиницах и бессонных сражений с их клопами, злее которых только старые коммунистки без пенсии, Александра, Лэсли и Патрик мечтали об одном — долететь до Москвы и влезть под горячий душ в «Президент-отеле»...

Взревели двигатели за иллюминатором. Стюардесса понесла по проходу блюдо с карамельками — этот милый обычай ясельного возраста авиации еще тоже сохранился в России.

— Просьба пристегнуть привязные ремни и воздержаться от курения!

Только теперь пассажиры самолета решились оторваться от кресел, вскочили и принялись снимать свои куртки, пальто, дубленки и меховые полушубки, заталкивая их в верхние ящики и под сиденья. А раздевшись, немедленно зашуршали сумками, вынимая из них пакеты и свертки с едой и выпивкой. Словно только взлетев над землей, они могли без опаски поесть и выпить. Молодой татарин на соседнем с Александрой сиденье постелил себе на колени газету «Рыбак Камчатки» и стальными зубами впился в палку твердокопченой колбасы. Соседи позади — дебелая златозубая блондинка в укороченном платье и супружеская пара пожилых толстяков — разложили на откидных столиках огурцы, свиное сало, сваренные вкрутую яйца, чесночную колбасу и бутылку «Игристого». Компания геологов за ними тут же достала пиво и карты. Лишь супружеская пара снобов в тринадцатом ряду, перед Александрой, интеллигентно уткнулась в журнал «Иностранная литература». Еще дальше, в двенадцатом, сосед Патрика — высокий лысый мужик, похожий на русского комика Евстигнеева и американского артиста Кинсли, но с венчиком редких волос за ушами — повернулся к Патрику и, хмельно улыбаясь, протянул ему початую бутылку «Российской»:

— За дружбу народов!

— Sorry, I'm not drinking, — отказался Патрик.

— Дринкин, дринкин! — настаивал лысый. — Пол Робсон! Дружба! Негр — русский! Дружба! Дринкин!

При слове «негр» Патрик побледнел даже черной кожей своих пальцев, вцепившихся в подлокотники кресла, а белки его глаз налились кровавыми прожилками. Александра вскочила с места, шагнула к лысому, сказала негромко, но с чувством:

— Дядя, отдзынь от него! Враз! Понял?

Лысый с пару секунд смотрел ей в глаза, но потом сломался и в обход Александры пошел со своей бутылкой к златозубой бабенке в пятнадцатом ряду, сразу за рядом Александры. Но златозубая замахала на него руками с публичной непосредственностью русской актрисы Гундаревой или американской телезвезды Розанн:

— Садись! Садись! После!

Лысый «Евстигнеев» послушно вернулся на свое место. Самолет, дрожа корпусом, порулил на взлетную полосу.

— Relax. (Расслабься.) — Лэсли Голдман дала Патрику две таблетки швейцарского невросана и приказала: — Под язык.

Патрик послушно сунул таблетки под язык, достал из своей сумки компьютер-«лаптоп» и, включив его, застучал по клавишам. Его самым сильным впечатлением в этой поездке были сибирские туалеты, и теперь он с увлечением писал трактат о соотношении уровня развития канализации с уровнем цивилизации нации.

Самолет взлетел.

Лэсли Голдман тоже сунула себе под язык таблетку невросана, вставила в уши поролоновые пробки и надела на глаза изящную темную повязку, которую выдают на западных авиалиниях пассажирам бизнес-класса. Конечно, здесь, среди хабаровских челноков, запахов пота, чесночной колбасы, вяленой рыбы и свиного сала, Патрик со своим «лаптопом» и Лэсли с ее ушными пробками и импортной повязкой на глазах выглядели персонажами из комедий Гайдая. Но Александре было не до внешнего вида своих подопечных. Устало проваливаясь в сон без всякого невросана, она слышала позади себя голос златозубой блондинки:

— Приезжаю в аэропорт — Боже мой! — у меня ни паспорта, ни билета! А это я с вокзала сюда звонила, ага! Шофер такси видит — на мне лица нет, говорит: «Что случилось?» Я прошу: гони, милый, назад, на железнодорожный вокзал — паспорт и билет в телефонной будке остались! А голоса нет, ага. Ну, он погнал, но это ж через весь город! Короче, приезжаем, я в телефонную будку — какой там! Пусто! Ну — все! У меня слезы. Думаю, ладно, хрен с ним, с билетом, но без паспорта в самолет не пустят, а новый выправить — это ж с ума сойти! Шофер говорит: иди в милицию, а то с твоим паспортом или убьют кого, или за Ель Тзына проголосуют! Пусть они в аэропорт звонят, чтобы никто по твоему билету в Москву не улетел. Я думаю: да какая милиция? Чё они сделают? Знаю я нашу милицию! Только облают да деньги сдерут. Но иду. Иду и плачу. А они говорят: «Это не ваши паспорт и билет, гражданка? Тут только что какой-то мужик принес, сказал, что в телефонной будке нашел». «Какой мужик? Где он?» «Не знаем, — говорят. — Мы у таких фамилию не спрашиваем». Нет, вы представляете?! Раз в тыщу лет порядочный человек в милицию зашел, а они у него даже фамилию не спросили! Если б я его нашла, я б его в шампанском искупала, ей-богу! А так... Нет, я в Москве в церкву пойду, свечку поставлю! Да иди ты с этой водкой куда подальше, у нас тут свой разговор...

Александра открыла глаза. «Евстигнеев» с водкой в руках обиженной походкой уходил в глубь самолета и там присел на свободное кресло возле двух молодок. Александра закрыла глаза и попробовала донырнуть в свою дрему, где всплывали воспоминания о Москве, убитом муже, этом странном немом Робине и вспыльчивом Винсенте. Господи, как недавно это было и как давно! И как она благодарна этому нестерпимо заносчивому Винсенту, который так деликатно, словно совершенно случайно, вырвал ее из Москвы и отправил в поездку с американцами! Все, все заслонила и отодвинула эта поездка, эти десятки малых и больших приключений и сложностей, интервью с рыбаками Камчатки, с лесорубами и геологами Сахалина, с моряками, учителями и даже детьми на Курилах, где люди уже семь месяцев не получают зарплату, а школа разрушена землетрясением, а в магазинах ни лука, ни овощей, ни витаминов. И так — по всей стране, Москва — просто рай по сравнению с...

— Да не блядь я, не блядь! Я честная давалка! — вдруг прорвалось к ней сквозь дрему. — Я всю жизнь мужика ищу настоящего! А они счас чего? Они ж такую бабу хотят, за которой они как мыши в солдатской кухне — и тепло, и сытно, и ничо не страшно! **Понимаете?** Ну нету настоящих мужиков в России, нету! Я ж в магазине работаю, я их всех, паразитов, насквозь вижу! Им что Ель Тзын, что Зю Ган — один хрен, лишь бы выпить дали...

Александра встретила умоляющий взгляд Лэсли Голдман, которая тоже не могла уснуть из-за этой громкоголосой «Гундаревой», и повернулась к своей златозубой соседке:

— Женщина, нельзя ли потише?

— Золотая моя! Извини! — прижала та руки к своей пудовой груди. — Я тебе спать мешаю? Ты спи! Я ни звука больше, ни звука!

Александра повернулась к Лэсли и успокоила ее глазами. Та положила под язык новую таблетку невросана, вставила в уши поролоновые пробки и опять надвинула на глаза темную повязку.

— Наш самолет летит на высоте семь тысяч метров, — объявили по радио. — Температура за бортом — минус сорок семь градусов. Через несколько минут вам будет предложен завтрак...

Александра закрыла глаза.

— Не слышны в саду даже шорохи! Все здесь замерло до утра-а-а-а! — на три голоса запели у нее за спиной. — Если б знали вы, как мне дороги-и-и...

Лэсли вновь сняла повязку, Патрик отвлекся от своего «лаптопа», а Александра опять повернулась назад. «Гундарева» с хмельной вежливостью поспешно наклонилась к ней:

— У меня блядский голос, да?

Александра промолчала, но ее серые глаза были красноречивей слов.

. — Все! Поняла! Молчу, как Зоя Космодемьянская! — заявила златозубая «Гундарева». — Слышь, подруга, а ты выпей с нами! А? — и взялась за стакан. — Водки или винца? Чего будешь?

— Спасибо, я не пью. — Александра отвернулась, прислонилась головой к холодному иллюминатору и — разом заснула. Как выключилась. Но минут через сорок новый всплеск скандальных голосов буквально вытолкнул ее из сонного омута.

— Я взяла твои деньги? Ах ты паразит, тля! Я взяла твои деньги?

Александра разлепила глаза.

Через два ряда от нее Лэсли тоже срывала с глаз повязку и очумело вертела головой.

А посреди прохода, над головами проснувшихся пассажиров высилась, подбоченясь, дебелая «Гундарева» в своем укороченном до ягодиц платье и кричала лысому «Евстигнееву», стоявшему напротив нее в гордой позе Наполеона.

— Я взяла твои деньги, сука?

— Взяла! — выпятив грудь, говорил он.

— Ах ты курва ничтожная! Люди, я украла его деньги? Да я ж тебя к себе и близко не подпустила! Я взяла твои деньги, коммуняга хренов?

— Взяла! — упрямо настаивал лысый.

— Да я тебя счас размажу! По самолету! — грудью пошла на него златозубая «Гундарева». И левой рукой вдруг схватила его за рубаху так, что пуговицы прыснули в разные стороны, обнажив его синюю застиранную майку. — Я взяла у тебя деньги? Говори, шестерка партийная! Людям скажи! Я взяла у тебя деньги?!

— Взяла! — гордо сказал «Евстигнеев».

Лэсли в ужасе моргала близорукими глазами, а Патрик, открыв рот, смотрел на эту сцену, как на бродвейский спектакль.

— Скотина! Вот те!

Правой рукой наотмашь златозубая вдруг так вмазала лысому по лицу, что хлесткое эхо пошло по самолету, пассажиры ахнули, а татарин, сосед Александры, вскочил и с силой вдавил кнопку вызова бортпроводницы.

— Я взяла твои деньги? — хрипела блондинка, держа лысого одной рукой за рубаху, а второй, кулаком, била его, как боксерскую грушу, требуя ответа: — Я взяла твои деньги, сволочь?

Дело происходило на высоте семь тысяч метров, ровно гудели турбины «Ту», за иллюминатором было минус сорок семь градусов, а внизу, в разрывах белопенной облачности необъятная Россия готовилась к первым демократическим выборам президента.

— Взяла, — не сдавался лысый, пытаясь локтями прикрыться от хлестких ударов сибирской продавщицы.

— Нет, я не могу! Я не могу так! — закричала та. — Люди, я его счас выкину из самолета! Ах ты, тварь партийная, иди сюда! — И рывком потащила лысого за рубаху вперед, к выходу из самолета, и проволокла так метров восемь, но потом лысый затормозил — он был крупней «Гундаревой» и еще упирался, хватаясь руками за спинки кресел. И тогда она, подскочив, достала правой рукой до редких волос вокруг его лысины и дернула их с такой силой, что клок остался у нее в кулаке. — Я брала твои деньги, тварь?

Тут наконец прибежали юный стюард и стюардессы. Стюард храбрым петушком ринулся разнимать драку.

— Да пошел ты! Пацан! — Бабенка отбросила его, как щенка, и снова засадила лысому кулаком в лицо: — Я брала твои деньги? Да я счас убью тебя, сука ты тлетворная!

Стюард психанул от обиды и бросился на бабенку всем телом, как вратарь на мяч. Силой этого броска и весом своего тела он сбил ее с ног в кресло и стал пристегивать ремнем.

Лэсли достала из своей сумки горсть невросана и передала стюардессам.

— It will cool her down...

— Это успокоительное, — перевела Александра.

Но златозубая в истерике оттолкнула и невросан, и стюардесс, и стюарда и стала вдруг стаскивать с себя платье, открыв синие шелковые рейтузы, а на животе — гармошку самодельного, из бязи, пояса-патронташа. Раньше, во время Второй мировой войны, в таких корсетах с брикетами вшитого динамита герои бросались под вражеские танки. Но у златозубой вместо динамита в каждом брикете было, наверное, по лимону, то есть по миллиону рублей, а всего на ее животе было лимонов двенадцать, и Александра подумала, как тяжело теперь иметь деньги — ну как их перевозить? в чемодане? Ведь ни чеков, ни кредитных карточек, как у американцев, у людей нет, и вообще, кто при такой инфляции держит деньги в банке?

Стюард и стюардессы натянули на «Гундареву» ее платье, и стюардессы увели ее по проходу к себе, в свой служебный отсек между первым и вторым салоном. Лысый «Евстигнеев» ушел в хвост самолета под руку с юным стюардом. Пассажиры самолета обменялись красноречивыми взглядами и вернулись к своим делам: кто читать «Иностранную литературу», кто дожевывать свои деликатесы. Патрик снова застучал на своем «лаптопе», Лэсли с американским упрямством снова сунула в уши поролоновые пробки и натянула на глаза повязку-«невидимку», и Александра тоже нырнула в свой сон.

Тихо было в небесах над Россией, и Александра уснула мгновенно.

Но где-то через час — опять грохот, крики, землетрясение.

Открыв глаза, Александра увидела отступающего по проходу умытого «Евстигнеева» с гладко зачесанным нимбом оставшихся волос вокруг блестящей лысины и наступающую на него дебелую златозубую блондинку.

— Люди! Слушайте его, люди! — кричала она, сияя. — А ты, мерзавец, громче скажи! Громче! Я брала твои деньги, коммунист ты поганый?

— Нет, не брала, — лыбился «Евстигнеев».

— Громче, падла! Чтоб все слышали! Я украла твои деньги?

— Нет, не украла.

— Люди, вы слышали? Ты, паскуда, извиняться будешь?

— Я извиняюсь.

— Нет! Не так! Громче! Ты меня, курвец, на весь самолет позорил! Теперь на весь самолет извиняться будешь! Понял?!

— Понял. Я извиняюсь.

— Нет, ты туда иди, дальше! — Она толкнула его по проходу в глубь самолета, и с такой силой, что он чуть не упал. — Стой, тля! Вот здесь! Здесь тоже скажи: я брала твои деньги, сука ты мерзкая?

Патрик, ликуя, встал на сиденье — такого накала страстей он не видел даже в Гарлеме!

— Да ладно вам, женщина! — стали вступаться пассажиры за лысого.

— Не надо! — сурово отмахнулась от них «Гундарева». — Он, подонок, меня еще в аэропорту ловил! В туалет зазывал! А я его отшила — я ж не блядь, я честная женщина! Ну, сучонок, я брала твои деньги, а? В голос говори, людям!

— Не брала, — твердил лысый. — Я извиняюсь.

— Он извиняется! Люди, вы слышите? Они теперь все извиняются! Он свой кошелек спьяну под кресло выронил, а на меня попер!

— Я извиняюсь.

— Да я тя убью, мерзавец! Ты мне ноги целовать будешь!

— Буду.

— На! Целуй! — Она вдруг подняла свою пудовую ногу, а «Евстигнеев» согнулся, как кронштейн настольной лампы, и чмокнул ее в толстую коленку.

Самолет стонал от хохота.

Только татарин, сосед Александры, говорил возмущенно:

— Нет, мужчину так унижать нельзя. Хватит над ним издеваться!..

Но его никто не слушал.

Блондинка-продавщица снова толкнула «Евстигнеева» — еще дальше по проходу.

— Я тебя все равно убью, ублюдок! Скажи и тут людям: я брала твои деньги?

И только протащив его до самого конца салона, вернулась в свое кресло. Но остыть не могла:

— Подонок! Нет, я его все равно убью за позор! Он в Москве дальше аэропорта живым не уйдет! Где мой паспорт? Катя, — обратилась она к своей соседке, — ты мой паспорт не видела? Он же в кошельке был. Елки-палки, опять паспорт пропал! Из-за этого подонка! — Она вывалила из сумки все свои вещи, вытянула из-под короткого платья тяжелый бязевый патронташ с брикетами денег, но паспорта и там не было, и она завыла в голос: — Да что ж я такая несчастная, люди! Опять паспорт пропал! Второй раз за день!

Стюардессы и пассажиры полезли под кресла, кошелек с паспортом нашелся где-то в двадцатом ряду, и «Гундарева» счастливо затихла с ним в своем кресле.

Лэсли вставила пробки в уши, но тут зажглись табло «Пристегнуть ремни» и по радио объявили:

— Наш самолет приближается к столице нашей Родины, городу-герою Москве! Просьба всем пристегнуть привязные ремни и привести спинки кресел в вертикальное положение!

Лэсли вынула пробки из ушей.

— Не дали иностранцам поспать! — сказала златозубая «Гундарева» за спиной Александры и тронула ее за плечо. — Скажи своему Робсону, что я извиняюсь.

— Ладно, бывает... — отмахнулась Александра и увидела, что улыбающийся «Евстигнеев» снова подошел к их рядам.

— Ну, что ты пришел? — спросила у него златозубая. — Уйди с глаз моих! Уйди к своему Зю Гану!

— Мириться пришел, — сказал лысый заискивающе.

— Уйди от греха! Я убью тебя, понимаешь? Я тебя размажу! По аэропорту!

— Мужчина, сядьте! — Стюардессы под руки увели лысого в конец самолета.

«Ту-154» грохнулся колесами о посадочную полосу, подпрыгнул, снова прильнул к земле и покатил, гася скорость, к аэровокзалу вдоль череды осколков развалившегося «Аэрофлота» — самолетов с разномастными надписями на бортах: «САМАРА», «КУЙБЫШЕВСКИЕ АВИАЛИНИИ», «TUMEN-AIR», «BASHKIRIA»...

Шофер Штаба избирательной кампании президента встретил их при выходе с летного поля, вскинул на плечо тяжеленные сумки Лэсли и Александры. Они прошли через аэровокзал к «ауди», сели в нее и медленно покатили к выезду из аэропорта. И тут в двери аэровокзала они опять увидели свою златозубую соседку. Она была под руку с... да, с «Евстигнеевым»! Наклонив к ней свою лысую голову, он держал ее под локоток и наговаривал что-то торопливо-интимное, а она слушала и улыбалась золотыми зубками. Ему улыбалась, ага...

У Патрика вытянулось лицо, а Лэсли вдруг завистливо сказала:

— Well! Все-таки есть мужчины в России. Пусть лысые, но есть!

— Значит, лысый Зю Ган может выиграть выборы? — спросил у нее Патрик.

— Запросто, — ответила Лэсли.

35.

— ...При коммунистах в этой стране была лишь одна форма собственности — корпоративная, — говорил яйцеголовый астматик Марк Бреслау, расхаживая по просторному номеру на одиннадцатом этаже «Президент-отеля», который стал теперь офисом американской команды. — Вся страна принадлежала компании по имени «КПСС Unlimited», и это была монополия, но публичная: каждый мог получить акцию, если вступал в коммунистическую партию. А чем лучше он делал карьеру внутри партии, тем больше он получал акций в виде привилегий, дач, закрытых курортов и больниц. Но все эти блага финансировались только из прибылей...

Это был внутренний, только для членов команды, «брифинг» — подведение итогов двухнедельного опроса всей страны с попыткой осмыслить увиденное, услышанное и отмеченное столбцами цифр на огромной карте России, висевшей на

190

стене. Цифры, записанные синим фломастером, показывали не шесть процентов популярности действующего президента, а — повсеместно! — ноль и даже отрицательные величины. И потому Марк Бреслау был против присутствия на этом брифинге всех посторонних, даже Александры, но Патрик сказал ему: «Come on, Mark! Никто уже не боится КГБ в этой стране! Пусть она посидит!» — и Александра осталась.

— А основной капитал коммунисты не трогали, — продолжал Марк. — Земля, полезные ископаемые, вся рабочая сила и интеллект страны — это было святой и неприкосновенной корпоративной собственностью. За ее счет коммунисты создали армию, бесплатную медицину, ядерную мощь и знаменитый русский балет...

Тут дверь отворилась, и в номер вошла Тан Ель, скромно, как опоздавшая студентка, села у двери с тетрадкой на коленях. Марк переглянулся с Хью Риверсом, Лэсли Голдман и Джимом Рэйнхиллом, но те только бессильно пожали плечами — не выгонять же дочь президента!

— Что ж, продолжим, — сказал Марк. — Итак, при коммунистах вся государственная система выполняла одну задачу: охраняла их собственность мечом и законом. Даже за колоски, которые русские колхозники иногда воровали с поля себе на еду, Сталин сажал в тюрьму на десять лет! Поэтому система держалась семьдесят лет — ее собственность была священна! Конечно, и тогда были жулики, но никто не мог украсть больше, чем он мог спрятать у себя в холодильнике. А уж про то, чтобы отправить украденное за границу, и речи быть не могло! Фурцева, министр культуры при Хрущеве, построила себе дачу за счет средств из культурных фондов, но она не могла даже пенни перевести в какой-нибудь западный банк. И даже Сталин не мог! Когда его дочка уехала на Запад, она оказалась там нищей и закончила свои дни в лондонском церковном приюте. Таким образом, все, что принадлежало коммунистам — даже ворованное, — оставалось внутри страны...

Действительно, подумала Александра, что могли украсть секретари райкомов, обкомов или даже республиканских компартий? Они строили дачи, которыми могли пользоваться только пока были в должности, они ездили в персональных машинах, только пока были в должности, и они получали продукты из закрытых распределителей тоже только до тех пор, пока были в должности и работали на систему. Вся страна — от сахалинских рыбаков до кремлевских вождей — работала на систему, умножая ее мощь и богатства, а получая за это лишь крохи...

— Что сделали Горбачев и Ель Тзын? — продолжал Марк Бреслау, словно забыв о присутствии Тан Ель и обращаясь лишь к своим, американцам. — Они отменили корпоративную собственность партии. И огромная армия чиновников, которая раньше охраняла эту собственность, заставляла ее работать и приносить доход, все они ринулись воровать то, что опекали по своей должности — нефть, оружие, металл, икру, научные открытия — все! И немедленно отправлять это на Запад! Немедленно! Потому что здесь, в России, никакая собственность теперь не защищена — ни украденная, ни наследственная, ни частная, ни государственная. В тюрьму здесь сажают теперь не тех, кто ворует, а тех, кто знает, где, сколько и кем украдено...

Александра невольно посмотрела на Тан Ель. Но та сидела, опустив глаза в свою тетрадку, хотя не писала в ней ничего.

— И эта машина так раскрутилась, — Марк вдохнул порцию кислорода из своего ингалятора, подошел к окну и посмотрел на простирающуюся за ним Москву, — что ее никто не остановит — ни президент, ни Дума, ни прокурор. No way! Она работает как пылесос, который засасывает в себя все, что может, и тут же выбрасывает это за границу, а себе оставляет брокерские. Каждый год на счета русских чиновников в западных банках уходит из России пятьдесят миллиардов долларов! И это не стоимость проданной нефти, газа и алюминия, это только комиссионные, а еще точнее — взятки за снижение цен. Ясно, что государству от такой торговли остаются крохи, которыми оно не может платить зарплату не только шахтерам и учителям, но даже полицейским!..

Александра обвела взглядом комнату. Американцы внимательно слушали их стратега и, вне зависимости от своего возраста и положения в команде, прилежно, как дети в школе, делали записи в своих блокнотах. Эту их черту — полную открытость и стремление проникнуть в логику и резоны бастующих учителей, коммунистических агитаторов, сахалинских рыбаков, которые прямо в море втридешева продают свой улов японцам, вместо того чтобы сдавать его на российские базы, и челноков, заваливших Сибирь бросовыми китайскими товарами, — это их терпеливое и уважительное внимание к любому собеседнику Александра заметила еще в первые дни поездки. И поразилась, насколько ее собственная категоричность, нетерпимость к оппонентам, уверенность в своей правоте отличает ее от них. Как быстро ей хотелось на интервью с «фокус-группами» отмахнуться от нищих красноярских старух и петропавловских бомжей, и как даже сейчас ее мысли отвлекаются от речи Марка... Что он говорит?

— Если вы разделите пятьдесят миллиардов долларов на четыре-пять тысяч властных чиновников, вы поймете, кто сделал горбачевскую революцию и зачем. Отнять у них такие доходы уже не сможет никто! Наоборот, они укрепились и даже сочинили своей системе имидж «народного капитализма» и «открытого рынка», купили и ангажировали средства массовой информации и создали легенды о своих «героях бизнеса». Поэтому сегодня у этого режима нет диссидентов, сегодня в России не вор только тот, кто не может украсть, сегодня русские дети мечтают о профессии бандита, проститутки и банкира, и только самоубийцы могут пытаться совать в эту машину руку или голову, чтобы остановить ее.

Александра во все глаза смотрела на этого умника. Господи, как сумел этот залетный иностранец всего за две недели вытащить из-под уймы российских событий, митингов, бандитских убийств, войны в Чечне, коммунистических речей и рабочих забастовок этот простой и все объясняющий принцип — собственность? Конечно! За всеми российскими разборками — за любыми! — стоит одно слово: *собственность.*

— Единственный инструмент, который способен реально изменить ситуацию в этой стране, — продолжал Марк, — это закон о неприкосновенности собственности — личной, частной и государственной. И конечно, самые жесткие меры по соблюдению его. Только это остановило когда-то разгул бандитизма среди первых поселенцев в США и является основой американской экономики по сей день. И только это может обеспечить рост частного предпринимательства в России и западных инвестиций в эту страну. Но поскольку закон об охране собственности может лишить российскую элиту ее доходов от распродажи страны, он не будет принят ни президентом, ни оппозиционной Думой. Депутаты Думы не хотят закрепить за нынешним чиновничеством то, что те уже наворовали, и не могут лишить себя перспективы, придя когда-нибудь к власти, самим украсть еще больше...

«Господи, что он говорит?! — подумала Александра. — При дочери президента! И — где же выход? И что будет с Россией? Со мной?..»

Марк снова вдохнул глоток кислорода из ингалятора и сказал:

— Хотя единственный слой, который, как в Германии или США, мог бы действительно стать опорой процветания этой страны, — мелкие частные предприниматели. А больше — никто. Но их сегодня в России меньше пяти процентов, и их душат налогами все ветви власти, а если говорить точнее, их буквально закатывают в землю двойным катком — налогов и рэкета. Только воистину великий президент, равный Рузвельту или де Голлю, мог бы сломать этот союз чиновников и бандитов и дать частным предпринимателям возможность спасти эту страну. — Марк, как профессор на университетской кафедре, сел на край стола. — Есть вопросы?

Патрик Браун, как прилежный студент, поднял руку:

— Выходит, нет «хороших» и «плохих» среди кандидатов в президенты. Они все плохие, так?

Марк усмехнулся:

— Я бы сказал иначе. Я бы сказал, что Мэтью Ллойд, который думает заработать миллионы на нашем сюжете, может расслабиться — даже лучшие голливудские сценаристы не смогут сделать Зю Гана плохим, а Ель Тзына хорошим. Скорее, наоборот — Зю Ган и его люди еще ничего не украли, потому что у них не было такой возможности. Они молоды и энергичны, как команда Клинтона, и у них есть огромные возможности критиковать и бить режим Ель Тзына на всех фронтах. Другими словами, Зю Ган ни в чем не может проиграть Ель Тзыну, за исключением одной мелочи — он коммунист. Но с этим он уже ничего не может сделать. А в этой стране коммунисты за семьдесят лет истребили шестьдесят миллионов своих собственных людей! Тут, как вы сами слышали за эти две недели, нет семьи, в которой нет хотя бы одного репрессированного! То есть на самом деле русские боятся коммунизма! — Марк вдруг развернулся к Тан Ель и сказал: — И это та карта, которую нужно играть, играть и играть — несмотря ни на что! Да, правительство коррумпировано, полиция занимается сутенерством, бандиты стреляют на улицах — но это можно поправить, а вот если придут коммунисты, то будет еще страшней! Да, шахтеры не получают зарплату, учителя не получают зарплату, армия не получает зарплату — но это можно поправить, а вот если придут коммунисты, то будет еще страшней! Понимаете? Мы не говорим вам, что выиграем для вашего отца избирательную кампанию, но мы даем вам инструмент, которым можно выиграть кампанию: антикоммунизм. Мне горько это говорить, но за последние пять лет ваш отец, как игрок в казино, проиграл и растратил весь тот гигантский запас народного доверия, который был у него в августе 1991 года. Но если он покажет, что он еще не старый, трухлявый пень, что он знает, чего хочет народ, и начнет выполнять свои обещания — он может выиграть выборы! — И вдруг совершенно иным, мягким то-

195

ном Марк закончил: — Хотя дома, в Америке, человеку с таким рейтингом мы советуем выйти из гонки. Вы поняли меня?

Тан Ель впервые подняла глаза от своей тетради. В них стояли слезы.

— Thank you, — произнесла она негромко.

36.

Винсент гнал по Москве в новеньком «мерседесе». Эта машина пришла три дня назад в числе первых восьми «мерседесов», которые привез из Германии Машков для покрытия броневой сталью, а остальные девяносто две остались на заводе в ожидании предоплаты. Да, после давешней истории с отмороженными Винсент не мог доверить перевозку таких дорогих машин без охраны, и Машков, очистив квартиру Александры от шпаны и наркоманов, сам слетал на «Мерседес-Бенц», сам получил там машины с конвейера и погрузил их в международные автофургоны, а на польско-германской границе у Франкфурта его встречали коллеги из польской охранной службы — двадцать вооруженных бойцов, которые «по дружбе», то есть в обмен на аналогичные услуги на российской территории, сопровождали «мерседесы» до Бреста. Здесь, на белорусской границе, эстафету приняла бригада охранников «Земстроя», и так, без дорожных эксцессов, машины прибыли в Москву, на Пречистенку, в новый гараж «Рус-Ам сэйф, инк.».

«Ну, теперь держитесь!» — сказал Машков Винсенту и Робину и удвоил охрану их офиса и гаража. Но три дня прошли спокойно — если не считать, конечно, всеобщей нервозности по поводу ежедневных коммунистических демонстраций, бандитских налетов на банки и обменные пункты валюты, убийств банкиров, бизнесменов и даже главы Ассоциации московских банкиров Ивана Кивелиди. Что, впрочем, только подняло спрос на бронированные автомобили — телефон в офисе Винсента теперь звонил беспре-

196

рывно, нетерпеливые заказчики, которые два месяца назад, на банкете в «Праге», внесли деньги, спрашивали, когда же они получат свои машины, а новые покупатели предлагали по десять тысяч долларов сверх цены, если им дадут машины вне очереди. Но особый и уже совершенно бешеный шторм звонков начался сегодня после мистического спасения Бориса Бере, банковского, автомобильного и нефтяного магната, — его бронированный «мерседес» подорвался на мине и буквально взлетел в воздух, но Бере вышел из машины живой и невредимый, пересел в такси и уехал по своим делам. Имя Бере, миллиардера и друга маршала Сос Кор Цннья, настолько знаменито в России, что все телеканалы прервали свои передачи, чтобы сообщить о его невероятном спасении, и спустя пять минут телефон Винсента буквально закипел от звонков покупателей, а потом среди них прозвучал удивительно знакомый голос:

— Mister Ferrano? It's *«New York Times»*. We just got the information you blow up Mr. Bere, the richest Russian man, in order to promote your fucking business. What is your comment? (Мистер Феррано? Это «Нью-Йорк таймс». Мы только что получили информацию, что это вы взорвали мистера Бере, самого богатого в России человека, чтобы разрекламировать свои ебаные бронированные машины. Это верно, да?)

— Fuck you! — взорвался Винсент и только по хохоту на другом конце провода сообразил, что с таким жутким акцентом не мог, конечно, говорить никто из «Нью-Йорк таймс». — Брух? — сообразил он запоздало. — Is it you? Yobani shit! Я не иметь время на твои мудацки шутки! Мне нада сталь! Сталь! You панимаешь? И кевлар! И три миллиона баксов платит то «мерседес»!

— Сталь — это не я, — ответил Брух. — Сталь — это Болотников.

— Где этот сукин сын? Я неделя не могу его найти!

— Я не знаю.

— Please! Он мне нужен! Если я не плачу за «мерседесы», мы банкроты!

— Попробуй «Президент-отель»...

И теперь Винсент знакомой дорогой мчался в «Президент-отель» — мимо Кремля... через Большой Каменный мост... и направо под знак «проезд запрещен». Но Винсенту было плевать на знаки — месяц назад в ответ на «порше», который он подарил мэру Москвы, курьер доставил ему в офис пакет с подписанной мэром грамотой «Почетный москвич», которую Винсент в сердцах чуть не выбросил в мусорную корзину. «Смотри, что я получил за свой «порше»! — сказал он тогда Болотникову. — Кусок бумаги задницу подтереть!» Но Болотников объяснил ему великую ценность этой бумажки — выставленная под лобовым стеклом машины, она гарантирует защиту от московских милиционеров, ОМОНа, СОБРа и муниципальной полиции, которые буквально охотятся за владельцами дорогих машин и штрафуют их по любому поводу и без таковых. И за три последних дня Винсент уже несколько раз убедился в силе этой бумажки — стоило любому милиционеру увидеть подпись мэра Москвы, как он вытягивался перед Винсентом по стойке «смирно», отдавал честь и говорил: «Пожалуйста, проезжайте!»

Но в воротах «Президент-отеля» даже эта грамота оказалась бессильной. Теперь, без сопровождающего офицера президентской охраны, никто не открыл перед Винсентом высокие решетчатые ворота, а, наоборот, два охранника грубо предупредили:

— Отъезжай или фары поломаем!

— Я ест почотны московит! — гордо сказал Винсент. — Йа нужно видет мистер Болотникофф!

Один из охранников угрожающе занес свою короткую черную дубинку над лобовым стеклом «мерседеса».

— Раз... — сказал он.

Винсент не стал ждать «два», дал задний ход, припарковал машину в стороне от ворот и под пристальными взглядами охранников зашел в кирпичную проходную, больше похожую на КПП секретной воинской базы, чем на форпост пятизвездочного отеля. Прямо за дверью была стальная вертушка-турникет, которую охраняли два гиганта в камуфляже и с короткоствольными автоматами на груди, слева окно с видом на ворота и двор «Президент-отеля», а справа — большая дыра в стене. Из этой дыры на Винсента убийственно пахнуло ацетоном — там за очень низким столом сидел одетый в пальто и перчатки мужчина, он вел пальцем по списку фамилий в своей огромной конторской книге и диктовал эти фамилии в телефонную трубку, а за его спиной два солдата лениво красили стены его каморки какой-то совершенно одуряющей казарменной краской.

Стараясь не дышать, Винсент ждал, когда мужчина в пальто закончит телефонный разговор, но прошло минут пять и сквозь ворота к отелю проехало с десяток роскошных лимузинов и «мерседесов», пока мужчина положил трубку и молча поднял на Винсента свои покрасневшие и разъеденные ацетоном глаза.

— You need eye-drops! — пожалел его Винсент и жестами попытался объяснить, что дежурному нужны глазные капли.

Но его забота не произвела на того никакого впечатления.

— Фамилия? — сказал он сухо.

— Винсент Феррано. Я хотет видет мистер Болотникофф. Мужчина повел пальцем по списку в своей конторской книге.

— Но, — сказал ему Винсент. — Я нет ин йо лист. Бат я очен нужно видет мистер Болотников. — И улыбнулся, довольный своим русским.

— Феранову пропуск не заказан, — сказал мужчина, досмотрев свой список.

— Бат ай ниид мистер Болотникофф! — в отчаянии сказал Винсент и закашлялся от запаха ацетона. — Or any Americans! They are living here. Мистер Рэйнхилл, мистер Бреслау. Are they back from the trip?

— Звоните. — Мужчина показал на телефон, висевший на стене за спиной у Винсента.

Винсент, почти задыхаясь от запаха ацетона, снял трубку. Но она ответила не голосом телефонистки, а длинным гудком.

— What the number? — беспомощно оглянулся Винсент на дежурного в окне и на гигантов с автоматами. — Numero?!

Никто из них даже не удостоил его взглядом. Винсент в отчаянии набрал «09», потом просто «9» — бесполезно.

— Listen... — снова подошел он к окну, но в это время что-то загудело, как сирена, воздух наполнился радиоголосами, и словно боевая тревога сорвала с места мужчину за окном, гигантов с автоматами и еще два десятка охранников с «воки-токи», которые набежали неизвестно откуда. Мужчина за окном и гиганты-автоматчики вытянулись по стойке «смирно», два пробегавших мимо охранника прижали Винсента к стене и бегло обшарили по карманам, а остальные выскочили через проходную на улицу и двумя шеренгами вытянулись вдоль поспешно открываемых ворот.

Уверенный, что это встречают президента, Винсент выглянул из дверей и увидел внушительную кавалькаду: впереди, клином — три «Мерседеса-600», за ними черный «кадиллак» и грузовик с вооруженными «витязями». Завывая сиренами и вращая разноцветными мигалками, колонна пронеслась мимо Винсента в открытые ворота и подкатила к парадному входу в отель. Охранники стали бегом закрывать ворота, как вдруг «кадиллак» дал задний ход, чуть не долбанулся бампером в уже закрытые створки ворот, но остановился как раз напротив Винсента, и затененное стекло задней дверцы машины поползло вниз, открыв хмурое лицо маршала Сос Кор Цннья.

— Скрудрайвер! — сказал он Винсенту. — Опять шпионишь?

Винсент, конечно, не понял последней фразы, но использовал момент:

— Ай нид видет мистер Болотникоф.

— Ай Нид — Ху Ит! — сказал маршал, скривился от запаха ацетона и кивнул Винсенту на откидное кресло напротив себя. — Садись!

Винсент нырнул в машину, «кадиллак» проехал тридцать шагов и опять остановился перед входом в отель.

Адъютант выскочил из передней дверцы, открыл заднюю дверь и Сос Кор Цннь направился в отель. Несмотря на жестокий мороз, он по-прежнему был только в маршальском кителе. Адъютант и Винсент поспешали за ним. Знакомым путем они пересекли пустой беломраморный вестибюль и лифтом поднялись на последний этаж. При появлении маршала все охранники и здесь вытянулись по стойке «смирно», а офицеры взяли под козырек, но он не отвечал никому, а через загудевшую раму металлоискателя прямиком прошел в конец коридора к двери, которую охраняли два автоматчика. Те услужливо расступились. Маршал, а вслед за ним его адъютант и Винсент вошли в уже знакомую Винсенту приемную с офицерами-секретарями, но маршал не задержался и здесь. На ходу спросив у вскочивших подчиненных «Все в сборе?» и получив в ответ «Так точно!», он направился в высокую дубовую дверь президентских покоев.

Винсент заколебался: стоит ли ему идти к президенту? Но адъютант подтолкнул его в спину, и Винсент последовал за маршалом.

Однако в покоях не было ни президента, ни его дочери. Зато вокруг стола для заседаний сидели человек двадцать мужчин от тридцати до сорока лет — все в деловых костюмах от «Версачи», в рубашках и галстуках от «Армани», в обуви от «Балли» и с «Ролексами» на руках. Винсент тут же опознал в них своих клиентов, которые были на банкете в «Праге» в день открытия «Рус-Ам сэйф, инк.» и авансом купили его «мерседесы». А кроме них, тут еще были Болотников и бровастый брюнет с высокой залысиной, которого, как показалось Винсенту, он только что где-то видел. Но Винсент не успел вспомнить где, как маршал Сос Кор Цннь, сев во главе стола, снял маршальскую фуражку, огладил волосы и сказал собравшимся:

— То-то же! А то вторую неделю, понимаешь, никого не могу в Москве найти! А как бандиты Бере взорвали, так все сами прибежали! Правильно, тут вас никто не взорвет. Ну что ж, с Бере и начнем.

Только тут Винсент опознал в поднявшемся в кресле мужчине того самого Бориса Бере, которого с утра показывают по телевизору по случаю его счастливого спасения во время взрыва «мерседеса».

— Поздравляю, Боря! — сказал ему маршал. — Везунчик ты! Или как говорят в Китае? *Мазул тоф?*

Собравшиеся рассмеялись, даже переживший взрыв Борис Бере криво улыбнулся.

— Конечно, бандитов, которые хотели тебя убить, мы найдем, — продолжал Сос Кор Цннь. — Однозначно. Я уже дал команду. Но и вы все должны меня понять. Если я через час не принесу президенту деньги на зарплату шахтерам, он мне яйца оторвет. А я — вам. Понятно, да? Поэтому я сейчас выйду на двадцать минут, а вы быстро скинетесь — сколько вас тут?

— Двадцать три человека, — доложил адъютант.

— Ну, по сорок миллионов с носа и — больше никаких взрывов, я гарантирую.

— Сос Корович! — остолбенели банкиры.

— Да не мне. Не мне, — усмехнулся маршал. — Государству в долг. Выиграем выборы и все отдадим. С процентами.

Банкиры, ошалев, заголосили разными голосами:

— Да вы что? Это невозможно! А если не выиграете? Товарищ маршал, откуда у нас такие деньги?! Да у нас же банки не одинаковые! Разве мой банк можно сравнить со «Столичным»? Да это все равно что отнять!

— Все! — отрезал маршал. — Разговор окончен! Двадцать минут! — И, посмотрев на свой «Ролекс», вышел из президентских покоев, кивком головы приказав Винсенту следовать за ним.

В приемной он подошел к холодильнику, открыл его и показал Винсенту на батарею бутылок:

— Скрудрайвь!

— You like my scrudriver? — догадался Винсент.

— Ю Лайк — Ху Яйк! Давай скрудрайвь! — подтвердил маршал и приказал адъютанту: — А ты учись, бля! Хоть толк от тебя будет!

— Слушаюсь! — козырнул адъютант.

Винсент быстро сделал scrudriver из водки, льда и сока грейпфрута и подал маршалу, который отошел к стене с панелями телеэкранов. На четырех из них были с разных углов видны покои президента и яростный спор оставшихся там банкиров. Из динамика доносились их голоса: «Да пусть меня хоть стреляют — больше трех миллионов я не найду!», «За три, пожалуй, и расстреляет, а вот если дать десять...». Болотников вел список пожертвований, а Борис Бере, как морально пострадавший за всех, соглашался дать только двадцать миллионов и ни цента больше...

Но Винсента привлек не этот экран, а совсем другой.

На нем он вдруг увидел Александру — она плыла на спине по дорожке плавательного бассейна. На соседних дорожках плыли толстая Лэсли Голдман, черный Питер Браун и высокий седоусый Джим Рэйнхилл.

— Oh, they are back! Where is this pool? — спросил Винсент адъютанта маршала и перевел себя, ткнув пальцем в экран. — Где это? Плават — где это?

— А ху-ху не хо-хо? Плавать! — передразнил маршал и внимательно посмотрел на Александру. — Губа у тебя не дура, бля! — сказал он и кивнул адъютанту. — Приведи ее!

— Слушаюсь! — козырнул адъютант и бегом выбежал из комнаты.

Маршал повернулся к Винсенту:

— Так. Ну, колись, бля! Откуда Тан Ель надыбала эту идею насчет американских экспертов?

Винсент беспомощно оглянулся на сотрудников маршала, но никто не перевел ему его вопрос.

— Кто ей донес? — продолжал маршал. — Болотников?

— Why I need Bolotnikof? — догадался Винсент. — He owe me a steel and he must pay to «Mercedes» for cars shipment. Panimaesh? Это in наша контракт. He suppouse to provide me with all bullet-proof kivlar and metal to делат bullet-proof car. Understand?

От волнения Винсент забыл даже те русские слова, которые знал, но тут в комнату влетел адъютант маршала с Александрой.

— Oh, good! — облегченно сказал ей Винсент. — Скажи ему: мы получили несколько машин из Германии, чтобы начать наш бизнес. На бронированные машины сейчас самый спрос, особенно после этого инцидента! По контракту русская сторона должна поставить нам все пуленепробиваемые материалы — сталь, кевлар и прочее. Мы уже заплатили за это вашим военным заводам. Но мистер Болотников не поставил мне ничего! Ноль! И еще он должен три миллиона «Мерседесу» из тех двенадцати, что мы собрали. Но он прячется от меня вторую неделю...

Александра синхронно переводила и одновременно вытирала полотенцем свои еще мокрые волосы. Адъютант маршала вытащил ее из гостиничного плавательного бассейна и приволок сюда прямо в купальнике — Александра лишь успела набросить на себя махровый халатик и захватить полотенце. Но именно эта влажность ее тела, обнаженность высокой шеи и ног выглядели тут, в окружении мундиров и деловой обстановки, совершенно искусительно. Ноздри у маршала расширились и глаз заблестел — он, казалось, даже не слышал, что говорила Александра, а лишь пожирал ее глазами. И автоматически отвел в сторону Винсента руку с пустым стаканом — за новым скрудрайвером.

Но Винсент, чтоб хоть как-то остудить маршала, заполнил его стакан только льдом и соком.

Тут высокая дубовая дверь открылась, из нее вышли Болотников и Борис Бере, за их спинами стояли остальные банкиры.

— Сос Корович, можно вас?

— Сколько? — жестко спросил их маршал.

— Двести два миллиона, — сказал Бере и развел руками. — Хоть стреляйте!

Маршал посмотрел ему в глаза, потом медленно расстегнул нижнюю пуговицу кителя и достал из кобуры сталинский, инкрустированный перламутром пистолет.

Бере побелел, у Болотникова задрожала нижняя губа, а остальные банкиры отпрянули от двери.

Маршал посмотрел на расширившиеся от ужаса глаза Александры и сказал адъютанту:

— Убери ее. — И кивнул на Винсента: — И его тоже.

204

Адъютант тут же вытолкнул Александру и Винсента из комнаты.

— Идите отсюда! — сказал он в коридоре.

— Куда? — спросила Александра.

— Куда хотите!

Но не успели они сделать и шагу, как за дверью прозвучал выстрел. Адъютант ринулся обратно, и в открытую дверь Винсент и Александра увидели маршала и совершенно белых Болотникова и Бере. Маршал был хорошим стрелком, и сталинский пистолет не подвел его — пуля порвала пиджак на левом плече миллиардера.

— Ну?! — сказал маршал, сдвигая дуло пистолета чуть вправо.

— Я отдам!... Я отдам сорок... — тут же сказал Бере.

Маршал перевел пистолет на Болотникова.

— Я все отдам! Все, что есть... — затрясся Болотников. — Весь актив моего банка, двадцать семь миллионов! Я отдам...

— No! — крикнул Винсент и рванулся туда, в комнату: — No way! No!..

Гиганты с автоматами на груди успели схватить его только сзади, когда он уже был почти в комнате.

— But he has my money! — отбивался Винсент и кричал: — Yuri! Это мои деньги! Twelve millions belong to my company! You a' sonofabich! Двенадцать миллионов — деньги моей компании! Ты сукин сын! Don't touch my money! Не тронь мои деньги!

Банкиры столпились в дверях президентских покоев, глазея на эту истерику, но тут гиганты-автоматчики, уже не церемонясь, вышвырнули Винсента в коридор, а за их спинами, в приемной, маршал жестом вернул банкиров назад, на их места и ушел за ними в президентские покои выжимать из них деньги. Его адъютант закрыл изнутри дверь приемной.

— Oh, my God! — Винсент схватился за голову и вдруг опять закричал в истерике на весь коридор, мешая русские, английские и итальянские проклятия и стуча кулаками в стену

205

президентских покоев: — No! Yobani Russki! You can't do it to me! *Vai in culo! Na huy all of you! Mondo boia!*

Александра пыталась его успокоить, набежавшие из разных концов коридора охранники тут же схватили его и потащили прочь, но Винсент рвался из их рук, взбрыкивал ногами и орал:

— I hate you! Я ненавижу вас! Fuck your president! Fuck your KGB! Fuck your democracy! Vaffanculo!

Охранники протащили его через раму металлоискателя и вышвырнули на лестницу. Винсент кувырком пролетел пролет и упал на мрамор лестничной площадки, но тут же вскочил и в запале ринулся вверх:

— O'kay, kill me! Убивай меня! Ya vas ebal! *Testa di merda!*
Александра буквально повисла на нем.

— Стоп! Come on! Перестаньте! Cool down, please!

Распахнувшийся халат обнажил ее тело в узком купальнике, но что может остановить взбесившегося сицилийца? Он тащил ее на себе вверх по лестнице и орал стоявшим там охранникам, которые уже взвели на него свои автоматы и пистолеты:

— Yes! Shut me! Убивай! Fuck you! Fuck you all! (Да! Стреляйте! Ебать вас! Ебать вас всех!)

Негромкий звук спускаемых предохранителей заставил Александру в панике оглянуться на охранников.

— Не-ет! — задушенным голосом крикнула она и вдруг залепила орущий рот Винсента своим поцелуем.

Винсент, замычал, пытаясь вырваться, но Александра обхватила его руками и ногами и, закрывая своим телом от охранников, целовала его взасос.

Охранники наверху рассмеялись и опустили оружие, а до Винсента и через его куртку дошло наконец сухое пламя ее обнаженного тела. И — он вдруг возбужденно напрягся, его глаза закрылись, а губы, язык и все его тело с бешеным сицилийским темпераментом ответили на ее поцелуй. И руки сами ринулись вниз, к ее ягодицам, и чресла прижались к ней с явным намерением немедленно пронзить ее всей его неизвестно откуда воспрянувшей юношески-буйволиной мощью.

— Эй! Вы! — оторопели охранники. — Кончай тут трахаться!

Но Александра уже и сама оторвала от Винсента свои губы, открыла глаза и очумело встряхнула головой.

— More... Еще... — хрипло попросил Винсент, не открывая глаз и не выпуская ее из рук. Ее горячее тело было совсем рядом и влажные губы — тоже.

— *Smetalla!* — негромко сказала она.

Изумленный этим итальянским «перестань», Винсент открыл глаза.

— Now you can really kill me. (Теперь вы можете меня убить.) — сказал он зырящим сверху охранникам.

— Fuck you! — ответили те и ушли.

— Put me down, please. Отпустите меня... — Александра оттолкнулась от Винсента и выскользнула из его рук.

37.

Ремонт после засорения канализации пошел Думе на пользу. На нижних этажах обновили паркет и заменили ковры, во всех туалетах поставили новые финские унитазы, положили туалетную бумагу и повесили электрические рукосушители и надписи: «Посторонние предметы в унитазы не бросать!» Однако какой-то специфический запах остался. «Здесь думский дух, здесь думой пахнет!» — искажая классиков, острили журналисты, постоянно болтающиеся на втором этаже возле конференц-зала в ожидании пресс-конференции Зю Гана, Жир Ин Сэна, Йяв Лин Сана и других политических звезд. Эта небольшая площадка слева от центральной лестницы стала своеобразным клубом по обмену информацией, слухами и догадками, которые через несколько минут реализуются в полукруглом конференц-зале и затем разлетятся по десяткам радио- и телестанций, газетам и иностранным телеграфным агентствам.

— *А верно ли, что правительство провело секретный опрос населения и выяснило, что у действующего президента нет шансов выиграть выборы?*

— Это секрет полишинеля. Какие бы опросы они ни проводили, результат очевиден: правительство Ель Тзына привело страну к банкротству. История не знает примеров переизбрания президента, который развалил свою страну, позорно проиграл войну и сделал нищими тридцать шесть миллионов человек.

— *В случае вашего прихода к власти кто начнет гражданскую войну: буржуазия, чтобы не допустить национализации ее бизнесов, или правительство, которое захочет эти бизнесы национализировать?*

— Никакой гражданской войны не будет. Это сказки, которыми действующее правительство пугает народ. Почитайте обращение банкиров к президенту. Они не боятся никакой национализации и предлагают президенту найти компромисс с нами. А не наоборот. Обратите на это внимание.

— *Вы так уверены в своей победе, что, по слухам, уже провели распределение портфелей в своем будущем правительстве. Скажите, кто наш следующий премьер-министр? И правда ли, что вы предложили эту должность московскому мэру Йю Лу Жжу? Или ваше правительство будет состоять из одних коммунистов?*

— Правительство не будет формироваться по партийной принадлежности. Мы за правительство деловых людей. Кто может больше принести пользы стране, тот и войдет в правительство. А что касается должности премьер-министра, то мы действительно ведем переговоры с людьми, которые зарекомендовали себя с лучшей стороны. В этом списке не только московский мэр, но и другие известные люди.

— *В том числе нынешний премьер-министр?*

— Я не хотел бы называть фамилии.

— *Но вы не отрицаете проведения переговоров с московским мэром и нынешним премьер-министром?*

— Я не отрицаю и не подтверждаю...

— *Как вы прокомментируете слухи о том, что у вас есть секретная программа-максимум, в которую входят законы о деприватизации и национализации промышленности и возрождение Госплана?*

— Это чушь! Никакой секретной программы у нас нет!

— *Но цензуру вы введете, не так ли? И телевидение будет национализировано — вы сами это сказали на прошлой пресс-конференции. Надеюсь, вы не отказываетесь от своих слов?*

— Я никогда не отказываюсь от своих слов. Но не нужно приписывать мне того, что я не говорил. Я сказал, что цензура существует сейчас, что, в то время как хозяева телеканалов дают партии власти любое время, наши выступления жестко лимитированы. И это при том, что с телеэкранов круглые сутки льется порнография и идет продуманная вестернизация русского народа и развращение детей и юношества.

— *Значит, вы с этим покончите?*

— Да, мы покончим со всеми формами пропаганды порнографии, насилия, бандитизма и с намеренным уничтожением русской культуры и искусства.

— *То есть введете цензуру и создадите министерство информации?*

— Мы введем ограничения, которые будут защищать наш народ от пропаганды разврата. Такие ограничения есть во всем мире...

— *Это называется цензура!*

— Не нужно пугать меня этим словом.

— А министром информации будет ваш друг полковник Ан Пил?

— Министром информации будет человек, достойный этой должности.

— *А полковник Ан Пил достоин этой должности? Да или нет?*

— Конечно, достоин! Но есть и другие канди...

Насчет «других кандидатов» никто слушать не стал, а мгновенно, по «Моторолам», «Эриксонам» и прочим телефонам, прямо из зала пресс-конференций выбросили в эфир сенсацию номер один: министром информации в правительстве коммунистов будет полковник Ан Пил! Тот самый, который на всех митингах клянется очистить прессу и телевидение от евреев, армян, либералов и демократов.

38.

— Твоими деньгами только задницу можно прикрыть, — сказал президент маршалу Сос Кор Цннью.

В парилке было нежарко, поскольку врачи вообще запретили Ель Тзыну всякие парилки, не говоря уже о теннисе, алкоголе и прочих удовольствиях. Но он не мог отказать себе в блаженстве полежать на теплых деревянных полках, расслабиться каждой мышцей и костью и подышать запахами распаренных березовых веников и свежих еловых лап, которыми так умело, по-сибирски наловчился выстилать пол этот сукин сын Сос Кор Цннь. В этих его слабостях — известном всему миру пристрастии к спиртному, а также к лежанию на печи до самого последнего момента, когда нужно хватать дубину или автомат и выскакивать на мороз для роковой схватки с татарами, с Наполеоном или с Гитлером, он, несмотря на свою китайскую фамилию, идеально соответствовал должности президента русского народа. И он же был лучшей иллюстрацией влияния личности на ход исторических событий. Именно медвежьей мощью своего характера он сумел подмять и сокрушить самого ловкого и, пожалуй, самого знаменитого политика последней половины двадцатого века — Михаила Горбачева. На протяжении пяти лет весь мир сначала со смехом, а потом с удивлением и оторопью следил за этой феноменальной схваткой. Только американцы в фильме «Рокки» смогли показать, как характер побеждает любую силу — даже чемпиона мира по боксу. Но в его детстве не было, конечно, никаких американских фильмов. Зато был маленький передвижной цирк-шапито под полосатым брезентовым куполом. Гремела музыка, вылетали из пушки гимнасты, медведь ездил на одноколесном велосипеде и фокусник разрезал пополам красивую тетю в блестящем трико. Но самым захватывающим было выступление двух клоунов — большого и маленького, которые вместе, в обнимку, выходили на арену, как два неразлучных друга и брата. Они веселились, прыгали друг через друга и всячески смешили публику, но потом почему-то рассорились и большой выбросил маленького с арены и стал выступать один. Но маленький тоже хотел выступать и лез на арену. А большой хватал его за воротник и выбрасывал с арены, как щенка. И снова выступал один. Но маленький, отдышавшись, опять лез на арену — под хохот публики. А большой его снова выбрасывал. А маленький лез опять. И тогда большой так его побил, что публика перестала смеяться и стала сочувствовать маленькому. И когда маленький, отдышавшись, снова полез на арену, уже никто над ним не смеялся, а, наоборот, все ему сочувствовали. Но большой все-таки опять побил маленького и снова выбросил его с арены в пыль и грязь. И тут весь цирк стал просить маленького подняться из грязи, а он стал спрашивать публику, нужно ли ему снова лезть в драку, и все дети с радостью закричали: «Да-вай! Давай!» И от этих криков большой клоун стал с испугу уменьшаться и съеживаться, а маленький, наоборот, раздуваться и расти так, что вырос выше большого, побежал на арену и легко победил.

Маленький Ель Тзын заставил маму три раза сводить его в этот цирк, а потом еще шестнадцать раз проникал туда без билета с уличными пацанами — каждый день, пока цирк не уехал в другой город.

В его схватке с Горбачевым все повторилось, только ареной был уже не цирк, а вся Россия. И схватка была похлеще, чем в «шапито» или на боксерском ринге. Каждый из них швырял противника о помост с такой силой, что трещали и лопались опоры страны. Ель Тзыну пришлось развалить Советский Союз, КГБ и даже КПСС, чтобы выбить из-под Горбачева кресло президента страны. Он победил не только Горбачева, он победил саму Историю — под бурную, стоя, овацию всей страны!

Но, победив, тут же продолжил тысячелетнюю традицию пристрастия русских к алкоголю. Именно этой болезнью многие западные историки объясняют исторические катастрофы России. *«Злоупотребляя набизом, русы пьют его днем и ночью так, что иной из них и умирает с кубком в руке»*, — писал еще в 922 году первый арабский посол в России Ибн Фадлан своему падишаху. *«Если бы судьба уберегла последнего царя Николая Второго от большевистских пуль в подвале Ипатьевского дома в Екатеринбурге*, — говорится в недавно опубликованном реестре недугов кремлевских руководителей, — *пагубное пристрастие к алкоголю, вероятно, все равно сделало бы свое дело. Крепко пьющий император, который первым ввел в обиход распространенную ныне методику закусывания коньяка долькой лимона с сахарной пудрой, страдал этим заболеванием по наследству. Батюшка его, император Александр Третий, почил в возрасте 49 лет от нефропатии, вызванной алкоголизмом».* История сохранила и документы о том, как пыталась императрица противостоять этому пьянству. Она не давала Александру пить, обыскивала во дворце все комнаты и изымала все спиртное. Но, дождавшись, когда жена удалится, Александр доставал плоскую флягу с коньяком из-за голенища своего сапога и распивал ее с начальником своей охраны. Если же царица изымала и эту флягу, они открывали «НЗ» — полую металлическую трость с костяным набалдашником, в которую помещалось пол-литра коньяка. А в Пензенской области, в музее знаменитого когда-то Никольского хрустального завода, среди редких хрустальных сервизов, которые по заказу русских царей делали здесь для подарков арабским шахам и европейским королям, до недавних пор хранился прозрачный и простой с виду граненый стакан. Фокус этого стакана состоял в том, что когда в него наливали водку и подносили ко рту, то ясно видели плавающих в этой водке мух. Этот удивительный стакан был сделан по заказу русской императрицы, которая думала таким образом отвадить от алкоголя своего мужа и сына. Но — не отвадила...

212

Возможно, поэтому не смогли противостоять алкоголю и последующие кремлевские вожди. Сталин любил накачивать коньяком своих соратников, а потом заставлял их петь и плясать. Так он проверял их лояльность. Никита Хрущев мог выпить две бутылки водки и после этого сплясать Сталину чечетку или выступить с речью на партийной конференции. А про пьянство Брежнева в России вообще рассказывали сотни анекдотов. Потом был Горбачев — его антиалкогольная кампания была настолько чужда традиции, что народ сначала прозвал его «минеральным секретарем», потом «масоном», «агентом ЦРУ и МОССАДа» и наконец сменил на «своего в доску» Ель Тзына...

Однако все эти ссылки на алкоголизм русских правителей — пустая забава историков, поскольку русская история развивалась не по пьяной прихоти своих властителей, а как раз вопреки ей! Пили-то все. Но только те, кто восходил к власти, не для того, чтобы побалдеть на троне, а с жаждой переустройства страны, и создали русскую историю: крестивший ее легендарный беспутник и пьяница князь Владимир, неврастеник Иван Грозный, кутила Петр Первый, распутница Екатерина Великая...

Ель Тзын же рвался к власти токмо ради свержения его личного врага Горбачева, а когда это свержение состоялось и он сам воцарился в Кремле, оказалось, что ни власть, ни тем более какие-то скучные хозяйственные реформы не могут принести того кайфа, который кипятил кровь во время борьбы за престол. Никто больше не выходил на ринг, не дразнил и не заставлял публику сопереживать за него. Только лезли к нему, как мухи на мед, какие-то людишки со своими проектами, предложениями и анекдотами. Чтобы отмахнуться, избавиться от них, он раздавал им лицензии и прочие подковерные блага, и лишь теперь, когда на носу выборы, понял, что пора, пора надевать перчатки и выходить на бой.

Лежа на теплой полке сауны, Ель Тзын мысленно рассматривал своих конкурентов. Кто из них представляет реальную угрозу? Йяв Лин Сан? Молод, интеллигентен и наполовину еврей. *«Если находится среди русов человек со знанием вещей и подвижным умом, то они говорят: «Этот более всего достоин служить нашему Господу», и подвешивают его на высоком дереве и оставляют там до тех пор, пока он не распадется на куски!»* — заметил Ибн Фадлан еще тысячу лет назад. Нет, в России Йяв Лин Сана не выберут президентом, «умен больно!», и пяти процентов голосов не наберет он на выборах. Жир Ин Сэн? Клоун, болтун, полуадвокат и за должность министра готов лечь под любого. Нет, мелок «Жирик» для России, и его не выберут в президенты. Зю Ган? Да, этот опасен — умеет выпить и знает, куда бить противника. Правильно сказали американские эксперты: Зю Ган был бы непобедим, если бы не был коммунистом. Но не в этом его недостаток, не в этом! А в том, что — потеет! Пить умеет, говорить умеет, хитрить умеет, но — потеет! И значит, не способен пойти ва-банк и возглавить гражданскую войну. И это надо учесть. Остается кто? Ле Бедь. Да, этот из медвежьей породы. Еще не матерый зверь, еще не обучен политическим играм, и денег на избирательную кампанию у него нет, и команды нет, но уже генерал, герой, прет напролом, как сам Ель Тзын в юности. То есть из всех четверых только этот характером и подходит русским в президенты, только за этого он, Ель Тзын, и голосовал бы, не будь он президентом сам. И значит, Йяв Лин Сана и Жир Ин Сэна можно игнорировать, бороться нужно с Зю Ганом, а Ле Бедя — приручить, пока молод. Вот стратегия. А Сос Кор Цннь, Бай Су Кой и прочие прихлебатели ни хрена не понимают в людях, видят лишь цифры политических рейтингов и от одного слова «выборы» дрожат и делают в штаны. Еще бы! Наворовали, понимаешь, выше головы, даже в газетах пишут, что за одну его президентскую подпись на какой-нибудь лицензии брали по пять миллионов баксов! Конечно, им проще отменить выборы и приказать солдатам стрелять в каждого, кто против. Десять человек расстрелять, остальные заткнутся — дело нехитрое. Но он уже взял себя в руки и готов к драке. И он знает свой народ — выйди к нему, поднимись на броневик,

214

стань на танке, рвани на себе рубаху да крикни: «Сарынь, на кичку!», «Братья и сестры!» да «Враг у порога!» — и...

— Не остыла банька-то? — спросил Сос Кор Цннь. — Может, прибавить пару градусов?

— Прибавишь, когда я выйду. — Ель Тзын сел на скамье и потянулся всем телом. Потом сказал решительно: — Значит, так, Сосян. Я лечу на Урал поднимать народ. Уральцы меня поддержат. Но ты и Бай Сук из избирательного штаба выходите. Молчи, бля, и слушай. Ты выходишь, а выборами займется Тан Ель...

— Она ж только родила! Ребенка кормит! — удивился Сос Кор Цннь.

— Я те сказал: заткнись и слушай. Твоя задача: выяснить, какие банки содержат Зю Гана, и перекрыть им кислород. Понял?

— Понял, отец, чего тут не понять, — обиженно сказал Сос Кор Цннь. — Только учти: Урал — не Урал, но даже американцы считают — на выборах шансы у нас нулевые. И тогда даже ФАПСИ не поможет.

Ель Тзын понял, на что намекал его верный маршал. Два года назад, когда дела в стране еще не были так плохи, как сейчас, Сос Кор Цннь купил в США для Центральной избирательной комиссии, что на Цветном бульваре, колоссальную компьютерную систему моментального подсчета голосов на территории всей страны — такую же, какой пользуются американцы при выборах своего президента. Система обошлась в полтора миллиарда долларов, но дело не в этом. А в том, что компьютерные гении Федерального агентства правительственной связи и информации смогли, тайно подключаясь к этой системе, манипулировать ее подсчетами и «впрыскивать» ей скрытые погрешности до пяти и даже семи процентов от общего количества голосов. То есть незначительный проигрыш можно легко перевести в выигрыш, а незначительный выигрыш — в уверенную победу. Но если у одного кандидата ноль голосов, а у другого все, то проигравшему уже никакие компьютеры не помогут.

Однако Ель Тзын презрительно отмахнулся от этого намека Сос Кор Цннья.

— Положил я на американцев! Это Россия, у нас тут свои подсчеты, — сказал он и вдруг спросил у маршала: — Сколько тебе нужно, чтобы ввести ЧП и отменить выборы?

— Да хоть завтра! — воспрянул Сос Кор Цннь.

— Ну? — сказал ему президент. — А сколько таких «завтра» у нас до выборов?

И, плеснув из ковшика холодной водой на термостат, вышел из сауны, голяком нырнул в плавательный бассейн. И тут же, отфыркиваясь, выбрался из него под всполошенным взглядом дежурного врача, набросил поданный банщиком махровый халат и направился в сторону теннисного корта, который тоже был частью спортивного комплекса правительственного Дома приемов на Воробьевых горах. Врачи, мать их в три креста, запретили ему и теннис, и теперь на корте его пятнадцатилетний внук — в дедовых кроссовках, шортах и в рубашке «Адидас» — играет с его бывшим личным тренером, а ныне министром спорта. А дальше, за ними, за стеклянной стеной спорткомплекса — вся Москва с высоты Воробьевых гор. Залитая зимним солнцем, припорошенная снегом, с дальними куполами кремлевских церквей и храма Христа Спасителя, который строит Йю Лу Жж. И с москвичами, которые на лыжах сигают с трамплина за оградой правительственного парка. Лепота! Лепота и прелесть! И нормально люди живут, даже на лыжах катаются! Так чего им неймется — выборы! Может, и вправду отменить их на хер?

— Дед! — крикнул внук с корта. — Подай мяч!

Ель Тзын посмотрел на него, усмехнулся и, подняв с пола мяч, с силой запустил его внуку — так, что рука почувствовала свою прежнюю силу, которую даже профессиональные теннисисты называли «убойной».

Но внук в прыжке достал мяч ракеткой и сказал:

— Дед, слыхал новый анекдот?

— Какой? — Ель Тзын подошел поближе.

— После выборов Сос Кор Цннь приходит к тебе и говорит: «Президент, у меня есть хорошая новость и есть плохая, с какой начать?» А ты говоришь: «Ну, начни с плохой». Он говорит: «Плохая новость заключается в том, что лидер коммунистов набрал 75 процентов голосов». А ты вот так чешешь в затылке... — тут внук удивительно похоже изобразил своего деда, — и говоришь: «Н-да, это, понимаешь, действительно плохая новость. Но в таком случае какая же может быть хорошей?» «А хорошая новость, — говорит Сос Кор Цннь, — в том, что ты набрал 76 процентов голосов!» — И внук сам от души рассмеялся своему анекдоту.

Но Ель Тзын без улыбки посмотрел на своего бывшего тренера по теннису, и тот ответил ему точно таким же серьезным взглядом.

39.

Робин бездельничал в офисе на Пречистенке, охраняя машины, а Винсент впал в депрессию и пятые сутки валялся в квартире на Пушкинской площади — небритый и готовый к самоубийству. Жизнь была кончена и — когда! Именно в тот момент, когда он держал в руках Александру, когда ее губы отдались его губам! Нет, она не просто защищала его от охранников «Президент-отеля»! Он помнил, с какой страстью вжимались в него ее грудь, живот, пах, как пылко обхватила она его своими руками и ногами... Но все рухнуло и погибло из-за этих ебаных русских! Он банкрот, полный банкрот! Болотников отдал Сос Кор Цннью двенадцать миллионов долларов, собранных на банкете в «Праге», и снова исчез; немцы, хозяева «Мерседеса», сняли все деньги с его эскро-счета у Ллойда за машины и требовали еще два с половиной миллиона; жена в истерике звонила из Лос-Анджелеса — к ней пришел «этот факинг горилла Амадео Джонсон» и велел выселяться из дома; а в Москве американцы, которых он привез спасать русского президента, требовали зарплату. «Мы не русские шахтеры, — сказал ему

Патрик Браун. — Если по пятницам не будет чека или наличных, мы пакуем вещи и улетаем! *Babene*?»

Винсент выключил телефон, запер дверь, не поднимал шторы, не включал свет. Он валялся на кровати, на скомканной простыне и обдумывал то способы мести, то способы самоубийства. Если бы он знал, где живет этот мерзавец Болотников! Он взорвал бы этого подонка, глотку бы ему перегрыз! Но этот стервец даже в своем банке не появляется... Черт возьми, какой идиот дернул его делать бизнес в России, где на каждом шагу он буквально беспомощный младенец! Его — Винсента Феррано, Сицилийского Буйвола! — ограбили какие-то пацаны в теннисных майках «Оксфорд юниверсити», а он даже не знает, как их искать, чтобы пустить им пулю в лоб! Остается застрелиться самому, но у него и пистолета нет, это не Калифорния. Единственное место, где можно зацепить веревку, чтобы повеситься, — душевой кран в ванной, но даже этот кран мерзавцы русские укрепили так, что стоило Винсенту подергать его для пробы, как кран выскочил из стены вместе с трубой, ржавым штырем и цементом. Отравиться газом тоже нельзя — печка на кухне электрическая. Выброситься из окна? Упав с четвертого этажа, можно сломать ноги и спину, а вот убиться...

Винсенту было жалко калечить себя, но он готов был заплатить последние деньги, чтобы его убили. Да, это выход! В России за тысячу баксов могут убить кого угодно, он найдет тех отмороженных, которые угоняли его фургон с оборудованием, закажет им собственное убийство, и тогда после его гибели его семья даже получит страховку. Конечно! Это лучше всего! В «Union Life Insurance» у него страховка на триста тысяч — Господи, какой он идиот, что перед поездкой в Россию не застраховал себя миллионов на десять! Зато хоть эти несчастные триста тысяч никакой Амадео не отнимет у его детей, ребята смогут доучиться в колледже. О'кей, сейчас он пойдет и найдет каких-нибудь отмороженных — их тут полно ошивается у «Макдоналдса» на Пушкинской площади. Заодно и поест. Который час?

Странный шорох за дверью прервал его планы. Винсент насторожился. Нет, ему не почудилось — кто-то тихо возится с дверным замком. Винсент сел на кровати. Это не Робин, у Робина есть ключ, и он открыл бы дверь сразу, а не ковырялся в замке. Воры! О'кей, great — сначала Болотников, а теперь квартирные грабители! Но сейчас он покажет этим ебаным русским, как грабить американцев! Жаль, что у него нет оружия, а то бы он всадил в них всю обойму прямо через дверь!

Винсент неслышно, на цыпочках, прошел на кухню, вооружился кухонным ножом и притаился за кухонной дверью. Даже если у бандитов «калашниковы», он не отдаст им свою жизнь задешево, а успеет вспороть брюхо одному или двум.

Хотя всего минуту назад он сам собирался заказать бандитам свое убийство, теперь, когда они были рядом, Винсент как-то сразу забыл об этих планах, зато сицилийское бешенство, которое в юности сделало его знаменитым на улицах Западного Голливуда, буквально вскипятило его кровь и натянуло жилы.

Входная дверь открылась, но Винсенту через щель в кухонной двери было не разглядеть вошедших, он только слышал, как щелкнул выключатель, и увидел вспыхнувший в прихожей свет. Потом знакомый мужской голос сказал:

— Будем ждать?

— А фули делать? — ответил второй.

— А если он не придет до утра?

И тут Винсент в бешенстве выскочил из своего укрытия — это были Болотников и Брух.

— Fucking scum! — Винсент сбил Болотникова с ног с такой силой, что тот рухнул на пол, выронил свой атташе-кейс и стукнулся головой о стенку. Винсент прыгнул на него и упер нож в горло: — I'll kill you! Where is my money?! (Я убью тебя! Где мои деньги?!)

— Подожди! Wait a minute! — схватил его за плечо Брух.

Но Винсент с такой яростью отмахнулся от него ножом, что поранил Бруху руку.

— Fuck off! Я вас обоих прикончу! Вы оба русские свиньи! — И он еще сильнее вжал острие ножа Болотникову под его ебаный кадык. — Отдай мои деньги!

— Идиот! Ты мне руку порезал! — закричал Брух, отсасывая кровь из пореза. — Подожди! Мы принесли тебе деньги!

— Where is it? Где они? — подозрительно спросил Винсент.

— Вот, в этом кейсе! — Брух ногой пнул Винсенту атташе-кейс Болотникова. — Отпусти его, дубина! — И ушел в ванную, чертыхаясь: — У вас есть йод? Бинт? Твою мать! У меня все пальто в крови! Чтоб я еще раз связался с иностранцами...

Винсент, все еще держа нож у горла Болотникова, второй рукой открыл замки атташе-кейса и распахнул его. Двадцать пачек стодолларовых купюр в фирменной бумажной оплетке «Federal Bank of USA» просыпались на пол. Винсент изумленно захлопал глазами: почему наличные? Почему двести тысяч?

Он сел на полу рядом с Болотниковым и спросил растерянно:

— What is it? Что это?

Тут из ванной вышел Брух. Пытаясь залепить порез американским лейкопластырем, изумленно спросил:

— А зачем ты выломал душ? You broke your shower — why?

— Fuck the shower! — огрызнулся Винсент. — Что это за деньги?

Болотников приподнялся, потирая горло и разглядывая свою руку — с перепугу ему показалось, что Винсент проколол его насквозь, но, к его изумлению, на руке не было крови и горло не было даже порезано.

— It's your profit. Это твой доход, — сказал он Винсенту.

— What kind of profit? Откуда? — подозрительно спросил Винсент.

— Ты помог нам собрать пятьсот семьдесят миллионов, помнишь?

Но Винсент не помнил и не понимал.

Болотников вздохнул, как в общении с идиотом:

— Ну, в «Президент-отеле». Когда ты орал, чтобы я не отдавал деньги!

— Но ты же отдал! Все деньги!

— Это было шоу. Для других банкиров. Я и Боря Бере помогли маршалу собрать пятьсот семьдесят миллионов на зарплату шахтерам. А ты своей истерикой нам замечательно подыграл. Но деньги еще не ушли, а лежат в моем банке. И я их пять дней крутил на бирже. Двести тысяч долларов — твоя доля от прибыли. — Он встал с пола, отряхивая свое светлое пальто от «Армани». — Но если ты, сука, еще раз прыгнешь на меня с ножом...

Винсент все еще хлопал глазами, вспоминая ту сцену в «Президент-отеле», когда Сос Кор Цннь выстрелом из пистолета разорвал пиджак на плече Бориса Бере. Неужели и это было только спектаклем для банкиров, собравшихся в президентских покоях? Но тогда эти Бере и Болотников просто гении!

— Но... но как насчет наших двенадцати миллионов?

— It's safe. Они в сохранности, — сказал Болотников. — Я их еще два месяца назад перегнал на Кипр.

Винсент не верил своим ушам:

— Ты не шутишь?

— С тобой пошутишь...

— Значит... Значит, мы можем заплатить «Мерседесу» и получить все машины?

— Можем.

— И отдать полмиллиона «Ллойду»?

— Без проблем.

— И выдать зарплату американцам, которых я привез?

— Легко. Кстати, я пригласил их сегодня в Большой театр. Ты пойдешь с нами?

— Но почему же ты прятался от меня две недели?

Брух взорвался, не выдержав его тупости:

— Чтобы вся Москва видела, что даже ты без денег! Ты же наш партнер! А кто твои клиенты? Банкиры! — И Брух

221

махнул рукой. — Ладно, ты все равно не поймешь наши игры. Иди побрейся и скажи мне наконец, на хрена ты выломал душ из стенки?

Винсент тупо пошел бриться, но вдруг повернулся:

— А как насчет броневых материалов? Мне нужны кевларовые панели, сталь, углепластик...

Болотников вздохнул:

— Все военные заводы стоят — рабочие бастуют.

— Но ты же заплатил за них, не так ли?

— Конечно, я заплатил! — нервно ответил Болотников. — Ладно, что-нибудь придумаем...

— Что ты можешь придумать? Nado dat! — сказал Винсент.

— Может быть, — подтвердил Болотников. — Только кому?

А минуту спустя, когда Винсент, напевая из мюзикла «Эвита» «Don't cry for me, Argentina!» (Не плачь по мне, Аргентина!), мылся в душе под струей из кривого и вырванного из стены душа, Болотников вошел в ванную и спросил:

— Так ты идешь с нами в Большой?

— Sure! Конечно! — ответил Винсент и пропел ему из той же песни: — «But truth is I'll never leave you!» (Клянусь, я тебя не брошу!)

— Как раз об этом я хотел спросить, — сказал Болотников. — Ты не устал от России?

— Скажу тебе честно, — ответил Винсент, закручивая кран, который никогда не закручивался до конца. — Я смертельно устал от твоей ебаной страны! Посмотри на этот душ! А ваша вода? Понюхай ее! Это чистая хлорка, моя кожа горит после каждого душа! А ваша еда! А прачечные! А отравленный воздух!

— Тогда... Может, ты продашь свою часть бизнеса?

Винсент замер с полотенцем в руках и в упор посмотрел на Болотникова. Но в светлых глазах этого блудливого вундеркинда была одна детская честность. Однако Винсент уже знал ей цену. Теперь, когда он, Винсент, построил весь бизнес и осталось только клепать броню на «мерседесы», которые русские готовы раскупать как хот-дог, Брух и Болотников хотят откупить у него этот бизнес! Винсент усмехнулся.

— А ху-ху не хо-хо? — сказал он по-русски. — Между прочим, я так люблю вашу страну, что помог вашему президенту собрать деньги на зарплату шахтерам! *Ot'ebis*, молодой человек!

— Well, — сказал Болотников. — Я только спросил.

40.

В Большом давали «Лебединое озеро», и американцы таяли от удовольствия. А Винсент... Хотя Винсент не любил балет и терпеть не мог «этих танцующих педерастов», но на этот раз — то ли потому, что он только что заработал двести тысяч, то ли потому, что прямо перед ним сидела его возлюбленная Александра с ее дразняще-пленительными прядями волос на оголенных плечах и высокой шее, — Винсент расслабился и вместе с музыкой летал над сценой, над залом и над всей этой beloved fucking Russia. И в антракте он щедро угощал в буфете «свою команду» шампанским, и острил, и заглядывал Александре в глаза, и видел в них зовуще-волшебные глубины новых лебединых озер, и после спектакля приглашал всех в соседний ночной ресторан «Метрополь» и в дискотеку «Арлекино». Но Лэсли Голдман сказала, что им нужно к утру приготовить новое «мэмо» для Тан Ель, которая теперь возглавила всю избирательную кампанию отца.

— C'mon! — настаивал Винсент, стоя с американцами под колоннами парадного входа в Большой театр в ожидании машин Болотникова и Бруха. — Как вы можете работать после такого спектакля?! Жизнь коротка! Смотрите на этот снег! Вы в России, в снегу! Подождите минуту!

Он сбегал к соседнему цветочному ларьку, купил три роскошных букета алых голландских тюльпанов и преподнес два из них Александре и Лэсли, а третий...

— Алекс! — сказал он Александре. — Ты поможешь мне вручить его балерине? Пожалуйста!

— Я не знала, что ты такой романтик, — сказала Лэсли, тронутая его букетом. И села в подошедшую служебную «ауди». — Но нам действительно нужно работать, нам нужна Александра.

— Я привезу ее, не беспокойтесь! — Винсент удержал Александру за локоть.

— Не забудь про нашу зарплату! — напомнил ему Патрик Браун, втискиваясь на заднее сиденье за Марком Бреслау, толстой Голдман и длинноногим Рэйнхиллом.

— Завтра получите, — успокоил его Винсент. — Пока!

— Саша, ты нам нужна! Really! — сказал, отъезжая, и Бреслау.

— Вдруг я всем понадобилась... — счастливо улыбнулась Александра, глядя вслед укатившим в ночь машинам.

— Это потому что ты очень красива! — просто сказал Винсент.

Она посмотрела ему в глаза и усмехнулась:

— Это Чайковский на вас так подействовал. Пошли, вы хотели вручить букет балерине. — И взяла его за руку, чтобы повести вокруг театра к служебному входу, откуда выходят артисты.

Но он удержал ее:

— Wait! Этот букет тоже твой, — и объяснил в ответ на ее недоумение: — Просто я хотел задержать тебя. Поедем куда-нибудь... — Они подошли к его «мерседесу», и Винсент открыл ей дверь. — В ресторан, в бар — куда угодно! Это твой город — покажи мне его.

— Винсент, вы же слышали, — сказала она, садясь в машину, — мне нужно на работу, они ждут меня.

— К черту работу! Ваш президент подождет, пока мы выпьем по дринку! И вообще, что вы там делаете?

— Я не могу вам сказать. Это секрет.

Винсент возмутился:

— От меня? Я привез их сюда!

Александра промолчала.

— Куда мы едем? — спросил он.

— В «Президент-отель».

— Боже! Никакой романтики! — Он тронул машину. — Между прочим, откуда ты знаешь итальянский?

— В Инязе нам полагалось учить два языка. Но я не работала с итальянским и почти все забыла. Куда вы едете?

— Я не знаю. Скажи мне — это же твоя страна.

— «Макдоналдс». На Тверской...

— Что?!! — изумился он.

— Когда я начинала учить английский, я прочла, что все американские подростки назначают свое первое свидание в «Макдоналдсе». Это правда?

— Я не знаю. Я никогда не думал об этом... Хотя — да, это правда. Мое первое свидание тоже было в «Макдоналдсе».

— Расскажите мне о нем.

— Тут нечего рассказывать. Мне было четырнадцать, а ей тринадцать. У нее было странное имя — Мира. Я думаю, она была венгерка. Мы съели по гамбургеру и пошли в кино.

— Какое?

— Я не помню. Я всю картину думал, позволит ли она мне поцеловать себя.

— И?

— Она не позволила. А на следующий день я видел, как она на этом же фильме целуется с парнем из моего класса. — Он остановил машину у «Макдоналдса» на Тверской, напротив Главтелеграфа, и они, держась за руки, вошли в пустой — перед самым закрытием — зал.

— Значит, вы помните, какой это был фильм, — сказала Александра.

— Нет.

— Но вы же смотрели его второй раз.

— Да. Но они целовались, а я всю картину думал, как я их убью за это.

Она засмеялась:

— Надеюсь, вы не сделали этого.

— Сделал, — сказал он.

— Что?! — громко, на весь зал, изумилась она — так, что и парень, который мыл полы, и мужчина, одиноко сидевший в глубине зала, разом подняли на них глаза.

Винсент уже пожалел о своей откровенности.

— Well... — сказал он с досадой. — Это было сорок лет назад. Я был подросток из Сицилии. И я был влюблен в нее. Мне дали шесть лет условно. — Он подошел к прилавку. — Что мы будем есть?

— Я не знаю. — Александра как-то сразу потухла, опустила плечи. — Мне расхотелось есть.

— C'mon, Sasha, — усмехнулся Винсент. — Это была шутка. Я разыграл тебя. Как насчет гамбургеров?

— Сукин сын! — И она в сердцах стукнула его по плечу. — Я чуть не заплакала. Чизбургер для меня.

— Два чизбургера, две жареные картошки и две кокаколы, — заказал Винсент юной русской продавщице в форме «Макдоналдс».

— Нет, вы врете! Вы их убили! — сказала Александра, когда они сели за столик. — Признайтесь!

Он посмотрел ей в глаза:

— Женщина! Что ты действительно хочешь? Чтобы мы убивали вас из-за любви или только говорили об этом?

Она молчала, не отводя глаз и словно ища ответа в своей душе.

— Я не знаю... — негромко сказала она после паузы.

Он поднял свой бумажный стакан с кока-колой.

— Cheers!

— 'Xcuse me, — прозвучал над ними мужской голос.

Они подняли глаза — у их стола стоял тот самый мужчина, который минуту назад ел в одиночестве в глубине зала. Ему было лет пятьдесят, и на нем была стандартная для Москвы темная куртка и кроличья шапка-ушанка, но под расстегнутым воротником куртки была хорошая белая рубашка и узел французского галстука.

— Вы из Штатов? — спросил он у Винсента.

— Yup! — откликнулся Винсент. — How d'you do?

— L.A., Калифорния?

— Да. Как ты узнал?

— Потому что я твой сосед. Сан-Диего.

— Правда? Хочешь сесть с нами? Садись! — пригласил Винсент. — Я Винсент Феррано, а это моя возлюбленная подруга Александра.

— Nice meeting you. — И мужчина жестом отказался от стула. — Нет, я не стану отнимать у вас время. Я — Тэд Аббот. Я просто хочу дать тебе небольшой совет, если ты не против.

— Валяй! — сказал Винсент.

— Я бы не рекомендовал тебе ездить на такой дорогой машине по Москве. Это самый опасный город в мире. Поверь мне.

— А какую машину ты тут водишь? — спросил Винсент.

— У меня нет машины в Москве. «В Риме поступай как римлянин». Я пользуюсь метро.

— How long you're here? Как давно вы в России? — спросила Александра.

— Пять лет. Между прочим, мадам, у вас хороший английский.

— Пять лет?!! — изумился Винсент. — А в каком ты бизнесе? Садись. Хочешь кофе?

Мужчина с секунду подумал, взвешивая, присесть ему или нет. Потом сел.

— Не нужно кофе, спасибо. Я вижу, вы влюблены. Поздравляю. Я не уверен, что вам охота слушать мою историю...

— We'll be pleased to, — вежливо сказала Александра.

Но мужчина смотрел только на Винсента, точнее — только Винсенту в глаза.

— Это больше для тебя, мой друг, — сказал он. — Может быть, это принесет тебе пользу. Мне было пятьдесят три, когда я приехал сюда. Я был адвокатом в Сан-Диего и все имел — дом колониального стиля, жену, трех детей, яхту,

227

два «мерседеса», кусок земли в Сакраменто. Гольф-клуб, кредитные карточки, акции «IBM» и «Майкрософт». Но моя жизнь была скучна, как ад, и я решил попробовать какой-нибудь новый бизнес. Я сел в самолет, прилетел сюда и остановился вот тут, за углом, в отеле «Националь». Это было ровно пять лет назад, в марте девяносто первого года. В первый же вечер я вышел погулять по городу, дошел до Красной площади, повернул обратно и пошел вверх по Тверской, тогда она называлась Горький-стрит. Я был одет, как ты — красивое пальто, яркий шарф, твидовый костюм «Брук Бразерс» и теплые итальянские ботинки. Возле Белорусского вокзала на меня напали подростки, сзади ударили чем-то по голове, я упал без сознания. Но когда они стали снимать с меня пальто, я пришел в себя и попробовал драться. Они били меня ногами по голове, я опять отключился. А когда снова пришел в себя — я был голый, весь в крови и в одних кальсонах. Пока я босиком пришел в отель, я отморозил ноги, но швейцар не пустил меня в отель — у меня не было гостиничной карточки и никакого документа, и я не знал ни слова по-русски. Тогда я даже не умел пользоваться их ебаными телефонами! So он выбросил меня на улицу и еще дал мне кулаком по печени — они тут знают, куда голого бить, поверь. Я был в отчаянии, я хотел попасть в полицию, но полиция здесь берет только штрафы и взятки, ничего больше. А я выглядел как пьяный бездомный, у них тут таких каждую ночь по сотне замерзает на улицах. Я хотел сесть в такси, чтобы поехать в Американское посольство, но таксист меня чуть не убил железным штырем, которым они заводят свои сраные «Волги». Я провел на улице, на морозе, два часа, я уже думал, что все, это конец! И тут меня пожалела уличная проститутка. Да, единственный человек, который меня пожалел — вон там, на углу, возле Главтелеграфа, — уличная проститутка Ольга. Она привела меня к себе домой, тут недалеко, на Трубной площади. Она жила там с младшей сестрой Оксаной, тоже проституткой. И вот они поселили меня у себя, и я прожил у них

228

месяц, пока я доказал этой ебаной московской милиции и нашему ебаному Американскому посольству, что я — это я, Тэдди Аббот из Сан-Диего. Конечно, через месяц я получил новый паспорт и мог улететь домой даже по своему билету в «TWA». Тогда сюда летала «TWA», а не «Дельта». И я полетел домой, но только для того, чтобы развестись с женой, оставить ей дом, два «мерседеса», яхту, землю во Флориде и акции «IBM» и «Майкрософт». Это занимает ровно две недели — если ты все отдашь. Имей это в виду. А потом я вернулся сюда, женился на младшей сестре, на Оксане, начал небольшой трейд-бизнес, а теперь я снова адвокат, американский консультант русских компаний и банков. Но с тех пор я ни разу не был в Штатах. Я не держу тут машину, это опасно, у меня нет трехэтажного дома, яхты и гольф-клуба, но у меня есть женщина, которая любит меня, как черт! И я впервые в жизни по-настоящему счастлив. И у меня нет никакой ностальгии — вот только по гамбургерам! Да, поэтому раз в месяц я прихожу сюда, съедаю свой гамбургер и иду домой. Гуд лак, мой друг! Поздравляю! She is beautiful! — Мужчина кивнул на Александру, встал и положил на стол перед Винсентом свою визитку. — Если ты решишь сделать, как я, позвони, я дам тебе инструкцию, как за две недели разделаться со всем, что держит нас в той скучной жизни. Пока! — И он направился к выходу, но в двери обернулся: — Но избавься от этой машины, о'кей? When in Rome, do as the Romans do...

Винсент поднял руку в знак не то прощания, не то согласия. И вместе с Александрой смотрел через стеклянную стену «Макдоналдса», как Тэд Аббот поднял и застегнул воротник своей куртки, спрятав за ним свою белую рубашку и галстук, опустил уши своей дешевой кроликовой шапки-ушанки и ушел по ночной улице.

Александра отодвинула недоеденный чизбургер и тронула Винсента за руку:

— Винсент, мне правда нужно идти...

— Yup! — выдохнул он.

41.

Президентский «Ил-62» шел на восток в сопровождении точно такого же запасного «Ила», а также самолета жизне-обеспечения и эскадрильи военных «МиГов» охраны.

Под ними расстилалась гигантская страна, накрытая последними мартовскими метелями, эпидемией гриппа и тайной паникой банкиров, ожидающих коллапса государственного бюджета. Впрочем, никто не обращал внимания на эти мелочи: снег никто не убирал, поскольку дворникам зарплату не платили уже пять месяцев, — и от Москвы до Владивостока он гигантскими сугробами лежал на улицах всех городов и поселков; грипп никто не лечил, поскольку импортные лекарства дороги, а своих нет, — и треть страны просто не выходила на работу; а спасение госбюджета даже министр экономики Я Син считал невозможным, о чем через полтора месяца доложил премьер-министру в следующем удивительном документе номер 1383-П от 6 мая 1996 г.:

МИНИСТР
экономики Российской Федерации

Председателю Правительства
Российской Федерации

В соответствии с Вашим поручением докладываю.

...с бюджетом и в кредитно-денежной сфере дела обстоят неважно. Налоги не поступают, в частности из-за обилия выданных ранее налоговых освобождений. Сказывается и предвыборная обстановка: деньги придерживают кто в ожидании коммунистов, кто в страхе перед ними... Дополнительные денежные средства на внутреннем рынке привлечь крайне трудно. Рынок государственных краткосрочных обязательств на грани обрушения: доверие к государству столь низко, что агенты рынка предпочитают валюту. За апрель Центральный Банк России продал валюты на 1,8 млрд. долла-

ров, что равно займам Коля, Ширака и траншу Международного валютного фонда, вместе взятым. Поступление этих займов пока позволило удержать валютные резервы на прежнем уровне, но далее ничего подобного не будет...

В этих обстоятельствах попытки (административными мерами) дополнительного привлечения средств в бюджет могут вызвать еще до выборов крупные кризисы на рынках государственных ценных бумаг, кредитном и валютном, по последствиям подобным «черному вторнику»... В части выплаты населению зарплат и пенсий задача состоит в том, чтобы не допустить ухудшения положения по сравнению с апрелем. Полное же погашение долга представляется абсолютно нереальным... Анализ ситуации показывает, что в оставшееся до выборов время какие-либо резкие телодвижения в экономике либо невозможны, либо противопоказаны...

Но Россия — страна чудес, здесь даже с экономикой можно сыграть в детскую игру «замри! умри! воскресни после выборов!». И потому ни на экономику, ни на грипп никто внимания не обращал, а все были заняты роковой предвыборной гонкой, и, пробивая тяжелые облака, армада президентского авиадесанта летела на Урал за голосами уральских рабочих.

На кону был гигантский пирог — Российская Федерация. Хотя при Горбачеве коммунистическая номенклатура немало пощипала этот пирог, выев из него почти весь золотой запас, а затем и ельтзынские китайцы отломили и сожрали самые сладкие отрасли промышленности — алюминиевую, нефтяную, алмазную и газовую, но внутри пирога было еще очень много чего: целые моря нефти в Тюмени и Прикаспии, алмазные трубки в Якутии, вся Курская железо-магнитная аномалия, редкие металлы и самоцветы Урала, черная икра астраханской поймы, крабовое мясо Дальнего Востока, женьшень Уссурийского края, янтарный мед Алтая и так далее и тому подобное! «Безмерны богатства нашей страны, — сообщали уличные листовки, — и горе народу, который живет на них, — всегда были и будут жадные китайцы, алчные жиды, ловкие американцы, хитрые британцы и наглые немцы, которые тянут свои загребущие руки к нашим богатствам, скупают их за гроши и, спаивая русских аборигенов, тащат за границу тонны золота, центнеры алмазов, реки нефти и озера газа».

Весной 1996 года новая коммунистическая партия России во главе со своим молодым харизматическим лидером на всех парах мчалась к этому финальному призу президентской гонки. «Сейчас или никогда!» — сказал Зю Гану его старший партийный наставник Лу Кян, и они оба понимали полную драматизма глубину истекающих до выборов дней. Пусть у них нет армии и милиции, как у Ель Тзына, пусть они не могут, как Ленин в 17-м году, бросить матросов на штурм дворцов, банков и главтелеграфа, но у них есть другое оружие — ненависть голодных к богатым, возмущение ограбленных и нищета отверженных. А это великая сила! По сообщению британской «Evening Star» и радио «Немецкая волна», даже лондонские букмекеры берут сейчас ставки на российские выборы — только один против двух, что победит не Ель Тзын. И, значит, нужно усилить натиск, сломать кремлевских китайцев морально и заставить их приползти с «компромиссным вариантом» раздела власти.

И — двадцать три миллиона русских коммунистов истово работали на выполнение этой программы! Миллионными тиражами выходили всероссийские коммунистические и прокоммунистические «Завтра», «Советская Россия», «Правда», «Правда-5» и «Русская газета». Миллионными тиражами печатались «Воззвания к русскому народу», «Программы спасения Отечества», портреты «народного спасителя» Зю Гана, коммунистические плакаты, брошюры, листовки. Скрытые коммунисты, работающие в государственных ведомствах и Администрации президента, постоянно снабжали штабы компартии в Думе и в Комсомольском переулке кипами документов, изобличающих кремлевских китайцев во взяточничестве и прямом воровстве бюджетных средств и западных займов, эти документы тут же шли на первые страницы коммунистических газет, и тысячи добровольцев целыми днями стояли на морозных улицах во всех городах, на вокзалах, у заводских проходных и даром, бесплатно раздавали людям эту литературу. Такого размаха пропагандистской работы коммунисты не имели даже в 1917 году, Ленин добился тогда власти куда более скромными тиражами «Правды» и «Искры».

Но и президент знал свою силу. Разве недавно, всего лишь в 1991 году, не было у него девяносто семь процентов голосов всей страны? Разве не за ним армия, милиция, банки, международный престиж и — самое главное — простое, без краснобайства, умение быть своим, близким, понятным и исконно русским? И разве чета ему, матерому уральскому медведю, все эти потные и суетливые Зю Ганы, Жир Ин Сэны и Йав Лин Саны? Пусть в Москве, у Думы, дежурят коммунистические пикеты, пусть у телецентра и на Пушкинской площади шумят краснознаменные митинги, пусть шагают по Тверской и по Арбату зюгановские манифестации с лозунгами:

ЕЛЬ ТЗЫН — МРАЗЬ, С РОССИИ СЛАЗЬ!
и
ГОСПОДИ, ИЗБАВЬ РОССИЮ
ОТ ЕЛЬ ТЗЫНА! —

сегодня он начнет свое победное шествие
по стране! Сегодня Урал — его колыбель
и вотчина — покажет стране, что рабочий класс —
с ним и за него! И отсюда, с родных Уральских
гор, пойдет он громить противников!

Пробив облака, самолеты вышли к поросшему заснеженной тайгой Уктусскому хребту, затем к его родной реке Исети и наконец к Екатеринбургу, который по обе стороны реки растянулся аж на тридцать километров. Даже сверху президент узнавал места своей юности и работы: завод «Уралмаш», машинами которого добывается восемьдесят процентов всей нефти России... «Уралхиммаш» с его желтыми дымами над трубами... Шинный, Турбомоторный, Шарикоподшипниковый, Кабельный...

Самолет лег на крыло и пошел на посадку. Справа за иллюминатором белым хороводом понеслись заснеженные таежные сосны. Да, каждый раз, когда он прилетает сюда, что-то теплое, детское подкатывает к горлу при виде этих разлапистых сосен. Слева от них — аэропорт и вокзал, который он построил в бытность свою хозяином этого края. А вот и первый уральский подарок: густая толпа встречающих и впереди всех — седой работяга с хлебом да солью на деревянном подносе.

Ну! А кто говорит, что шансы — нулевые? Кто кричит, что народ его уже знать не хочет? Кто вопит на митингах, что рабочий класс хочет назад, к коммунистам? Нет, вот он, народ! И это вам не прежние, как при Брежневе, театрализованные, понимаешь, митинги-встречи! Нет, сегодня уже никого не заставишь супротив души и воли выносить властям хлеб да соль. Так пусть включают телевизионщики свои аппараты — он, президент, узнал этого старика — доменного мастера, которому пятнадцать лет назад он своими руками приколол на грудь звезду Героя Труда.

Президент встал, позволил холуям помочь ему надеть пальто и меховую шапку и, развернув плечи и грудь, вышел из самолета на трап. Морозный ветер со снегом приятно ожег лицо, прожекторы киношников ослепили глаза, и он, почти не видя встречающей толпы, ее плакатов и дюжих «витязей» секретной охраны, загодя улыбнулся выступившему ему навстречу старику с хлебом и солью.

Да, не подкачала родина! И он не подведет родных уральцев, он знает ритуал: с поклоном примет поднос, передаст его помощнику, а сам тепло, по-сыновнему обнимет седоусого старикана.

Он спустился по трапу. Мощные прожекторы слепили глаза, в их лучах искрились снежинки, и со всех сторон целились в лицо объективы кинокамер.

Но что это? Седоусый старик вдруг отступил на шаг и сказал:

— Подожди, родимый! Слово хочу сказать, однако!

Президент улыбнулся и согласно кивнул: говори, отец!

— А слово наше такое, значит, — крикнул старик, бодрясь. — Ты от нас вышел, от уральцев, значит! И мы за тебя перед Рассеей в ответе! А потому этим хлебом и солью встречаем и просим: уйди с президентства, хватит, однако! Не срами Урал!

Одеревенело лицо и остановилось дыхание, словно хлипкий этот старик картечью выстрелил в грудь.

Так, наверное, семьдесят семь лет назад и царю ударили залпом в лицо где-то здесь, по соседству...

Вот она, демократия!

Но нужно держать удар, держать удар...

Президент шумно выдохнул, повернулся и пошел к зданию аэровокзала.

А за его спиной «витязи» секретной охраны уже деловито изымали у теле- и кинооператоров кассеты со съемкой.

В хронику урало-сибирского турне президента этот эпизод не вошел, и, кроме зрителей местного телевидения, никто его не увидел.

42.

— Двадцать три миллиона голосовали за коммунистов при выборах в Думу, это их твердый электорат, и они от коммунистов никуда не уйдут. Бороться за них не имеет смысла, — говорил дочери президента седоусый Джим Рэйнхилл, «мозговой танк» американской команды. Она сидела лицом к окну и спиной к американцам, но это их не смущало: было десять утра, время кормления ребенка, и Тан Ель кормила своего новорожденного грудью, отвернувшись от всех. Что не мешало ей слушать их, вглядываясь в последнюю мартовскую метель за окном, и Джим продолжал: — Таким образом, борьба между вашим отцом и другими кандидатами идет только за остальные девяносто или сто миллионов избирателей. Опросы показывают, что если бы выборы были сегодня, то восемь или даже десять миллионов из них отдали бы голоса Жир Ин Сэну, еще восемь — Йав Лин Сану, пять — Ле Бедю и полтора — Горбачеву. Итого — минус еще двадцать миллионов. Остается пятьдесят миллионов избирателей, которые просто не знают, за кого им голосовать, и могут вообще не прийти на избирательные участки. Пока понятно?

— Да, продолжайте. Я понимаю, — негромко и через плечо ответила Тан Ель по-английски.

— О'кей. Теперь вопрос: кто эти пятьдесят миллионов? По нашим данным, часть этого электората — неэкстремистская молодежь, студенты, начинающие бизнесмены и все, кто так или иначе работает в частном бизнесе или связан с ним...

— Тсс... — вдруг шепотом сказала Тан Ель, подняв палец над плечом. В разом наступившей тишине она медленно отняла уснувшего малыша от груди, застегнула блузку, осторожно встала и вынесла ребенка в коридор, к няньке, уложила в коляску. Нянька повезла коляску по коридору, а Тан Ель вернулась в номер-офис американцев и виновато улыбнулась: — Извините. Я все поняла. Можно мне ваши заметки?

— Я не закончил, — удивился Джим Рэйнхилл.

— Да. Я знаю. Это моя вина — он плохо ел сегодня. Но через три минуты я провожу совет Избирательного штаба и не могу опаздывать. Если вы разрешите, я посмотрю ваш «мэмо» по дороге, в лифте.

— Это по-английски, — сказал Джим, недовольно передавая ей несколько машинописных страниц своего меморандума — результат их почти месячной коллективной работы.

— It's allright, Саша мне поможет. Спасибо, господа. Я буду завтра в девять тридцать. Пожалуйста, посмотрите вот это. — Тан Ель вытащила из своего портфеля тонкую папку и открыла ее, там были две страницы текста.

— Что это? — спросил Бреслау.

— Тезисы папиных выступлений в Сибири.

— Ваш отец летит в Сибирь? Когда?

— Он уже улетел. Я передам ему эти тезисы по факсу.

— Но мы должны были обкатать их на «фокус-группах»! Мы же договорились! — в отчаянии воскликнул Бреслау.

— И не только обкатать! — хмуро сказал Хью Риверс. — Он должен был записаться на пленку, отрепетировать с Лэсли...

Тан Ель улыбнулась:

— Это нелегко с моим отцом. Может быть, в следующий раз. До завтра, господа! Саша, пошли...

Александра вышла за Тан Ель, а американцы переглянулись между собой.

— Я думаю, это безнадежно, — сказал Джим Рэйнхилл.

— Они считают, мы работаем за деньги, — запальчиво воскликнул Патрик Браун. — Но мой обратный билет вот здесь, наготове!

— Well, она только начала, — примирительно сказал Хью Риверс. — Дадим ей пару недель...

В коридоре и в лифте, который поднимал их в президентские покои, Александра бегло переводила меморандум американских экспертов, но Тан Ель, казалось, не слышала ее слов. На ее широком и простом, как у отца, лице отражались внутренняя сосредоточенность и напряженность. Почему из двух своих дочерей отец выбрал для этой работы ее, младшую? И как ей сочетать свое материнство и кормление ребенка с руководством избирательной кампанией, да еще в такой критической ситуации? Ответ на первый вопрос прост — она сама давно хотела работать с отцом в правительстве. Это в суде дети не отвечают за отцов, но в собственных глазах... Вот уже три, нет, вот уже четыре года как в ближайшее окружение отца входят телохранители, банщики, собутыльники и тренеры по теннису. Они руководят импортом и экспортом, армией и КГБ. Ежедневно пьянствуют в своих кремлевских кабинетах. Ведут бездарную войну в Чечне и не могут справиться с уличным бандитизмом в Москве. Под предлогом укрепления охраны Кремля

Сос Кор Цннь создал свою собственную армию, которая изолировала от страны не только отца, но даже их семью. Неделю назад, когда маму пригласили на телевидение выступить в женской передаче, целая дивизия офицеров службы безопасности президента оккупировала телецентр, они выбросили оттуда абсолютно всех сотрудников, включая гримеров, операторов и осветителей, и заменили их своими специалистами. Единственный, кто остался в студии, — ведущая передачу, но и у той проверили заранее все ее вопросы...

И так — на каждом шагу, даже ее, Тан Ель, домашний телефон прослушивают! Только по газетам да уличным анекдотам она узнает, какие гигантские деньги, лицензии, льготы и налоговые освобождения эта свора массажистов, банщиков, егерей и собутыльников выжимает из отца во время их «мужских» застолий в предбаннике сауны спортцентра на Воробьевых горах да на дачах в Барвихе и в Завидове. А чтобы обезопасить себя от гнева изредка трезвеющего президента, они постоянно пытаются втянуть в свои аферы его самого, маму, старшую сестру и даже ее, Тан Ель. Шептуны рассказали, что пару лет назад чудом удалось избежать фантастического скандала: отец (неизвестно когда и в каком состоянии) подписал контракт с какой-то темной африканской фирмой о передаче им прав на мировую продажу всех якутских алмазов, и эта компания тут же открыла на мамино имя счет в швейцарском банке, чтобы регулярно переводить на него два процента от доходов по этой сделке! Когда банк прислал первый банковский отчет, отца чуть удар не хватил, но еще страшней оказалось то, что открытие этого счета было, оказывается, обусловлено подписанным им самим контрактом — в отдельном секретном протоколе! Пришлось Сос Кор Цннью срочно лететь в Африку и неизвестно какими методами и деньгами выцарапывать там все экземпляры этого документа. А уж про ежедневные подкаты всякого отребья к ней, к Тан Ель, к ее старшей сестре и даже к пятнадцатилетнему сыну старшей сестры с предложениями заработать миллионы долларов на отцовской подписи под какой-нибудь очередной лицензией или налоговым освобождением и говорить нечего! Со всего мира, словно рой мух на помойку, слетаются сегодня в Кремль какие-то совершенно уникальные проходимцы, бандиты и аферисты и миллионными взятками буквально проламывают себе дорогу к заветной отцовской подписи. Даже Ли Ф Шин, советник отца по финансовой политике, признавая, что уже сорок процентов российской экономики находится в руках криминальных авторитетов, боится называть вслух их имена, хотя все чаще натыкается на них в коридорах президентской администрации.

Да, в суде дети не отвечают за своих родителей, и в Италии внучка Муссолини стала депутатом парламента. Но Россия не Италия, здесь не смогли жить ни дочь Сталина, ни сын Хрущева, а дочка Брежнева спилась до такого состояния, что ее — пьяную — отказываются возить шоферы такси! И она, Тан Ель, порой тоже боится, как бы ее не узнали на улице...

Но еще есть шанс все изменить, есть! Она вытащит отца из этой грязи, она приведет в Кремль новую команду политиков и экономистов — молодых и не замешанных ни в каких аферах. И они будут представлять в Кремле новое поколение России. Только бы выиграть выборы, только бы...

Два охранника расступились, пропуская Тан Ель и Александру в приемную президентских покоев. Хотя снаружи — в коридорах, вестибюле и у ворот отеля — все пока оставалось, как при Сос Кор Цнрье, но в кабинетах избирательного штаба и здесь, в приемной, уже исчез табачно-казарменный дух денщиков, адъютантов и охранников, их места заняли столы с компьютерами и молодежь в джинсах. Никто из них не вскочил при появлении Тан Ель, лишь издали кто-то приветственно махнул рукой, а кое-кто вообще не обратил на нее внимания, занятый телефонными разговорами, чтением факсов и текстов на компьютерных экранах. Тан Ель остановилась перед высокой дубовой дверью, на которой был прикноплен свежий факс:

ПОСЛЕДНИЙ АМЕРИКАНСКИЙ АНЕКДОТ:
Русские спрашивают у Ель Тзына: «Господин Ель Тзын, что будет, если мы будем голосовать за вас?»
Ель Тзын отвечает: «Тогда у вас будет новый президент».
«А если, — говорят русские, — мы будем голосовать против вас?»
«Тогда, — говорит им Ель Тзын, — у вас будет старый президент».

Тан Ель прочла анекдот, усмехнулась.

— Спасибо, Саша, можешь идти, — сказала она Александре и открыла дубовую дверь.

43.

Графики, таблицы и карты, развешанные на стенах в президентских покоях, тоже говорили о новых порядках. Человек двадцать мужчин, сидевших тут, поднялись при появлении Тан Ель, но она жестом попросила их сесть и сказала:

— Сидите, сидите! Доброе утро. Единственная просьба — не курить, все-таки я кормящая мать...

Мужчины поспешно загасили сигареты, кто-то открыл окно в странную, пронизанную солнцем весеннюю метель. Как и на предыдущей встрече тут с Сос Кор Цнньем, присутствующие были хорошо и модно одеты, больше того — часть из них (Борис Бере, Юрий Болотников и др.) были теми же банкирами. Но были здесь и другие — хозяева и руководители телеканалов, крупнейших газет, рекламных агентств и частных корпораций. В их числе — и Георгий Брух.

Тан Ель прошла на председательское место за столом и сказала:

— Что ж, начнем. Письмо тринадцати банкиров с требованием пригласить коммунистов в правительство и отменить выборы мой отец получил и обдумал. Он попросил меня передать вам следующее. Какие бы закулисные гарантии ни давали вам сейчас Зю Ган и его компания, не обманывайтесь: придя к власти, они отнимут вашу собственность, на то они коммунисты. У англичан на этот счет есть пословица: если тебя надули один раз — можешь винить обманщика, но если тебя надули второй раз — вини только себя. Вспомните, что стало с Саввой Морозовым, Николаем Шмидтом и другими миллионерами, которые финансировали Ленина. Вы хотите разделить их участь? — Она посмотрела на Бориса Бере, но он опустил глаза. — И скажите мне, Борис: если вы так доверяете коммунистам, что готовы отдать им правительство, зачем вы отправили за границу все активы своего банка?

Присутствующие засмеялись, а Тан Ель продолжала:

— Ладно. Не только «Бере-банк» сделал это, а почти все банки. То есть вы уже сидите на чемоданах и готовы 16 июня улететь за своими аккредитивами в Америку, в Европу и на Каймановы острова. А Россия опять останется коммунистам и все ваши бизнесы и банки — тоже. Да?

— А как быть? А что можно сделать? — послышалось со всех сторон. — Это не мы проигрываем выборы...

— Я согласна, — перехватила их возгласы Тан Ель. — Я согласна: сегодня мы проигрываем, у отца низкий рейтинг, страна залита коммунистическими митингами и демонстрациями. Но у нас есть два месяца до выборов, и я вам говорю: поступите как деловые люди. Сядьте и посчитайте, что выгодней: сбежать от коммунистов за границу с вашими деньгами и проживать их там в эмиграции или остаться в России руководить своими банками, газетами, телестудиями?

— Но как? Как это сделать?

— Я еще не знаю как, — призналась Тан Ель, накрывая рукой текст американского меморандума. Несмотря на то что каждая ее фраза была сухо-информационной и сама она держалась по-деловому, что-то, какая-то неуправляемая ею самой мягкость материнства, какое-то тепло и флюиды кормящей матери исходили от ее глаз, лица, плеч и голоса и размягчали настороженность этих молодых мужчин. — Но я хочу вместе с вами найти решение. Знаете, десять лет назад в Америке произошла такая история: японцы захватили автомобильный рынок. Их «тойоты» и «хонды» были лучше американских машин, и американцы перестали покупать свои «форды» и я не знаю что еще. Короче, у американских автомобильных магнатов было два пути, как и у вас сейчас. Первый: признать поражение, отдать японцам весь авторынок и выйти из бизнеса с теми деньгами, которые они уже заработали. А второй: вытащить из своих загашников миллиарды, полностью переоборудовать заводы и начать делать машины лучше японских, чтобы вернуть себе рынок. Как по-вашему, что сделали американцы? Вот и вы подумайте, как вам быть. Снова отдать Россию коммунистам? — Она подняла руку: — Не нужно сейчас отвечать. Единственное, что я хочу вам сказать: какое бы вы ни приняли решение, с сегодняшнего дня никто не будет в вас стрелять, никто не будет вас шантажировать, требовать денег и прижимать к стенке. Но тех, кто поможет нам выиграть выборы, мы приглашаем не просто сотрудничать с властью, а участвовать во власти, работать в правительстве...

Собравшиеся задвигали креслами.

— В каком смысле?

— А можно конкретней?

— Можно, — сказала Тан Ель. — Но сначала я хочу вас спросить: где вы были пять лет назад, когда отец стал президентом? Почему не вы в его окружении? Я не говорю персонально, но я спрашиваю вообще, и вы понимаете, что я имею в виду. Вы проиграли этого президента, вы отдали его бог весть кому, — она выразительно посмотрела на стены, — но вот вам мое конкретное предложение: выиграйте его! Еще не поздно. Верните его себе! Разве может Зю Ган стать вашим президентом? Или Жир Ин Сэн?

— Но как вернуть? Как выиграть? К нему не подступишься! — заговорили с разных сторон.

— Это я беру на себя. А в ваших руках все телевидение, пресса и банки. Если договоримся, что мы — одна команда, мы этой же командой войдем в следующее правительство...

Примечательно, что она в это время действительно верила в то, что обещала.

Но еще интересней, что именно в это время, но совсем в другом месте, за границей России, в Вене, происходило еще одно заседание.

МЕЖДУНАРОДНАЯ ОРГАНИЗАЦИЯ УГОЛОВНОЙ ПОЛИЦИИ
Генеральный секретариат ИНТЕРПОЛА

Начальнику Национального Центрального Бюро Интерпола в Российской Федерации.
Москва, ул. Новочеремушкинская, дом 67.

Срочно, секретно, спецсвязью

По сведениям нашего Отдела по уголовным делам и сбору информации, в Вене, Австрия, в отеле «Шератон» состоялась Пятая тайная международная конференция (сходка) российских лидеров криминального мира — так называемых «воров в законе» и «авторитетов». В конференции приняли участие 64 (шестьдесят четыре) делегата, из них из России — 47 (сорок семь), остальные — из Европы и США. Главной темой конференции был вопрос о позиции российских криминальных структур на предстоящих в России президентских выборах.

В ходе дискуссий делегаты отмечали наметившийся в последние недели опасный для их бизнеса отток значительной части валютных средств из России за рубеж, обсуждали программы Коммунистической партии России, Либерально-Демократической партии и партии «ЯБЛОКО». Подавляющим большинством голосов конференция признала необходимость сохранения в России статус-кво и стабильности существующей власти и рекомендовала живущим в Европе и США лидерам криминального мира вернуться на время выборов в

Россию, с тем чтобы руководимые ими структуры обеспечили эффективную поддержку кандидатуре Ель Тзына.

Координаторами этой работы избраны:

по Москве и Средней полосе России — лидер Солнцевской группировки Сергей Лихасов (кличка «Лихась»), находящийся в международном розыске Интерпола с 1994 года;

по южной России — лидер Краснодарской группировки Важа Гриладзе (кличка «Боксер»);

по Уралу и Сибири — лидер Хабаровской группировки Николай Васьков (кличка «Клин»).

Просим Вас довести эту информацию до Вашего правительства и руководства Министерства внутренних дел.

44.

Александра возвращалась из президентских покоев на одиннадцатый этаж, где находился офис американской команды, но на двенадцатом этаже лифт остановился, и в кабину вошел адъютант Сос Кор Цннья.

— Здравствуйте, — сказал он, нажимая кнопку «стоп», и, хотя Александра, конечно, помнила, кто он такой, показал ей свое удостоверение офицера ФСБ. — Вам придется пройти со мной.

— Зачем? — удивилась она.

— Это по поводу гибели вашего мужа. Пройдемте.

Александра вышла из лифта, и он повел ее мимо охранников и рамы металлоискателя в глубину пустого коридора, открыл дверь с табличкой «1209». Это был номер-«люкс», который занимала теперь служба маршала Сос Кор Цннья. Три больших телеэкрана «Sony», настроенные на разные телеканалы, беззвучно показывали коммунистическую демонстрацию в Москве на Тверской, такой же краснознаменный митинг на Дворцовой площади в Санкт-Петербурге и драку в Думе между Жир Ин Сэном и депутатом-священником. Экран четвертого телевизора был пуст. Рядом на стенном стеллаже два десятка телемониторов так же беззвучно показывали подъездные пути к «Президент-отелю», его парадные и служебные подъезды, коридоры, фойе, ресторанные залы и кабины лифтов.

Адъютант кивнул Александре на кресло:

— Ждите, — и вышел.

Только переведя взгляд с телемониторов в глубину комнаты, в сторону распахнутой балконной двери, Александра увидела Сос Кор Цннья.

Маршал — совершенно голый — босиком стоял на занесенном высоким снегом балконе, полными горстями черпал этот снег и, кряхтя от удовольствия, растирал им свои широкие плечи, грудь, шею.

Через открытую дверь в номер задувало морозным ветром и блестящей на солнце снежной пылью, и Александре стало холодно в ее тонком шерстяном платье, но Сос Кор Цннь не видел ее, продолжая докрасна растираться снегом. От его плеч уже шел пар, и было что-то земное, крестьянски-мужицкое и мощное в этом общении крепкого мужского тела со снегом, морозом и ветром на фоне Москвы, заштрихованной солнечной метелью.

Наконец он стряхнул с плеч и с бороды капли оттаявшего снега и шагнул в номер.

— О, вы уже тут? Что ж этот засранец не доложил? — Маршал закрыл дверь, взял со спинки стула широкое махровое полотенце и, растираясь, сказал: — Потрясающе приятно! Вы никогда не пробовали?

— Нет. — Александра отвела глаза от его голого тела и волосатого паха.

— А зря! — сказал маршал, отшвырнув полотенце и проходя к одежному шкафу за спиной Александры. — Обязательно нужно и снегом обтираться, и босиком по земле ходить. Обязательно! — Он достал с бельевой полки трусы, спортивные брюки и чистую белую рубашку и, одеваясь, нажал кнопку селектора на письменном столе. — Чай! — коротко приказал он в микрофон.

— Меня это... меня ждут на работе... — сказала Александра.

— Я знаю. — Маршал, еще босой, с мокрой бородой, но уже одетый, сел напротив нее и, застегивая рубашку, сказал: — Вообще-то сразу после растирания нужно голым походить, чтобы тело дышало. Ужасно полезно. Но я не хочу вас смущать. Поэтому...

Открылась дверь, адъютант внес широкий поднос с чаем, печеньем, бутербродами и коньяком.

— Коньяк убери! — приказал маршал и пожаловался Александре: — Ни хера не понимают! Думают, если красивая женщина пришла, так я сразу не знаю что начну с ней делать. Пожалуйста, пейте чай...

— Спасибо. — Александра не прикоснулась к чаю, она сидела с напряженно-прямой спиной и на самом краю кресла, демонстрируя нежелание к преодолению барьера официальности.

Маршал заметил это.

— Хорошо, к делу, — сказал он. — На днях мы арестовали убийцу вашего мужа. То есть в самом убийстве он еще не сознался, но это вопрос времени. Хотите его увидеть?

— За... зачем? — тихо спросила она.

— О, я думаю, вам будет интересно.

Маршал взял со стола переключалку дистанционного управления видеомагнитофоном и нажал кнопку. Почти тут же вспыхнул экран четвертого телевизора, и на нем возникло лицо одноухого главаря банды отмороженных, которые пытались отнять у Винсента автофургон с оборудованием.

— Это часть его допроса в тюрьме, — пояснил маршал и включил звук.

«Каким образом вы узнали, что в этом фургоне ценное оборудование?» — прозвучал за кадром вопрос следователя.

«Да от Кости-наводчика, — охотно ответил одноухий. — У него жена работает на каких-то американцев, она дала ему наколку, а он — нам. Штуку только взял с нас сразу, сука!»

«То есть он с женой в паре работал?»

«А хрен его знает! Может быть».

«Но он вам сказал, что получил информацию об этом фургоне от своей жены, так?»

«А то ж! Конечно, сказал! Хули мы полезли бы в это дело без его наводки?!»

246

«И вы ему за это заплатили тысячу долларов?»

«Ну!»

«"Ну" я в протокол не могу записать. Вы заплатили ему тысячу долларов за информацию?»

«Ну, заплатили, я ж сказал!»

«Хорошо, пошли дальше. Что было потом?»

«А чё потом? Ну, взяли мы ту фуру, а оказалось — она «земстроевская». Ну, мы им и отдали».

«И Костя вернул вам тысячу долларов?»

«Ага! Сейчас! Он, сука, три дня от нас бегал».

«А его жена?»

«А его жена тоже, сучка, заперлась, никому дверь не открывала».

Маршал выключил видеомагнитофон и повернулся к Александре:

— Понятно, да?

— Что? — спросила она обмирающим голосом.

— Ну как что? — усмехнулся маршал. — Бандиты, которые убили вашего мужа, утверждают, что вы работали с ним в паре. Наверное, и до этого инцидента тоже. А?

Александра смотрела на него расширившимися от ужаса глазами.

— Пейте чай, — сказал маршал. — Он же давал вам деньги, верно?

— Нет... — прошептала она беззвучно.

— Ну перестаньте! — сказал он с мягкой насмешкой. — Вы снабжали его информацией, а он не давал вам денег? Ну, на хозяйство, на еду, на одежду — давал?

— Нет, — снова сказала она замороженным голосом. — Я... я не давала ему информацию.

— Саша, — маршал взял ее за руку. — Ну чего отпираться? Муж не давал вам денег — ну какой суд в это поверит? А почему именно в день ограбления вы на работу не вышли? И в квартире заперлись? И потом на дачах «Земстроя» прятались? Если вы не работали с мужем на пару? А?

Она молчала, продолжая смотреть на него обомлевшими от ужаса глазами.

— Вот так-то лучше... — сказал он. — Наверное, я зря коньяк отослал. И чай уже остыл.

Он встал, открыл дверцу бара. Там стояла батарея бутылок. Он смешал в бокале водку со льдом и с лимонным соком и подал ей:

— Скрудрайвер. Давай — залпом и до дна. Ну?

Она машинально взяла бокал, в недоумении глядя на маршала.

Он усмехнулся:

— А ты думала, я тебе сразу наручники надену? Да? А мы, оказывается, тут тоже люди. Несмотря на то, что про нас всякие болтуны пиздят. Честно говоря, я-то могу тебе поверить. Есть такие подонки, что сами у жены последнее вытянут. Может, и твой такой был — тянул из тебя информацию и сбывал бандитам, а деньги на баб тратил. Да?

Она почти кивнула.

— Видишь, я понимаю! — сказал маршал. — Но суд?! Прокуратура?! Они — что? Станут разбираться? Вот у них показания! — Он указал на телеэкран, где в стоп-кадре застыло лицо одноухого бандита. — Соучастие в планировании и проведении преступной операции! Со смертельным исходом! Статья хрен знает какая Уголовного кодекса, но от шести лет до червонца — гарант! — Он опять подсел к ней, двумя руками взял ее вздрагивающую руку с бокалом. — Тихо, прольешь! Лучше выпей. Давай так, по-людски поступим — все равно твоего мужа уже не вернешь, а какой мне толк, что ты на шесть лет загремишь в Мордовию? Тем более, ты сейчас на очень важной работе. Можно сказать — самой важной работе! И большую помощь можешь стране принести. Нет, я не шучу. Сама подумай — американцы, с которыми ты работаешь, хрен их знает, что у них на уме! Может, они подтасовывают результаты опросов. Подожди! — упредил он ее возражения. — Сейчас, может, не подтасовывают, а потом... Или, ты думаешь, они не связаны с ЦРУ? А что, если их прислали завербовать дочь президента? А? Короче, мое предложение такое. Вернее, два предложения. Первое: ты выпиваешь этот скрудрайвер, а то он уже теплый. Давай, ну! Смелей!

Он переждал, пока она выпила скрудрайвер и, зажмурившись, встряхнула головой.

— Молодец! Наш человек! — сказал он с одобрением. — А теперь второе: мы с тобой будем раз в неделю встречаться, и ты будешь держать меня в курсе вашей работы. Ничего особенного мне не нужно, просто мы должны знать правду. Полную правду, понимаешь? Причем чем ближе день выборов, тем твои отчеты будут важнее. Особенно если эти американцы начнут прибавлять президенту очки и вешать лапшу на уши, что он выиграет выборы. Понимаешь, что я имею в виду?

Она почти кивнула и невольно посмотрела на застывшего на телеэкране бандита.

— А насчет этого можешь не беспокоиться, — сказал маршал. — Эта пленка будет лежать у меня в сейфе, и этот бандит никому больше слова не скажет. Договорились? Иди, милая, успокойся и работай нормально.

И когда Александра на деревянных ногах уже подошла к двери, сказал ей в спину:

— Ты тут в 603-м номере живешь, не так ли? Через неделю я тебе позвоню...

45.

Пока Робин занимался монтажом и наладкой оборудования, ему было нетрудно заставлять себя не думать об Александре. Тем паче что десятки мелочей, о которых дома, в Америке, можно было не беспокоиться, вырастали тут в монбланы непреодолимых проблем. Где взять масло для гидравлических подъемников? Куда девать производственный мусор? Где и как получить разрешение на покраску фасада здания? Где купить бумагу для принтера? А канцелярские скрепки? А электрические лампочки? А туалетную бумагу? А лекарства от гриппа? Нет, нельзя сказать, что всего этого нет в Москве. Любой русский докажет вам, что сегодня в Москве есть все. Но каждую мелочь из этого «всего» нужно ИСКАТЬ. Когда Винсент свалился в гриппе, Робин объехал пол-Москвы в поисках колдрекса с действующим сроком годности и антигриппина, единственно безопасного русского гомеопатического лекарства. Затем возникла проблема с едой. Рестораны в Москве фантастически дороги, официанты медлительней прошлогодних мух в паутине, а «to go», то есть навынос, еду в ресторанах не продают — нет пластиковой посуды. Три дня Винсент питался гамбургерами и чизбургерами из «Макдоналдса», а потом запросил куриный суп и стэйк. Кроме того, в их квартире уже скопилось огромное количество грязного постельного белья, полотенец, ношеных рубашек, маек, трусов, носков и т.п. Пока Винсент, укутанный в три свитера и домашний халат, смотрел по телевизору какой-то боевик и одновременно пытался дозвониться Бруху и Болотникову по поводу кевларовых панелей и броневой стали, Робин снял с кроватей простыни, вместе с остальным бельем запихал в два огромных мешка и понес в новенькую соседнюю прачечную с гордым названием «Американская стирка». Но это оказалась не автоматическая прачечная самообслуживания, а нечто вроде китайской чистки в США. Впрочем, белье в стирку здесь тоже принимали, но...

— У вас бирки пришиты? — спросила приемщица через квадратное окно, когда подошла его очередь.

Робин не понял, что такое «бирки», и положил на ее окно свои два мешка.

— Развязывайте! — приказала приемщица.

Робин по ее волевому жесту догадался, что ему нужно сделать, и торопливо развязал свои мешки.

Приемщица вытряхнула их на весы и тут же закричала:

— Я ж вас спросила: у вас бирки есть?! Забирайте белье!

Робин непонимающе захлопал глазами, потом вытащил из кармана русско-английский словарь и протянул приемщице.

— Что это? — сказала та и возмутилась: — Сейчас! Буду я в словаре копаться! Бирки нужно пришить на каждую вещь, понимаешь? Бирки!

— Tags, — перевела ему двенадцатилетняя веснушчатая девочка из очереди. — All your things suppose to have tags. — И покраснела от смущения.

Робин тут же достал свой блокнотик, написал в нем «CAN THEY SEW THESE TAGS FOR ME?» и показал девочке. Она сказала приемщице:

— Он спрашивает, можете ли вы пришить ему бирки?

— Еще чего?! — оскорбилась та. — Это американская прачечная!

— It's American landry, they do not sew, — объяснила девочка Робину.

Он понимающе усмехнулся, написал снова:

«I WANT TO BUY TUGS. HOW MUCH DOES IT COST?»

— Он хочет купить бирки. Почем они? — перевела девочка.

— Я ж те русским языком сказала, — ответила продавщица. — Это американская стирка, тут бирок не продают.

— А где продают? — спросила девочка.

— Откуда я знаю? В старых прачечных, пусть идет и ищет. Забирайте ваши вещи! Следующий!

Робин обескураженно собрал свое белье в мешки и отошел от окна. Очередь, сжалившись, обсудила его проблему, а девочка старательно перевела:

— There is old laundry two streets up on Tverskaya street. May be they sell tags...

Робин с благодарностью кивнул и потащил свои мешки домой.

— Что? — капризно возмутился больной Винсент. — Я буду спать на грязных простынях? Иди и купи новые! И не забудь про полотенца! — Он приглушил звук телевизора и вытащил из кармана деньги. — Боже, эта страна меня доконает! Сколько это дерьмо может тут стоить?

Робин пожал плечами.

Винсент вытер распухший от соплей нос и дал Робину сто долларов. По телевизору в программе новостей показывали войну в Чечне — уничтоженные артиллерийским обстрелом чеченские деревни Бамут и Самашки, рыдающие чеченские старухи в платках, дети с гранатометами и разбитый русский танк, а на танке — труп молодого танкиста.

— Смотри! — сказал Винсент. — Этот танк показывают уже вторую неделю и никто не спрашивает, кто этот мертвый парень. Сумасшедшая страна! Разве у него нет матери где-то? Отца? Нет, сотни тебе не хватит. Вот еще полста. Какой у доллара курс сегодня?

Робин снова пожал плечами: стоимость доллара скачет тут каждый день. Он взял деньги и стал одеваться. На экране телевизора министр обороны России гордо показывал на карте Кавказа районы, «освобожденные» от чеченских боевиков в результате нового наступления российских войск.

— И я хочу есть! Please! — сказал Винсент.

Робин кивнул.

— Только не покупай гамбургер! Я знаю, что ты хочешь убить меня раньше наших клиентов, но я не могу жрать одни гамбургеры весь день! — Винсент закашлялся. — Jesus, я умираю! Где Александра? Я звоню ей весь день!.. — И стал снова набирать «Президент-отель».

Но Робин не стал ждать — Александра, как обычно, занята по горло с «фокус-группами». А даже если Винсент ей дозвонится, к чему ему слушать их разговор? Если бы Винсент не свалился в гриппе, он бы совершенно спятил от своей влюбленности. Хотя некоторые клиенты, два месяца назад оплатившие бронированные «мерседесы», уже стали всерьез угрожать взорвать их офис к чертям собачьим, Винсента, казалось, куда больше беспокоило совсем другое. Сопливый, больной, с высокой температурой, он швырял телефонную трубку и бегал по квартире, выкрикивая: «Я идиот! Дебил! Зачем я устроил Александру в этот ебаный избирательный штаб?! Она нужна мне! Нужна! Мне нужна сталь, кевларовые панели и Александра!..»

Под эти причитания Робин снова вышел из дома. Первоапрельское солнце прогревало снежные сугробы, на тротуарах и мостовой были грязные лужи, с крыш капали и падали огромные сосульки, но москвичи уже праздновали весну — на улицах было полно народа, в переулках мыли машины, при выходе из метро торговали ландышами и семечками, а в подземных переходах собирали подписи под плакатом «Горбачева — в президенты», играли в «наперсток» и раздавали коммунистические листовки.

Обходя лужи, Робин направился в ближайший банк обменять доллары на рубли. Хотя на внутреннем рынке в стране, даже по официальным данным, крутится не меньше двадцати миллиардов долларов и в большинстве магазинов все цены обозначены тоже в долларах, правительство запрещает магазинам торговать на твердую валюту, и продавцы принимают только рубли (но готовы поменять вам валюту, занижая, конечно, реальный курс доллара).

Однако в банке Робина ждала неудача — над окошком обмена валюты висела надпись: «РУБЛЕЙ НЕТ». Робин вздохнул, вышел из банка и наткнулся на ту самую веснушчатую двенадцатилетнюю девочку, которая переводила ему в прачечной.

— Hi! — сказала она. — Have you bought tags? (Ты купил бирки?)

Он отрицательно покачал головой.

— А ты был в старой прачечной?

Он снова покачал головой.

— Пошли! Я помогу тебе! Мне по пути! — И она решительно двинулась вверх по улице, явно гордясь своей ролью гостеприимной хозяйки города.

Робин пошел рядом с ней.

— Ты американец? Тебе нравится Россия? Кто ты по профессии? Как давно ты здесь? Ты первый раз в России? — сыпала она вопросами, и Робин жестами отвечал, что ему нравится Россия, что он механик по автомобилям, что он здесь уже два месяца и что это его первый визит в Россию.

А девочка продолжала сыпать вопросами:

— Как тебе мой английский? Ты видел Мадонну? Тебе нравится Майкл Джексон?

Так дошли они до дома с вывеской «ПРАЧЕЧНАЯ», и девочка уверенно толкнула дверь. Робин вошел за ней. Здесь работало «Русское радио», а за окном приемщицы были видны стеллажи с тюками стираного белья и несколько пожилых женщин в серо-белых больничных халатах, занятых сортировкой этих тюков. По радио звучала песня «Едут, едут по Берлину наши казаки». Одна из женщин подошла к окну.

— Здравствуйте, — вежливо сказала ей девочка. — У вас есть бирки?

— Есть, — ответила женщина. — Сколько тебе?

Девочка обрадованно взглянула на Робина и спросила женщину:

— А почем они?

— Четырнадцать тысяч.

— Fourteen thousand rubles, — перевела Робину девочка, хотя он и сам понял.

«ЗА ОДНУ ШТУКУ?» — изумленно показал он на пальцах.

— За одну бирку — четырнадцать тысяч? — спросила у женщины девочка.

— Не за одну, а за сто! — ответила та. — Сколько вам нужно?

— Fourteen thousand for hundred tags, — перевела девочка Робину. — How many you need?

Он показал «штук двадцать» и достал деньги.

— Двадцать штук, — попросила девочка у женщины.

— Мы на штуки не продаем, только сотнями. Сотню будете брать?

Девочка хотела перевести, но он показал: «о'кей, о'кей, вот деньги» — и протянул двадцать тысяч рублей.

Женщина положила перед собой моток бирок и открыла большую конторскую книгу.

— Паспорт! — сказала она.

— Passport, — перевела девочка Робину.

Но у Робина не было при себе паспорта, и он непонимающе показал рукой и глазами: «Зачем паспорт?»

— А зачем паспорт? — спросила девочка у женщины.

— А затем! Без паспорта бирки не продаем! — строго сказала женщина, но затем, оглядев расстроенную девочку и Робина, смягчилась: — Ладно! Имя, адрес и телефон? — и занесла над книгой авторучку.

— She wants your name, address and telephone, — сказала девочка Робину, но он уже и сам писал в своем блокноте: ROBIN PALSKY. BRESTSKI STREET, 29, APT. 34. Tel. 264-56-27.

— Робин Пальский. Брестская улица, 29, — прочла с его блокнота девочка, и женщина записала в книгу его имя, адрес и номер телефона.

«CAN THEY SEW THESE TAGS TO MY LINEN?» — снова написал Робин.

— А вы можете пришить ему эти бирки на белье? Он иностранец, — сказала девочка женщине.

— Нет, бирки мы не пришиваем. — Женщина отдала ей моток бирок и сдачу с двадцати тысяч рублей. Робин хотел оставить эту сдачу девочке, но она категорически отказалась и вручила ему деньги. Они вышли из прачечной. Девочка сказала задумчиво:

— Я думаю, я знаю, зачем они требуют фамилию и адрес. Допустим, милиция найдет мертвого, которого ограбили. По бирке они установят, кто он, верно?

Робин кивнул, остановился у уличного ларька и жестами спросил у девочки, что она хочет: мороженое? шоколадку?

— Oh, no! Ничего! Nothing! — сказала девочка, но не устояла перед соблазном. — Or... may be a gum?

Он купил ей пачку жевательной резинки и шоколадку «Snickers».

— Thank you, — покраснела она. — Значит, тебя зовут Робин. А я Катя. Приятно познакомиться. О, мой троллейбус идет! Я должна бежать! Пока! — И в обход пешеходов убежала к троллейбусной остановке, крикнув уже на ходу, через плечо: — Я помню твой номер: два-шесть-четыре — пять-шесть — два-семь!

Он стоял и смотрел, как вслед за десятком пассажиров она поднялась в троллейбус и стала у заднего окна, помахав ему рукой, как закрылись двери троллейбуса и как он тронулся, унося вниз по Тверской улице эту маленькую русскую фею с веснушками. Только теперь он понял, что прачечная, куда она его отвела, была вовсе ей не по дороге, а как раз наоборот...

Нащупав в кармане моток с бирками, которые он, конечно, не станет пришивать к белью и рубашкам, Робин, обходя лужи, тоже двинулся вниз по Тверской к магазину «Наташа», где они с Винсентом уже покупали постельное белье, когда вселялись в свою квартиру.

И вдруг гулкий взрыв сотряс улицу.

Робин и все вокруг вздрогнули и замерли.

В квартале от них мощным взрывом разворотило троллейбус, в который только что села веснушчатая фея. Там кричали люди, гудели машины.

— Опять чечены взорвали... — сказал кто-то рядом с Робином.

«КАТYА!» — замычал Робин и, расталкивая застывших в ужасе пешеходов, бегом ринулся к дымящемуся троллейбусу.

Но уже и издали было ясно, что мина взорвалась в хвосте троллейбуса — как раз там, где стояла девочка.

ЧАСТЬ ЧЕТВЕРТАЯ

46.

МЕМОРАНДУМ № 2

*СОВЕТУ ИЗБИРАТЕЛЬНОЙ КАМПАНИИ
ПРЕЗИДЕНТА*

Наши рекомендации основаны на результатах опросов общественного мнения, работы с «фокус-группами» и на нашем многолетнем опыте проведения предвыборных кампаний.

Пять лет назад Президент был героем для большинства россиян. Он был отцом нации, он провел Россию через период политической нестабильности и вооруженных столкновений и считался человеком, который приведет Россию к процветающему и демократическому будущему. Несомненно, такие задачи были нереальны для отпущенных Президенту сроков, но рядовой человек не представляет боль и страдания, через которые должна пройти страна, чтобы на развалинах коммунизма создать новую социальную, политическую и экономическую систему.

Поэтому теперь, после многих лет неудач, россияне стремятся к сильному лидеру, который предпримет быстрые меры для улучшения ситуации. Между тем за последние четыре года имиджу Президента нанесен серьезный урон и сейчас его рейтинг угрожающе низкий. Многие россияне стали с одобрением вспоминать прошлое и ратовать за возвращение режима, который по крайней мере «заботился» о них. Изученный нами опрос общественного мнения говорит о том, что 42 процента избирателей предпочитают государственную плановую экономику и в соотноше-

нии 41 процент «за» к 36 процентам «против» одобряют возврат к советской системе, которой они «наслаждались» до перестройки.

Принимая во внимание эти обстоятельства, неудивительно, что избиратели не доверяют Президенту (более 65 проц. опрошенных) и совсем немногие готовы голосовать за него. Хотя именно сейчас ситуация в России начинает улучшаться, и впервые за последние 10 лет в экономике проявляются тенденции роста. Правда, общественность этому не верит, но во власти Президента изменить ситуацию, и, на наш взгляд, изменить значительно.

КОНЦЕПЦИЯ

Самый важный вопрос — как продемонстрировать это улучшение ситуации ДО того, как мы окажемся в разгаре кампании, которая начнется 14 мая, когда будет разрешена демонстрация на телевидении предвыборной рекламы.

Ответить на этот вопрос легко, но осуществить его на практике чрезвычайно сложно. Необходимо:

1. Начать выполнять данные в прошлом обещания.

Президент должен осознать эту необходимость, поскольку в своем телевизионном выступлении о положении в стране он обещал: а) закончить войну в Чечне; б) выплатить задолженность по зарплате работникам государственных предприятий и в) помочь пенсионерам оправиться от последствий инфляции.

2. Администрации Президента начать работать по ключевым проблемам.

Практически каждый опрос общественного мнения свидетельствует о том, что именно эти вышеперечисленные вопросы плюс проблемы преступности, земельная реформа и положение России в мировом сообществе вызывают наибольшую озабоченность избирателей.

3. Работать быстро и так, чтобы обеспечить Президенту доверие избирателей. МАКСИМУМ ДОВЕРИЯ ПРЕЗИДЕНТУ! — вот лозунг.

Главное преимущество Президента в том, что он обладает всей полнотой президентской власти, и мы настаиваем на том, что-

бы он использовал ее с целью показать, почему его необходимо избрать на второй срок.

Вот как это должно происходить.

До начала активной избирательной кампании остается шесть недель. Мы предлагаем использовать их для решения шести выше-указанных проблем. То есть организовать ход кампании таким образом, чтобы действия Президента по каждому из шести вопросов освещались поочередно и концентрированно на протяжении шести недель (один вопрос — одна неделя).

Например, мероприятия по проблеме войны в Чечне:

Президент выступает на всероссийском телевидении с планом мирного урегулирования в Чечне. Согласованность действий и высказываний команды Президента обязательна. Сократить выступление Президента до 6 — 10 главных аспектов плана. Подготовить ожидаемые вопросы от прессы. Все в команде Президента должны отвечать на вопросы прессы одинаково. Единство в команде Президента покажет всем, что Президент является решительным лидером страны, который совершает твердые поступки для улучшения ситуации в стране.

После того как Президент объявит о плане урегулирования чеченского конфликта в своем Обращении к нации, ему необходимо будет посетить войска и поднять боевой дух армии для того, чтобы придать больший вес своему предложению. Его семье следует посетить раненых солдат в госпитале, и или сам Президент, или члены его семьи должны посетить семью солдата, погибшего или раненного в ходе войны в Чечне.

Когда солдаты начнут возвращаться домой, очень важно, чтобы россияне немедленно это увидели и были уверены, что Президент закончил войну. Показать по всероссийскому телевидению, как в Кремле Президент награждает воинов за мужество.

В результате визуальный и эмоциональный эффект этих шагов продемонстрирует подлинное намерение Президента решить эту проблему и произведет большое впечатление. Помните, что каждый россиянин смотрит новости по телевидению и именно таким образом получает информацию и составляет мнение о лидерах страны. Примите к сведению, что мы рекомендуем привлечь жену и дочь Президента к участию в этих мероприятиях.

Аналогичные сценарии разработаны нами для освещения еженедельных действий Президента по решению остальных проблем — выплата задолженностей по зарплатам, помощь пенсионерам, борьба с преступностью и т.д. Нужно осознать, что преступность и личная безопасность стоят в числе наиболее острых проблем для среднего россиянина. Большинство опросов свидетельствует о том, что 50 процентов избирателей ставят эту проблему на первое или второе место.

Нужно иметь также в виду, что российским избирателям не нравятся ни существующая рыночная система экономики, ни старая советская система. Большинство определили следующие предпочтительные варианты:

— расширение частного предпринимательства;

— право частной собственности на землю и имущество;

— достижение этих целей с помощью ликвидации коррупции и усиления государственных мер по охране безопасности граждан и их имущества.

Президент должен предложить людям эту альтернативу, вместо того чтобы заставлять их делать выбор между репрессиями советского периода и сегодняшним хаосом.

Для эффективного освещения в средствах массовой информации мер, которые Президент принимает по решению каждой проблемы, организаторы кампании должны привлечь представителей прессы, даже если для этого им потребуется самолет.

Мы также рекомендуем появление кандидата в различных уголках страны, чтобы все видели, что он общается с народом и знает о его проблемах. При этом мы понимаем, что нынешнее состояние здоровья Президента — это существенный фактор, и мы не рекомендуем слишком напряженный график его ежедневных мероприятий. Если Президент летит в какой-либо регион и проводит там одно краткое мероприятие, которое освещается по телевидению, он может создать впечатление, что он встречается с людьми без всякого напряжения. В конечном счете важна не продолжительность его пребывания в регионе, а то, что попадает в информационные программы по телевидению.

Цель всей этой деятельности — убедительно показать, что Президент понимает нужды избирателей, занимается конкретным решением каждой проблемы и что для него крайне важно «сохранить доверие тех, кто отдал свои силы и боролся за то, чтобы Россия стала великой страной». При этом даже пенсионер, чья материальная обеспеченность была разрушена инфляцией, должен рассматриваться как ценный солдат в войне за восстановление величия России.

Если на протяжении шести недель Президент продемонстрирует народу свою занятость **эффективным** решением стоящих перед страной задач, избирателям станет ясно, что Президент — решительный лидер и человек, который может принимать жесткие решения и одновременно способен сострадать.

ПРЕЗИДЕНТ КАК МИРОВОЙ ЛИДЕР

Для того чтобы создать портрет Президента как мирового лидера, который, в отличие от своих провинциальных оппонентов, может успешно работать с Западом, Президенту необходимо нанести визит в США и встретиться с президентом Клинтоном или (что еще эффективней) инициировать приезд американского президента в Москву. В первом случае Президенту следует выступить с обращением на совместном заседании Конгресса США, а также с обращением в ООН и к лидерам американского бизнеса по поводу будущего в российско-американском сотрудничестве. А после возвращения в Россию Президент должен выступить по телевидению, рапортуя народу об итогах поездки и повторяя главные стратегические направления в улучшении жизни в стране.

СРЕДСТВА МАССОВОЙ ИНФОРМАЦИИ

Выше мы обозначили ПОЗИТИВНУЮ ПЛАТФОРМУ работы организаторов избирательной кампании. Но важно помнить, что СМИ неохотно хвалят Президента за какие-либо его действия и скептически относятся к его обещаниям и возможности их выполнения. Потому основная масса населения до сих пор не знает, что сделано Президентом. Ключ к преодолению этого барьера — ПОВТОРЕНИЕ, ПОВТОРЕНИЕ И ПОВТОРЕНИЕ. Необходимо постоянно повторять, что сделано и делается Президентом, чтобы Президент ежедневно набирал дополнительные очки.

Для победы на выборах организаторы кампании должны, помимо Позитивной программы для Президента, иметь НЕГАТИВНУЮ ПРОГРАММУ ДЛЯ ЕГО ГЛАВНОГО ОППОНЕНТА. Основные элементы этой платформы:

Страх. Многие избиратели боятся, что победа коммунистов приведет к гражданской войне, войне с республиками бывшего СССР и прочим «ужасным» последствиям.

Постепенный возврат к советской системе. Многие избиратели опасаются, что с приходом коммунистов они постепенно лишатся демократических свобод и права частной собственности.

Положение дел еще более ухудшится. Большинство опрошенных считает, что коммунисты не смогут решить экономические проблемы, проблему преступности и чеченский кризис, и с их приходом ситуация усугубится.

Лидер коммунистов. Его шансы на победу основаны на уверенности людей в том, что он не настоящий коммунист. Наша задача — доказать, что он является самым настоящим коммунистом и никогда не сможет выйти из-под контроля Политбюро КП. Что у коммунистов есть секретная Программа-максимум полного возврата к советской системе.

Успех Президента зависит, с одной стороны, от уменьшения враждебности по отношению к нему, а с другой стороны — от успешного поддержания в обществе страха перед коммунистами и их лидерами.

НАШИ ЦЕЛИ

а) Сектор, на который мы должны ориентироваться, — 75 процентов избирателей, которые на декабрьских выборах в Думу не голосовали за коммунистов. Мы получим очень мало голосов коммунистов, но мы имеем огромный потенциал голосов среди некоммунистов.

б) Голоса избирателей и сила воздействия различных элементов наших платформ сильно различаются по регионам. Поэтому очень важно подкрепить общенациональные обращения к населению различными видами рекламы на региональных ТВ, радио и в газетах, а также с использованием прямой почты.

47

Еще не выздоровев, Винсент не усидел дома и, едва температура упала, вырвался на волю, к делам. Первый визит — к Болотникову, который после покушения на Бориса Бере втрое увеличил охрану своего банка, а в приемной посадил автоматчиков из «Витязя». Но даже эти гиганты не смогли остановить Винсента, который, не прождав и пяти минут, прямо из приемной стал по своему «Эриксону» названивать в кабинет Болотникова:

— Кончай, Юрий! Сколько я буду сидеть тут, как ослиная задница, и ждать твоего оргазма?! Спусти уже и прими меня хоть на пять минут! Это важно!

И, едва очередная «референтка» с фигурой Бриджитт Фонда и деловой папкой под мышкой вышла от Болотникова, Винсент ринулся в его кабинет. Но Болотников, похоже, был занят совершенно не тем, в чем его подозревал Винсент. Он, Георгий Брух и трое сотрудников банка вели оприходование валюты, только что доставленной из аэропорта «Шереметьево»: шесть брезентовых мешков с клеймом «Federal Bank of USA», стянутые стальными «удавками» и запечатанные свинцовыми номерными пломбами, стояли на полу подле длинного полированного стола для заседаний. Еще два мешка уже были распечатаны и валялись рядом, а их содержимое стопками новеньких стодолларовых купюр выстроилось на столе.

— Вау-у! — сказал Винсент. — Это новые доллары?

Доллары нового образца только-только появились в США, и Винсент их еще не видел.

— Да. — Болотников был явно недоволен его вторжением. — What's up? В чем дело?

Но Винсент не мог оторваться от такой кучи денег.

— Могу я посмотреть? Я не стащу, — сказал он, подходя к столу с деньгами.

— Я надеюсь, — хмуро заметил Болотников.

Винсент взял одну купюру из вскрытой пачки, повертел в руках. Портрет Франклина был значительно больше, чем на старых купюрах, и на просвет был виден еще один его полупрофиль. Винсент положил купюру на место.

— Сколько здесь?

— По три миллиона в мешке, — неохотно объяснил Болотников. — Что тебе нужно?

Болотников явно не был расположен к болтовне, но Винсент все не мог оторваться от денег.

— Ты их только что получил из аэропорта? Да? Когда я летел сюда, я видел, как они перевозят эти деньги. В багажном отсеке и без всякой охраны.

Болотников усмехнулся:

— Хочешь грабануть самолет? Я тебе дам наводку. Сегодня я получил двадцать четыре миллиона, а на пятницу «Бере-банк» заказал сорок. Ты берешь самолет — мои десять процентов, идет?

— Спасибо. Я подумаю об этом.

— Итак! — перешел на деловой тон Болотников. — Какие проблемы?

Винсент посмотрел на сотрудников Болотникова, сидевших у стола и занимавшихся регистрацией денег.

— Это частный разговор, — сказал он, садясь в кресло и вытирая пот: он был еще слаб после болезни.

Болотников кивком головы попросил своих сотрудников выйти из кабинета, Брух усмехнулся:

— Мне тоже выйти?

— Перестань, мы партнеры! — сказал Винсент.

Когда за банковскими сотрудниками закрылась дверь, Болотников и Брух глянули на Винсента.

— O'кay! — сказал он, обращаясь к Болотникову. — Я болен, но я не идиот. Два месяца назад мы получили двенадцать миллионов, так? Ты сказал мне, что держишь эти деньги на Кипре, так? Но я в это не верю! О нет! Ты играешь ими на бирже, вот где ты их держишь! И я хочу знать, какой процент я с этого имею и когда получу?

Болотников, опустив глаза в стол, сел в свое кресло.

— Ну?! — требовательно сказал Винсент.

— Это было во-первых, — сказал Болотников, не поднимая глаз. — Продолжай.

— А во-вторых, ты обещал кевлар и броневую сталь. Это в контракте, ты помнишь? — Винсент посмотрел на Бруха в ожидании поддержки. — Но ничего нет, а клиенты уже грозят взорвать мой офис! Это Россия, друзья, не Америка! Тут убивают, даже когда *тебе* должны, а не только когда ты должен!

— Все? — спросил Болотников, по-прежнему не поднимая глаз от стола.

— Да!

— Олрайт, Винсент. — Болотников впервые посмотрел на Винсента через свои очки, и Винсент вдруг испугался этих практически белых от бешенства глаз. Но Болотников продолжал тихо и вежливо: — Во-первых, я хочу, чтоб ты знал: если ты еще раз придешь сюда без звонка, я прикажу охранникам выкинуть тебя в окно. Ясно?

— Да ладно, Юрий... — попробовал Винсент смягчить ситуацию.

— Это ясно? — еще тише повторил Юрий, и Винсент вдруг отчетливо понял, что действительно и Юрий, и Брух, и вообще кто угодно в этой стране может в любой момент выбросить его в окно, спустить с лестницы, избить и даже убить — кто станет защищать его? Русская милиция? Американское посольство?

— О'кей, Юрий, — сказал он примирительно. — Мы же партнеры...

— Конечно. Но, надеюсь, ты меня понял, — без улыбки сказал Болотников, однако глаза у него очеловечились. Он снял очки и протер стекла. — Теперь насчет нашего ебаного бизнеса. Деньги на Кипре, в оффшорном банке, а проценты идут на зарплату твоим американцам...

— Но им должно платить ваше правительство! — воскликнул Винсент.

— У правительства денег нет, ты знаешь. Вчера мы начали расплачиваться с рабочими и теперь в полной жопе! — И Болотников кивнул на газеты с крупными заголовками:

**«ПРЕЗИДЕНТ
ВЫПОЛНЯЕТ СВОИ ОБЕЩАНИЯ!
20,7 ТРИЛЛИОНА РУБЛЕЙ —
ПОЧТИ ШЕСТЬ МИЛЛИАРДОВ ДОЛЛАРОВ —
НАПРАВЛЕНО ИЗ ФЕДЕРАЛЬНОГО БЮДЖЕТА
НА ПОКРЫТИЕ ДОЛГОВ ПО ЗАРПЛАТАМ.
НО ЕЩЕ ЧЕТЫРЕ ТРИЛЛИОНА РУБЛЕЙ НУЖНО
НА ПЕНСИИ».**

— А как насчет этих денег? — Винсент кивнул на мешки с деньгами.

— Это мы отдаем свои, — объяснил Брух. — В избирательный штаб.

— Выходит, я привез американскую команду за свой счет, и они спасают вашего президента за мой счет?

— Только не нужно патетики! — брезгливо скривился Болотников. — Таких «спасателей» у нас знаешь сколько?

— Сколько?

— Не важно. Ты за свои услуги получил двести тысяч.

— Это другое! — отмахнулся Винсент. — То была плата за страх. А сегодня я должен платить им зарплату — откуда?

— Не пизди! Зарплату ты им платил неделю назад.

— За предыдущий месяц, — уточнил Винсент. — Но они не хотят получать раз в месяц, как русские. У нас принято платить понедельно.

Болотников посмотрел на него, пытаясь понять, нет ли за этим какого-нибудь подвоха, но Винсент выдержал этот взгляд.

— И ты будешь приезжать сюда каждую неделю? — спросил Болотников.

— По пятницам, — уточнил Винсент.

Болотников взял со стола семь пачек по десять тысяч долларов и бросил их перед Винсентом.

— Ты хочешь сказать, что не хочешь видеть меня по пятницам. Да? — усмехнулся Винсент, не прикасаясь к деньгам.

— Да.

— Но этого недостаточно. Я должен платить их переводчице.

— А ху-ху не хо-хо? — усмехнулся Болотников. — Ей платит Тан Ель. — И посмотрел на часы: — Все! У нас работа!

— Секунду! А что насчет кевлара и стали?

— Oh, fuck! — Болотников задумался, сказал озабоченно: — Не знаю, как быть. Военные заводы действительно бастуют.

— Может, мэра попросить? — сказал ему Брух.

— Это по твоей части, — ответил Болотников, нажал кнопку селектора и приказал секретарю: — Дай мне помощника мэра. — И, едва замигала линия связи с мэрией, снял трубку, передал ее Бруху.

— Алло! Женя? — сказал в трубку Брух. — Ну как ты попарился с этой телкой? Только, пожалуйста, не пизди, что у тебя снова не встал! Отсосала? Ну слава Богу, поздравляю! Слушай, тут есть один человек, ты его знаешь — он твоему хозяину «порша» подарил, помнишь? Да, американец, бронированные «мэрсы», с памятью у тебя все в порядке, не то что с эрекцией. Короче, нужно ему помочь по линии бронированной стали и кевларовых панелей. Жопа, кевлар — это материал двадцать первого века, им обшивают военные вертолеты. А мы из него делаем внутреннюю облицовку «мэрсов», чтобы тебя, суку, не убили, когда ты со своей телкой будешь в машине кибернетикой заниматься. Короче, кевлар должен быть на 107-м «ящике», ты знаешь, что я имею в виду... «Ми-28», умница! Похоже, она у тебя не все отсосала, придется еще раз ее прислать. Так вот, нужно, чтобы мэр посетил этого американца и позвонил директору 107-го «ящика». Пречистенка, 127, «Рос-Ам сэйф уэй». Сделаешь? Тебе «мерседес»? Ты что, охуел? У тебя же их два! А, бронировать? Ладно, договоримся! Работай и копи сперму. Пока! — Брух положил трубку и укорил Винсента: — А ты хаешь Россию. А у нас видишь как все просто?

— Н-да! — ответил Винсент, завистливо глядя на деньги. — Я сделал большую ошибку в жизни.

— Какую? — спросил Болотников.

— Я не стал банкиром.

— Грабить самолеты еще прибыльней, — усмехнулся Болотников. — Подумай об этом.

Винсент вздохнул:

— Нет, с этим я завязал. Я приехал сюда делать легальный бизнес.

— Ты выбрал верное место, — сказал Брух.

Второй визит — в «Президент-отель», но по дороге Винсент заехал в «Макдоналдс» и купил две дюжины бигмаков и дюжину пакетов с жареной картошкой. Он купил бы и больше, но у него кончились русские деньги, а ему еще хотелось купить цветы. Пришлось заскочить в банк и выстоять небольшую очередь, которая, наоборот, покупала доллары. Какая-то старуха, получив новенькую сотенную купюру с укрупненным портретом Франклина, недоверчиво повертела ее в руках и вернула кассирше:

— Разве это деньги, милая? Тут одна лысина! Нет, ты мне дай настоящие — с маленьким мужичком!

Обменяв деньги, Винсент выскочил к своему «мерседесу», у которого уже стоял милиционер, грозно постукивая жезлом по лобовому стеклу машины.

— Документы! Штраф будем платить! — привычно сказал он Винсенту.

— Моменто! — Винсент нырнул в машину, достал из бардачка грамоту с подписью московского мэра и с улыбкой подал мильтону. Тот уставился в текст.

— Карашо? — спросил у него Винсент.

— «Карашо»! — злобно передразнил его милиционер. — Езжай, сука!

— Thank you!

Но на следующем углу Винсент притормозил, жестом подозвал старуху с ведром подснежников, увязанных в маленькие букетики.

— Патчом? How much?

— Три тыщи, милок! Свеженькие! Седни с ранья сама собирала, все ноги поморозила. В лесу-то... — затараторила старуха.

Он не понял, переспросил:

268

— All snowdrops — how much? Патчом? — И обвел жестом все ведро с цветами.

— Все хочешь взять? Ой, я не знаю. Тут, поди, тридцать букетов! Тут на девяносто тыщ!

Винсент дал ей русскую стотысячную купюру:

— Enough? Карашо?

— Сдачу я тебе должна, милок, сдачу... — Не веря своей удаче, старуха достала из кармана телогрейки мятую пачку мелких русских денег и трясущимися руками стала отсчитывать ему сдачу.

Он махнул рукой:

— It's o'kay! Карашо! Forget it!

Но она не поняла, вручила ему горсть мятых рублей и еще перекрестила его:

— Спасибо, милок! Дай тебе Бог! Будет старухе на хлебушек с чаем... — И протянула Винсенту мокрую охапку букетов.

— Wrap it up, please. — И Винсент жестами показал, как заворачивают букеты. — Don't you have a paper to wrap it?

— А газетку купишь, милок, газетку. Благослови тебя Бог! Дай те Бог мульон!

Винсент взял цветы, положил на соседнее сиденье возле пакетов с гамбургерами и покатил в «Президент-отель», разбрызгивая апрельские лужи на неосторожных прохожих.

Апрель уже стоял в Москве, апрель!

По Тверской проезд был закрыт в обе стороны — тут шла краснознаменная коммунистическая демонстрация. Впереди медленно катил грузовик с гигантским портретом Зю Гана и мощными радиодинамиками, оглушающими улицу маршами времен Второй мировой войны:

> Вставай, страна огромная!
> Вставай на смертный бой!

Огромная колонна демонстрантов с вдохновением подхватывала:

> С фашистской силой темною,
> С проклятою ордой!

269

Демонстранты несли портреты Зю Гана и Ленина, кумачовые флаги и развернутые во всю ширину улицы транспаранты:

БАНДУ ЕЛЬ ТЗЫНА — ПОД СУД!
и
НАШЕ ДЕЛО ПРАВОЕ — МЫ ПОБЕДИМ!

48.

На сей раз в проходной «Президент-отеля» Винсента ждал пропуск, а охранники, осматривая его большой макдоналдсовский пакет с гамбургерами, жадно потянули носами.

— You like it? Be my guest! Take it! — И Винсент с апрельской щедростью дал им по гамбургеру, а они в ответ даже не стали открывать его атташе-кейс, где лежали пачки с долларами.

Нагруженный свертком с цветами, сумкой с гамбургерами и атташе-кейсом, он прошествовал через центральный вход в вестибюль отеля и не узнал его: вместо прежней величественно-холодной и беломраморной пустоты тут царила обстановка не то революционного штаба, не то шумной московской тусовки. К лифту пришлось чуть ли не проталкиваться, и по дороге Винсент натыкался то на банкиров, которых он видел на банкете в «Праге» и в президентских покоях на «приеме» у Сос Кор Цннья, то на знаменитых политологов и журналистов, чьи лица не сходят с русских телеэкранов. В воздухе стоял сигаретный дым, шелест деловых бумаг и листов ватмана с эскизами плакатов, значков, клипов. И со всех сторон шумели голоса, обрывки разговоров, возгласы:

— Издание газеты «Не дай Бог» обойдется всего в пятнадцать миллионов баксов...

— Шестьдесят дирижаблей и воздушных шаров с транспарантами «Голосуй сердцем!» полетят по маршруту Москва — Урал — Челябинск...

— Почему все клипы должен делать Никита Михалков?..

— А кто финансирует портреты Ель Тзына с мэром?..

— Прямая почта «От двери к двери». Печатаем антизю-ганские листовки и нанимаем людей, чтобы разносили по квартирам!..

— Это старо! Сегодня с помощью компьютерного банка данных можно печатать личные письма каждому избирате-лю. «Дорогой Пупкин Иван Иванович, поздравляю Вас с днем рождения и так далее. Подпись: Ель Тзын».

— Плакаты «Голосуй или проиграешь» должны висеть на каждом столбе! То есть тираж — десять миллионов, не меньше!..

— Сеть клубов молодых избирателей — но современных, с дискотеками...

— Передвижная фотовыставка «Россия вчера, Россия сегодня» обойдется в копейки, но может проехать по всей стране...

— Фильм «Рассекреченный Ленин»...

— Значки «Ель Тзын — наш президент!» — всего два мил-лиарда рублей...

Когда Винсент был уже рядом с лифтом, чья-то рука легла ему на плечо:

— Stop, американский шпион! Hende hoh!

Он оглянулся.

Конечно, это опять был Брух, хохочущий своей соб-ственной шутке.

— Shit! — с облегчением сказал Винсент. — Fuck твой юмор! Что тут происходит?

— Спасение утопающих — дело рук самих утопающих, — сказал Брух и спросил своего шестилетнего сына: — Ма-рик, можешь перевести на английский?

— I'll try, — сказал мальчик и действительно перевел.

Но Винсент все равно не понял, и Брух ему объяснил:

— Тан Ель изложила нам классный план проведения вы-боров. Не знаю, это ее идеи или твоей команды, но ви-дишь, что тут завернулось?! Если мы выиграем, ты получишь орден Героя России, бля буду!

271

— Папа! — укорил его сын. — Watch your language!

— Извини, Марик, — сказал Брух-отец. — Познакомься. Это дядя Винсент, он делает бронированные и летающие автомобили.

— Правда? Really? — загорелся мальчик. — Можно мне посмотреть?

— Запросто, — сказал Винсент. — Как только твой папа и его друг привезут мне кевлар и броневую сталь. О'кей? А сейчас мне нужно идти наверх.

Но наверху, в номере 1120, где находился офис американской команды, Винсента ждало разочарование — Александра укатила в очередную командировку.

— Ты ее только что упустил! — сказала Лэсли Голдман и потянула воздух ноздрями, указав на пакет в руках Винсента: — Настоящие гамбургеры?! О Винсент! — И на радостях даже обняла его. — Это так мило с твоей стороны!

Американцы, бросив свои компьютеры, расхватали гамбургеры и радовались им, как дети — даже больше, чем привезенной Винсентом зарплате.

— Ты не представляешь, какая тут еда! — жаловались они Винсенту и показали ему крошечные бумажные талоны на питание в гостиничном ресторане. — Смотри! Они выдали нам талоны на еду в ресторане. Типичный коммунизм!

— А ты был за Москвой? В русской провинции? О Боже! Там живут ужасно!

— Люди приятные, но — голодают! Я имею в виду — по-настоящему!

— Конечно, они хотят назад, в коммунизм. Ты слышал последний анекдот? Слушай. Старуха идет по улице и тащит на себе туалетную бумагу, хлеб, соль, мыло. Ей говорят: «Бабушка, зачем ты столько накупила?» Она говорит: «А запасаться надо, коммунисты возвращаются». «А за кого ты будешь голосовать, бабушка?» «А за них, проклятых, за коммунистов!»

— Так как у вас идут дела, ребята? — спросил Винсент, оглядывая висящие на стенах графики и таблицы популярности кандидатов в президенты в каждом регионе страны. — Там внизу настоящий Вавилон. Это ваша работа?

— Частично наша, — сказали они с гордостью. — Но скажу тебе честно: эта президентская дочка — не дура! О нет! Она хватает любую идею и щелкает ее — вот так! А сейчас ее команда — они затеяли нечто перченое в Краснодаре и послали туда Патрика и Александру проверить эффект. Знаешь, у нас ведь уже есть банковский самолет, на котором мы летаем по всей стране!

— Поверь мне: сейчас мы работаем на них, но осенью они уже смогут работать на наших президентских выборах.

— А как насчет этого красного цвета? — Винсент кивнул на карту России, больше чем наполовину закрашенную в красный прокоммунистический цвет.

— Да, это серьезно. Действительно. Но мы только начинаем работу. И стараемся поддерживать энтузиазм у Тан Ель, это важно!

— Так когда же Саша вернется?

— О, через пару дней! Но потом мы сразу летим в Сибирь. Президент вот-вот объявит свой план окончания войны в Чечне, и мы должны проверить на «фокус-группах», как люди это воспримут.

— У вас тут есть ваза или что-нибудь в этом роде? — Винсент развернул газету с подснежниками.

— О, подснежники! — воскликнула Лэсли. — Винни, ты такой романтик! Разве сегодня День Валентина?

49.

В Краснодар самолет «Бере-банка» прибыл к вечеру, но малочисленную, из семи человек, группу московских гостей никто не встречал — город был столицей красного «коммунистического пояса», и местная администрация бойкотировала всех кремлевских визитеров, тем более из Штаба избирательной кампании президента. Алексей Свешников, молодой худощавый помощник дочери президента и руко-

273

водитель группы, стал озадаченно звонить в Москву по своей «Мотороле», но едва они вышли из здания вокзала, как их окружили восемь парней в спортивных костюмах «Адидас» и кроссовках «Найк» — униформе нижнего звена российского криминалитета.

— Нэ нада ныкуда званит, — сказал один из них с грузинским акцентом. — Возле самолета ми вас не могли встретит, это нэ наша тэрритория. Зато тепер вы наши гости, прашу в машины!

С автомобильной стоянки, накрытой вечерним полумраком, выкатил целый кортеж во главе с «БМВ» и «Чайкой». Гостей провезли по центру города, показывая местные достопримечательности — неосвещенные памятники, правительственные здания, гостиницы и ночное казино. Город был южный, с невысокими домами, с пустыми аллеями посреди улиц и с медлительными водителями пыльных автобусов и машин. Только у закрытых уже и темных продовольственных магазинов была какая-то суета не то погрузки, не то разгрузки товаров. Встречающий обменялся со Свешниковым многозначительным взглядом и усмехнулся:

— Гатовимся к завтрашнему мэроприятию, дарагой!

Но ни у гостиницы «Центральной» на Красной улице, ни у «Кубани» на Ворошилова кортеж не остановился, а на вопросительный взгляд Свешникова все тот же грузин пояснил:

— Здесь вам шумно будет, хулиганства много.

Действительно, у входа в «Центральную» выясняли отношения группа крутых парней, а «Кубань» охраняли три автоматчика в камуфляже.

Машины свернули на улицу Тельмана, пересекли улицу Либкнехта и по темной улице Седина стали спускаться к набережной Кубани. Читая уличные таблички — проспект Дзержинского, улица Калинина, проспект Ворошилова, — Александра отметила, что ни одно название улицы не изменилось с советских времен, и даже этим Краснодар демонстрировал ностальгию по временам легендарного чекиста, всесоюзного старосты и первого красного маршала.

Зато на набережной они подъехали к пристани, где сиял огнями трехпалубный речной теплоход «Андрей Сахаров». Тут у трапа стоял молодой, не старше тридцати пяти, коренастый грузин в мягком пиджаке от «Версачи», надетом на майку «Калвин Кляйн». Крупное холеное лицо, искривленный нос боксера, перстни на пальцах.

— Важа Гриладзе, — представлялся он каждому из гостей. — Прошу на корабль. Немножко перекусить с дороги. Очень прошу.

Через час оказалось, что такого пира под скромным названием «Немножко перекусить с дороги», какой Важа Гриладзе закатил для них в кают-компании теплохода, ни Александра, ни Патрик Браун, ни остальные гости не видели в своей жизни. Выяснилось, что в тихом и внешне сонном Краснодаре есть все: нежнейшие речные раки Кубани, армянская форель, астраханская икра, грузинская баранина, подмосковные грибы и сибирская медвежатина. Свежайшие овощи и фрукты, кавказские вина и французские коньяки, немецкое пиво и финская водка. А также — звонкоголосые цыгане с бубнами и плясками, танцевальный ансамбль «Кубанские казачки» и даже заезжий столичный тенор с малиновым голосом. И конечно, настойчивое грузинское ухажерство. Только к пяти утра, когда пир заканчивался протяжными грузинскими песнями, Александре удалось улизнуть в свою каюту, закрыть дверь на щеколду, погасить свет и не отвечать на вкрадчивые стуки ухажеров до тех пор, пока они не решили, что она ночует у кого-то из своих москвичей или «у этого негра, наверное»...

А она лежала на узкой койке в темном алькове двухместной каюты и думала о странном повороте своей судьбы после гибели мужа. Она прожила с ним целую вечность — с семнадцати лет. Это был студенческий брак, а еще точнее, абитуриентский, поскольку они познакомились на вступительных экзаменах в Иняз. Костя, сын профессора-вирусолога Каневского и сбежавшей за рубеж балерины Пурыгиной, уже тогда знал три европейских языка, а в Инязе взял еще четыре. Но в конце восьмидесятых, как раз к моменту окончания ими Иняза, все их сверстники ринулись в предпринимательство, забросив к чертям собачьим свои вузовские дипломы не только Иняза, но и куда более престижных вузов — МАИ, МГУ, МВТУ, Политеха и прочих. Все стали работать по двадцать часов в сутки, не гнушаясь ничем — даже торговлей цветами и видеокассетами на улицах. И за пару лет либо перестреляли друг друга, либо создали свои финансовые империи. Но Костя не хотел ни работать по двадцать часов в сутки, ни стрелять в конкурентов. Он был сибарит советского разлива, он готовил себя к тихой кулуарной карьере кремлевского переводчика или дипломата. Но никто не нуждался в его блестящем английском и уж тем более — в его изысканном фарси, латыни и древнегреческом. А денег ему хотелось не меньше, чем всем остальным. И тогда он стал приторговывать информацией. Она догадывалась об этом, скандалила, но он говорил, что это временно, что информация в конце концов это тоже товар и что как только он сбросит за бугор хотя бы три сотни тысяч долларов, они вообще уедут из России.

Но деньги не отпускают тех, кто к ним прилипает. Костя, работая в Думе простым парикмахером, умел выуживать из своих клиентов информацию порой буквально бесценную для банкиров и брокеров, играющих на курсах биржевых акций. И все заработанные деньги маниакально переводил на свои счета за рубеж, не оставляя дома ни копья — он был уверен, что не сегодня-завтра вся эта «малина» рухнет, обвалится, нужно побыстрей выхватить свой кусок и бежать. Но кроме тех денег, о которых он говорил ей хвастая, Костя, она понимала, имел еще и другие — на проталкивании в Думе каких-то законов, выгодных тем или иным структурам, то есть на элементарном подкупе думских депутатов. Однако очень скоро для него, слабонервного мальчика-полиглота, любителя Пастернака и Бодлера, эта работа стала не в подъем, и он начал подкачивать себя наркотой, и уже не верила Александра ни в какие их деньги на Кипре, ни в какую его супружескую верность и трезвость его хитроумных игр великого информатора. Но что она мог-

276

ла сделать? Бросить его, уже брошенного однажды своей балетной мамочкой? Она жалела его, она любила его не только и уже давным-давно не столько как жена, сколько как женщина, заменившая ему мать. И от этой материнской любви она забыла себя, свою женственность, свои желания быть красивой, молодой, любимой. Жены, которые заменяют своим мужьям матерей, стареют куда быстрей, чем жены-любовницы. И тем же материнским инстинктом она знала, что его убьют — либо его наркотики, либо его многочисленные заказчики.

Но чтобы вот так, за те пару слов, которые он, оказывается, выудил у нее самой?..

А теперь, после его смерти, словно прорвало вдруг какую-то плотину, словно рухнул железный занавес, словно взрывом, который месяц назад распахнул стальную дверь ее квартиры, ее швырнуло из убогого черемушкинского жилья в стремительный поток жизни, который уже помимо ее воли несет ее неизвестно куда. «Рос-Ам сэйф уэй» на Пречистенке, «Президент-отель» и команда тайных американских советников, дочка президента и самолет «Бере-банка», полеты по всей стране от Камчатки до Краснодара и пир на «Сахарове» с цветистыми грузинскими тостами в честь «нашей замечательной гостьи, московской красавицы Александры». У мужчин вдруг открылись глаза на нее — Робин Палски, Винсент Феррано, маршал Сос Кор Цннь... О этот маршал! Она помнит, какими глазами он смотрел на нее, когда его адъютант притащил ее из плавательного бассейна! И что бы ни говорил этот маршал о ее миссии следить за американцами, только такие мужланы, как он, могут думать, что способны обмануть чувственный инстинкт женщины. Даже его обтирание снегом на балконе было для нее — для ее возбуждения и соблазна. И что говорить — он произвел впечатление, она и сейчас, в темноте, видит перед собой его мощный и докрасна растертый торс, пар от его плеч и крупное увесистое орудие в паху. И острое возбуждение входит в ее чресла, и вытягивает тело на холодной простыне, и аркой выгибает спину... Но кто, кто тянет к себе ее тело и душу? Немой

Робин с его загадочно-темными глазами, которые порой вдруг выплескивают на нее столько тепла, что до краев заливают душу, а порой оставляют какой-то осадок неясной беспомощности и пустоты? Смешной, трогательный и неожиданно бешено возбудимый Винсент, который смотрит на нее то глазами отца, то глазами влюбленного мальчишки? Или этот маршал с его легендарной властью и мощной мужицкой силой?

Александра уснула, так и не ответив себе на этот вопрос.

Она проснулась чуть ли не в полдень — от стука в окно и голоса Патрика:

— Саша, это я, Патрик. Ты жива там?

Она открыла занавески, он сказал:

— Мне кажется, что-то странное в городе...

Действительно, снизу, с реки, была видна какая-то необычная суета на неожиданно многолюдных городских улицах, чуть ли не паника. Но ни Важи Гриладзе, ни его свиты, ни Свешникова с остальными членами московского избирательного штаба на корабле уже не было, и Александра, наспех одевшись, спустилась с Патриком по сходням к такси, одиноко стоявшему на набережной.

— Свободны? — спросила Александра водителя.

— Для вас — обязательно, — ответил водитель. — Мне Важа Вахтангович приказал весь день вас обслуживать.

Александра повернулась к Патрику:

— It's our car, — и, сев в машину, повернулась к шоферу: — В центр, пожалуйста. Что у вас в городе происходит?

— А счас сами увидите! — загадочно ответил тот и через пару минут остановил машину у небольшого продмага при въезде в город. — Вот, смотрите!

У магазина толпилось человек сорок, они ожесточенно ругались и спорили, но из машины понять, в чем там дело, было нельзя, и Александра сказала Патрику:

— За мной!

— Что тут происходит?

— Сейчас увидим.

Они вышли из машины и пошли в магазин сквозь спорящую толпу и крики:

— Стрелять надо за такие вещи!

— Весь город без продуктов оставили!

— Да так вам и надо, коммунягам! А то забыли, как жили!

Александра вошла в магазин и с недоумением огляделась: все витрины и магазинные полки были совершенно пусты, продавщицы безучастно пили чай, а на самой верхней полке висел огромный плакат:

ТАК БЫЛО ПРИ КОММУНИСТАХ. ГОЛОСУЙТЕ ЗА НИХ — И ТАК БУДЕТ ВСЕГДА!

Да, в этот день Важа Гриладзе провел в Краснодаре весьма радикальную акцию: на целые сутки из всех магазинов исчезли абсолютно все товары! **«Голосуйте за коммунистов — и так будет всегда!»** — читали люди, входя в пустые магазины. Кто хохотал, кто матерился, но опросы общественного мнения и «фокус-групп», ради которых прибыли сюда представители московского избирательного штаба, показали, что с этого дня рейтинг коммунистов в Краснодарском крае пополз круто вниз.

50.

МЕМОРАНДУМ № 3

СОВЕТУ ИЗБИРАТЕЛЬНОЙ КАМПАНИИ ПРЕЗИДЕНТА

Последним «отслеживающим» опросом общественного мнения установлено, что в результате первых шагов Президента по выполнению своих обещаний (выплата задолженностей по зарплатам, план «замирения» войны в Чечне) и усилий Штаба избирательной кампании по освещению этих мероприятий популярность Президента несколько возросла: 32 процента опрошенных пози-

тивно оценивают его деятельность за последние несколько недель, а общая негативная оценка всей его деятельности снизилась до 59 процентов. Это наилучшая оценка деятельности Президента, которую мы когда-либо наблюдали.

К сожалению, популярность лидера коммунистов продолжает оставаться устойчивой, а его отрицательный рейтинг даже снизился, поскольку он пытается убедить избирателей, что не представляет собой угрозу. Он даже недавно заявил, что, если он победит на выборах, реформы продолжатся, только осуществляться они будут иначе. Если он добьется того, что он будет выглядеть мягким и добрым реформатором, то он победит.

Мы считаем, что теперь ход предвыборной гонки стабилизировался, и Президент и лидер коммунистов будут некоторое время идти ровно. Нам очевидно, что необходимо:

— активней изображать оппонента Президента как коммуниста, которому нельзя доверять, который в случае прихода к власти совершит нечто ужасное. Следует срочно выяснить у избирателей, которые считают, что победа коммунистов приведет к ухудшению ситуации, причины этой убежденности. Полученные у них ответы послужат главными тезисами для атаки на коммунистов, поскольку мы будем говорить то, во что люди сами верят. Первый важный вывод, который мы сделали: большинство людей считают, что сначала коммунисты не сделают ничего ужасного, но постепенно положение будет ухудшаться и ухудшаться. Рано или поздно коммунисты ограничат свободу вероисповедания, закроют некоторые печатные издания, вернутся к цензуре и в конечном счете возьмут страну в ежовые рукавицы, восстановят «железный занавес», и люди не смогут выезжать за рубеж или узнавать зарубежные идеи;

— как можно скорее атаковать лидера коммунистов по вопросу его секретной программы-максимум. Каждый третий участник «фокус-групп» знал об этой программе, хотя остальные лишь смутно что-то слышали о ней. Между тем секретная программа-максимум коммунистов — это прекрасный шанс продемонстрировать, что «рано или поздно коммунисты сделают все, чего вы так боитесь сегодня». Президент должен как можно скорее атаковать коммунистов по этому вопросу, чтобы не дать ему ускользнуть из поля зрения общественности;

— как можно скорее создать «бригады правды» — группы людей, которые будут появляться на коммунистических митингах с плакатами: «ЗЮГАН, ОТКРОЙ ПРОГРАММУ-МАКСИМУМ!», «НЕ ВРИТЕ НАРОДУ!», «НАЗОВИТЕ ТОЧНУЮ ЦИФРУ ЖЕРТВ КОММУНИЗМА С 1917 ГОДА!» и т.п. При освещении этих митингов по телевидению такие плакаты непременно должны попадать в кадр;

— наращивать энтузиазм активных сторонников Президента и расширять фронт популяризации его имиджа за счет активизации роли его жены в кампании.

ЖЕНА ПРЕЗИДЕНТА

Опросы показывают, что жена Президента очень популярна среди участников всех «фокус-групп», даже среди людей, которые не любят Президента. Они характеризуют ее как «очень приятную», «скромную», «цивильную женщину», «лучше, чем Раиса Горбачева». Большинство людей считают, что ей не следует заниматься политикой, но она должна держаться на заднем плане, поддерживая своего мужа. По их мнению, ей следует появляться на публике как одной, так и вместе с мужем, но ЕЙ НЕ СЛЕДУЕТ ПРОВОДИТЬ АКТИВНУЮ КАМПАНИЮ в его пользу. Как сказал один из участников «фокус-групп», «ей не нужно говорить «Голосуйте за него», но она должна заниматься благотворительностью, и это будет лучшей помощью с ее стороны».

Участники «фокус-групп» предположили, что жене Президента следует придерживаться образа женщины, которая заботится о людях и указывает Президенту на горести и нужды страны. Почти каждый полагал, что благотворительная деятельность в пользу бедных, больных и детей-сирот является наиболее подходящей для нее. Со своей стороны отметим, что самые популярные жены американских президентов занимались активной благотворительной деятельностью. Нэнси Рейган организовала движение «Скажи наркотикам НЕТ». Бетти Форд занималась деятельностью по борьбе с раком груди. Барбара Буш была защитницей всех матерей, кто сидел дома с детьми. С другой стороны, Хиллари Клинтон с самого начала занималась политикой, и это нанесло ущерб ее популярности. Сейчас она старается заниматься в основном благотворительностью, но, похоже, исправлять ее имидж уже поздно.

Вывод очевиден: на основании волеизъявлений избирателей мы рекомендуем жене Президента немедленно возглавить какую-либо национальную благотворительную организацию (например, «Фонд социального возрождения России») и в ближайшее время посетить крупнейшие города России в качестве представителя этой организации. Ей нужно дать много телеинтервью, в которых она обратится к людям с просьбой поддержать эту благотворительную деятельность, и вовлечь в эту деятельность знаменитостей, чтобы привлечь большее внимание общественности. Мы также считаем, что ей следует сконцентрировать внимание на каком-либо одном виде благотворительной деятельности, так как это даст людям понять, что она действительно заботится о своих подопечных.

СЕМЬЯ ПРЕЗИДЕНТА

Отношение участников «фокус-групп» к семье Президента примерно такое же, как в западных странах. Людей интересуют дети Президента — не с государственной, а с человеческой точки зрения. Между тем о семье Президента людям известно очень мало, они не знают, сколько у Президента дочерей и как их зовут, но им известно, что у Президента есть внук. Появление Президента со своей семьей на некоторых мероприятиях покажет его народу как живого, заботливого человека и в какой-то мере сблизит его с обычными людьми. Конечно, его детям не следует выступать, но они должны приветствовать отца после его выступлений. Очень важно создать для Президента имидж заботливого человека и противопоставить это восприятию реформ как мероприятий, направленных против людей.

ДОЧЬ ПРЕЗИДЕНТА

Участники «фокус-групп» почти ничего не знают о дочерях Президента. Они с неохотой согласились с тем, что хотя бы одна из них вполне может участвовать в предвыборной кампании своего отца. Поэтому мы рекомендуем Т.Е. сконцентрироваться на административном руководстве кампанией до тех пор, пока мы не получим больших данных или пока в настроениях избирателей не наметится перемена к лучшему.

ОСНОВНЫЕ ПОМОЩНИКИ
И СОВЕТНИКИ ПРЕЗИДЕНТА

Люди очень мало знают о том, кто помогает Президенту управлять страной. Они могли назвать лишь министра обороны, премьер-министра, начальника охраны Президента, руководителя департамента приватизации и пресс-секретаря. Отношение к премьер-министру наполовину позитивное, наполовину негативное, но в основном людям было все равно. По мнению избирателей, все члены правительства не помогают Президенту, но и не вредят ему — за исключением министра обороны, который исключительно непопулярен. Из этого следует, что смещение любого из них, сопровождаемое соответствующим объяснением для общественности («это смещение поможет восстановлению экономики, борьбе с преступностью или разрешению чеченского кризиса»), может помочь Президенту набрать дополнительные очки.

РЕФОРМЫ ПРЕЗИДЕНТА

Люди либо не знают о проводимых Президентом реформах (земельная реформа, снижение квартплаты), либо не верят в них. Никто не верит, что квартплата будет когда-либо снижена или что людям разрешат владеть землей. Даже после публикации сообщений о выделении средств для погашения задолженности по зарплатам работникам бюджетных организаций никто не знает, кто конкретно осуществляет эти погашения, в какие сроки и кто контролирует исполнение президентских указов. Напротив, в газетах («Известия» и др.) появились репортажи о расхищении выделенных Президентом средств руководителями региональных администраций и банков.

Такое положение дел никак не помогает Президенту, поскольку необходимо постоянно напоминать, напоминать и напоминать о позитивных действиях Президента, чтобы люди верили в их эффективность. Недостаточно произнести только одну речь. Если мы хотим, чтобы проводимая Президентом политика давала ему дополнительные очки, необходимо провести по меньшей мере четыре или пять пресс-конференций по каждой реформе. И следить за их претворением в жизнь.

51.

Мощно, на всю Москву, звенели и гудели церковные колокола.

Пасхально сияло весеннее солнце.

14 апреля Россия праздновала Воскресение Христово.

Храмы и церкви, запущенные при коммунистах до состояния скотных хлевов, вновь блестели золотыми куполами и свежей покраской белокаменных стен. Украшенные как свадебные невесты, они по праздникам стали местом массового паломничества, сюда шли с детьми и внуками, с невестами и женихами.

И даже атеисты, посмеиваясь, приветствовали в этот день друг друга словами: «Христос воскрес!»

А внутри церквей замечательно пели хоры, басовито служили службу именитые священники, одетые в золото и парчу, и крестный ход выходил из каждого храма с хоругвями и гимнами:

— Воскресение Твое, Христе Спасе...

И во всех главных храмах — от Успенского собора в Кремле и Донского монастыря на Шаболовке до Троице-Сергиевой лавры в Загорске — рядом с Патриархом, митрополитами и другими первосвященниками шли во главе этих крестных шествий кремлевские китайцы с просветленными лицами неофитов.

— Христос воскресе из мертвых, смертию смерть поправ...

Осеняли себя крестным знамением президент с женой, дочерьми и внуком и шедшие обручь с ними премьер-министр, члены правительства и министры.

— И сущим во гробе живот даровал...

А в других храмах под церковными хоругвями шли православный лидер коммунистов и его думские сотоварищи.

Да, воистину необъятно милосердие Спасителя, принявшего в лоно Церкви своей столь ярых в недавнем прошлом гонителей своих и уничижителей церковных храмов.

И неописуема истовость их новой веры перед объективами телевизионных камер.

Даже китайский еврей Ли Ф Шин, финансовый гуру президента, принимал в тот день поздравления.

— Христос воскрес! — сказал ему Рю Ри Кой, советник президента по международным вопросам.

— Спасибо, — отвечал Ли Ф Шин без трепета. — Меня уже предупредили.

Рю Ри Кой усмехнулся:

— Я не в этом смысле. Прочтите, — и протянул свежую шифровку из Вашингтона.

Ли Ф Шин прочел:

«По сообщению источника, работающего в Белом доме, резкий рывок нашего президента в избирательной гонке заставил Клинтона провести ряд дополнительных консультаций с руководством ЦРУ, Госдепартамента и с другими экспертами по России. Налицо воскрешение осторожного оптимизма: Госдеп интересуется возможностью срочного проведения в Москве полномасштабного саммита с целью демонстрации своей поддержки нашему президенту...»

Ли Ф Шин усмехнулся:

— Воистину воскрес!

Пролетая из Загорска в московскую резиденцию, стремительный мерседесный кортеж Йю Лу Жжа свернул на Пречистенку. Конечно, умелые секретари и помощники мэра загодя известили и 208-е отделение милиции, и Винсента об этом высоком визите, и по этому случаю у дома номер 127 во главе усиленного милицейского наряда лично дежурил начальник районной милиции Сорокин, в «гостях» у которого Винсент и Робин побывали месяц назад.

С яркими сполохами цветных мигалок, бойкими на суету охранниками и деловыми разговорами секретарей и референтов по радиотелефонам кортеж подлетел к дому с вывеской «Рос-Ам сэйф уэй, инк.». Низкорослый Йю Лу Жж, которого москвичи прозвали «Шаровая молния» за ретивость и внешнюю шаровидность, а также «Кепка» за неизменную рабоче-крестьянскую кепку на лысой, как бильярдный шар, голове, выскочил из авто и, опережая свиту, журналистов и милицейскую охрану, резво взбежал по ступеням парадной лестницы, колобком покатился по фирме и по его новенькому цеху бронирования автомобилей. Здесь, на бездействующем конвейере, стояли разобранные до шасси новенькие «мерседесы», и Винсент, поспешая за мэром, объяснял ему через услужливого Болотникова:

— Есть три вида бронирования. Первое и самое легкое — только косметическое: кевларовые панели заправляют во внутренние полости дверей и капота, меняют стекла. Кевлар — это новый материал из углепластика, который применяют в бронежилетах и при обшивке корпусов боевых вертолетов. Вторая степень бронирования: снимают всю внутреннюю обшивку салона до самой крыши и тоже прокладывают кевларом, а стекла заменяют на трехслойное пуленепробиваемое стекло из поликарбоната. И третья: все то же самое плюс днище и бензобак укрепляются броневой танковой сталью. В этом случае даже мина не страшна — от взрыва машина только переворачивается, как было с Бере...

— Хорошо. Я понял. Но почему все стоит? Когда начнется работа? — недовольно сказал мэр.

Болотников мог, конечно, и сам ответить, но вместо этого перевел вопрос Винсенту и выжидательно умолк.

Винсент понял его игру и развел руками:

— Вы видите, сэр, мы с партнерами сделали все: построили этот цех, привезли оборудование, купили «мерседесы». Но мы стоим, потому что ваши военные заводы бастуют и не дают нам ни кевларовых панелей, ни броневой стали. Если вы не поможете достать кевлар, мы банкроты.

Болотников одобрительно кивнул и перевел мэру.

Тот в затруднении почесал под кепкой в затылке:

— Кевлар — это стратегический материал...

— Какой стратегический?!! — горячо возразил Винсент. — Из него горные лыжи делают!

— Переведи ему, — велел Йю Лу Жж Болотникову. — В нашей стране это стратегический материал, я сам был директором военного завода... Но помочь ему нужно, он городу такую машину подарил! — Мэр повернулся к своему молоденькому референту: — Женя, вот тебе вопрос на засыпку: где у нас может быть кевлар?

— 107-й «почтовый ящик», у Кирилла Дремлюги, он делает «Ми-28», — не моргнув глазом, отрапортовал Женя и тут же извлек из кармана «Моторолу»: — Соединить?

Мэр подозрительно посмотрел на него, потом — на Болотникова, но в их глазах не было ничего, кроме честного стремления служить отечеству.

— Ладно, — сказал мэр, — сегодня Пасха, не будем человека беспокоить. Завтра подготовишь письмо министру обороны: в целях укрепления международных деловых связей и так далее — сам придумаешь — прошу дать указание Дремлюге выделить... Ну и так далее, ты понял?

— Так точно. Будет сделано, — деловито ответил помощник, записывая распоряжение в блокнот.

— Все! — сказал мэр. — Поехали!

Он пожал руки Винсенту и Робину, сфотографировался с ними для «Москоу ньюс», «Коммерсантъ-Daily» и «Ньюсуик» и, прихватив с собой Болотникова, исчез так же стремительно, как появился.

Стоя на улице и глядя вслед его улетающему кортежу, Винсент хлопнул Робина по плечу:

— Now we are in shape. (Теперь мы в порядке.)

— Do not be so sure (Не будь так уверен), — сказал стоявший рядом майор милиции Сорокин на своем старательном английском.

Винсент изумленно посмотрел на него, тот объяснил:

— Well, допустим, он и правда пошлет письмо министру обороны. Значит ли это, что министр разрешит выделить вам кевлар? Зачем ему это нужно? Ладно, допустим, он дал разрешение. Значит ли это, что директор Дремлюга найдет кевлар на своем складе? Зачем ему это нужно? Короче, чтобы каждое «допустим» превратить в реальность, ты должен каждому из них подарить по «мерседесу». И так будет из-за каждого куска дерьма, который тебе нужен. Это Россия, мой друг, — не Америка.

Винсент, как ребенок, растерянно моргал глазами — двухмесячный опыт пребывания в этой стране говорил ему, что майор прав. Болотников еще вчера сказал, что только за то, что мэр заехал сюда на пару минут, его помощнику Жене нужно будет «обновить» его прогнивший «мерседес». И так, конечно, будет на каждом шагу, и нет никакой гарантии, что в самый последний момент кто-то не потребует еще больше или не разведет руками и не скажет: «Извини, у нас нет никакого кевлара!» Но как же быть?

— But there is another way (Есть другой путь), — мягко сказал майор Сорокин. И улыбнулся: — Вы берете еще одного партнера и даете ему, ну скажем, двенадцать процентов. И он решает все проблемы: от безопасности до поставок кевлара. Есть забастовки, нет забастовок — это уже не ваша забота. Кевлар, сталь, пластик — все потечет без всяких взяток. Что ты на это скажешь?

Винсент переглянулся с Робином, потом спросил у майора:

— Кто этот партнер?

— Well... — сказал майор. — Все нужно делать по этапам. Сначала мы вам делаем общее предложение. Вы готовы его обсудить? Да или нет? — И прямо заглянул Винсенту в глаза.

Но Винсент уже знал, что за этим последует. Он усмехнулся:

— Сначала я должен знать, кого ты представляешь.

Но и майор усмехнулся ему в ответ:

— Ты американец, да? Значит, ты видел фильм «Крестный отец», верно? Ты помнишь, как там этот парень Корлеоне приходил к таким, как ты, и делал им предложение, от которого они не могли отказаться? — И с этими словами майор вытащил из кармана кителя конверт и вручил его Винсенту.

Винсент открыл конверт и достал из него стопку фотографий. Это были цветные и замечательные по качеству снимки: Винсент Феррано держит на коленях голую девку, голова Винсента Феррано в объятиях голых женских ног, его подбородок в промежности у этой голой девки, а ее лицо утонуло в его паху... Короче, это были снимки, сделанные в ночном стрип-тиз-баре «Живаго», но никаких примет стриптиз-бара на снимках не было, зато был отлично виден потный от возбуждения мистер Ферраро, занимающийся развратом.

— Да... Я видел фильм «Крестный отец»... — медленно произнес Винсент, разглядывая эти снимки и сатанея в душе. — И к твоему сведению, это я рассказал Марио Пьюзо о таких эпизодах в моей жизни. Ты знаешь, дружок, кто такой Марио Пьюзо?

Майор изумленно глядел на него во все глаза.

— Так что скажи своему боссу, чтобы он от нас отъебался! — И Винсент вдруг швырнул фотографии майору в лицо и сорвался в крик: — Ты понял, сукин сын?! Вон отсюда! *Idi na huy!*

Робин перехватил его и силой повел прочь. Но Винсент в бешенстве продолжал кричать со ступенек своего офиса:

— Ты хочешь запугать мафией меня? *Ya vas v rot ebu!* Я настоящая мафия, не ты! *Vaffanculo, mafioso merdoso!* Вали отсюда, мафиозный ублюдок! Go fuck yourself, you Mafia lump of shit!

Когда Робин увел Винсента и закрыл дверь, Сорокин собрал фотографии и усмехнулся вслух:

— Марио Пьюзо! Ну-ну! Посмотрим...

А наверху, в офисе «Рос-Ам сэйф уэй», Винсент все не мог прийти в себя:

— Ебаный полицейский гангстер! Я знаю правила! Ты даешь им войти в твой бизнес, и тебе пиздец! Мафия мягко стелет, но только — в гробу! *Il mafioso conincia in carne ma finisce in cemento.*

52.

Но буквально назавтра оказалось, что майор как в воду глядел.

Как раз тогда, когда Брух и Робин водили по цеху шестилетнего сына Бруха Марика, наверху, в офисе, новая секретарша Винсента, которую он взял отвечать на шквал звонков озлобленных клиентов, застыла с трубкой в руке:

— Министр обороны!

— Сам? Лично? — изумился Винсент.

Секретарша прикрыла трубку рукой:

— Нет, Вета Ганько, его первый помощник и босс.

Винсент не понял, она объяснила по-итальянски:

— Она его первый помощник и она же его хозяйка. *Cappicci?*

Конечно, теперь Винсент понял. Именно за это итальянский Винсент — помня реплику Александры «я еще посмотрю, какую вы себе возьмете секретаршу», — предпочел всем русским красоткам эту шестидесятилетнюю полиглотку. «Я знаю шесть языков, потому что тридцать семь лет прожила в Европе и в Штатах. Я была русской разведчицей и ни разу не провалилась, — простенько сказала она Винсенту на первом интервью. — Но теперь моя пенсия в КГБ — семьдесят долларов в месяц, на эти деньги жить нельзя. Конечно, вы можете взять себе молоденькую секретаршу с большими сиськами и сладкой попкой, но вряд ли это будет умно. Я знаю компьютер, печатаю на пяти языках и стреляю из любого оружия». Винсент взял ее на работу и не пожалел об этом: лучше ее никто не умел укрощать самых озлобленных клиентов, и даже с Амадео Джонсоном, который все чаще звонил из Лос-Анджелеса, требуя первых доходов, она разговаривала как с равным и на эбоник, жаргоне африканоамериканцев, отчего Джонсон мгновенно таял на том конце провода. Так почему она не может поговорить с помощницей министра обороны?

— Говори с ней. Что она хочет? — сказал секретарше Винсент.

— Она хочет говорить только с вами, — ответила секретарша и, усмехнувшись, объяснила по-итальянски: — Она думает, что знает английский.

Винсент взял трубку:

— Hello.

— Mr. Ferrano?

— Yes, mam.

— I colonel Veta Ganko. I first assistant Ministra Defence. Understand?

— Yes, mam. — Винсент переложил трубку к правому уху, чтоб лучше слышать, и перешел на русский: — *Dobry den,* madam.

— We read letter от mayor, — упрямо продолжала полковник Ганько на своем неандертальском английском. — We want know you give us one bulletproof Mercedes? Yes or no? (Мы прочли письмо от мэра. Мы хотим знать, дадите ли вы нам бронированный «мерседес»? Да или нет?)

Хотя Винсент уже был морально готов к такому повороту событий, армейская прямота этого требования его возмутила.

— To sell, you mean? — спросил он невинно и перевел себя на русский: — *Prodat?*

— No *prodat!* No! Give! Дать. Understand?

— Well, — ответил он дипломатично. — First I have to get a two tons of kivlar. *Snachala dva ton kivlar, karasho?*

— No! — решительно сказала полковник Ганько. — *Snachala «Mercedes».*

— But why? *Pachemu?*

— По кочану, мудак! — ответили на том конце провода на чистом русском языке и бросили трубку.

Винсент удивленно заморгал глазами:

— Hello! — И, повертев в руке трубку с гудками отбоя, сказал секретарше: — I understand 'mudack'. It's mean stupid. But what is 'po kochanu'? (Я понимаю «мудак». Но что такое «по кочану»?)

— Это не переводится ни на один из языков, которые я знаю, — ответила секретарша. — Это идиома. Но не огорчайся. Дадите вы им всем по «мерседесу» или нет — кевлар вы все равно не получите.

— Почему?

— Я провела расследование по своим каналам. Ну, старым, гэбэшным, — объяснила секретарша. — Кевлар, за который вы заплатили два месяца назад, тогда же ушел за границу.

— Что-о? — Винсент повернулся к вошедшему в офис Робину: — Робин, ты слышишь?

— Да, — продолжала секретарша. — У Болотникова отец был ломщик, карточный шулер. Ну и сын тоже не может не сжулить. Он получил ваш кевлар еще в марте. Но у вас тут ничего не было налажено, вот он и двинул его в Ирак. За сколько — не знаю, но... Подождите! Робин, задержи его!

Робин стал в двери, преградив дорогу взбешенному Винсенту, который уже ринулся к выходу.

— Out of my way! I'll kill the scum! (Пусти меня! Я убью мерзавца!)

Но Робин был выше и сильней Винсента, и вдруг...

Вдруг Винсент побелел и, закрыв глаза, схватился рукой за сердце.

— Ох... — зажато выдохнул он и замер, боясь даже дыханием пошевелить вошедшую в сердце иглу сердечного приступа.

Через минуту Робин осторожно усадил его на стул подле стены. Винсент откинул голову и сидел так с закрытыми глазами, холодный пот выступил у него на лбу. Секретарша накапала ему валериановых капель, заставила выпить и взяла за руку, проверяя пульс.

— Без паники! — сказала она. — Это сердечный приступ. Давайте положим его на пол. Разве можно с такими нервами работать на чужой территории?

— Что случилось? — вошел Брух и тут же схватился за свою «Моторолу»: — Алло! «Скорая»? Примите вызов! Пречистенка, 127, срочно! Что значит кто вызывает? Я вызываю! Моя фамилия Брух, я депутат городской Думы...

— Если он иностранец, мы его и смотреть не будем, — заявил врач «скорой помощи».

— Как это? — опешил Брух.

— А так! Они будут к нам ездить и бесплатно лечиться? — И врач повернулся к санитарам: — Пошли, ребята!

— Стой! — Брух, озверев, схватил его за ворот грязного халата. — Гребаный потрох! Ты врач или кто? Ты должен людей лечить!

— Ни хрена я никому не должен! — спокойно сказал врач. — Мне зарплату с сентября не платят. Уберите руки. Я своих без зарплаты уже пять месяцев лечу, а иностранцев не буду. Из-за них у нас вся страна развалилась.

— Ты коммунист, что ли?

— При чем тут? — сказал врач. — Я просто русский. Была страна как страна. А как стали сюда иностранцев пускать, так все и накрылось.

— Сначала они Горбачева купили, — добавил один из санитаров, — а теперь вообще всех.

— Ага, давайте устроим политический митинг над умирающим! — Брух вытащил из кармана пятидесятидолларовую купюру и протянул врачу: — Это тебе. Санитарам дам по двадцатке. Если прекратите физдеть и начнете лечить человека.

Врач посмотрел на деньги, потом на Бруха, потом опять на деньги.

Вздохнул, крутнул с сожалением головой и деньги взял.

— У меня двое детей, — объяснил он свою капитуляцию и приказал санитарам: — Капельницу! Носилки!

Санитары стремглав ринулись вниз — в машину за носилками и капельницей, а врач, надев стетоскоп, опустился на колени перед Винсентом и сказал Бруху:

— В обычную больницу его, как иностранца, не возьмут. А если бы и взяли, все равно не советую. Там ни аппаратуры, ни лекарств, не говоря уже про все остальное. Даже у нас в Склифосовского уже не топят. Короче, довели страну. Если у вас есть деньги, единственное место — ЦКБ на Мичуринском проспекте, бывшая «кремлевка». Но там — две зеленые сотни в день. Повезете?

— Да. Что у него?

— Без кардиограммы диагноз не ставлю. Но может быть и инфаркт. Сколько он в Москве?

— Два месяца.

— Ну так что ж вы хотите? Тут и русские с трудом выдерживают! — И врач приказал санитарам: — На носилки его. Осторожней.

53.

ВЕДУЩИЙ: Во всех газетах написано, что Президент выделил 20 триллионов рублей на погашение долгов по зарплатам. Как вы ощутили это на себе?

ОТВЕЧАЮЩИЙ I: А никак!

ВЕДУЩИЙ: Что значит «никак»? Вот вы получили зарплату? За какой месяц?

ОТВЕЧАЮЩИЙ II: Деньги пришли в вексельной форме.

ОТВЕЧАЮЩИЙ III: Так нам, во всяком случае, говорят и выдают вместо зарплаты векселя. А что делать с этими бумажками? В магазин с ними не пойдешь.

ОТВЕЧАЮЩИЙ IV: Местные власти и директора предприятий крутят эти деньги. А мы их не видим.

ВЕДУЩИЙ: Минутку! Вы лично когда последний раз получали зарплату?

ОТВЕЧАЮЩИЙ IV: Я лично последний раз получил зарплату в феврале за сентябрь.

ВЕДУЩИЙ: А как вы оцениваете действия Президента по выплатам зарплат? Положительно или отрицательно?

ОТВЕЧАЮЩИЙ III: Это предвыборный ход.

ОТВЕЧАЮЩИЙ VI: Ему нужно набирать очки, вот он и пытается их купить.

ВЕДУЩИЙ: Минутку! Допустим, это предвыборный ход. Но вы оцениваете его как положительный факт или как отрицательный?

ОТВЕЧАЮЩИЙ II: Ну, если мы этих денег так и не увидели, то как нам оценивать?

ОТВЕЧАЮЩИЙ VI: Если он действительно выделил живые деньги, то он должен проверить, получили мы их или нет. Вот тогда мы оценим!

ВЕДУЩИЙ: Положительно или нет?

ОТВЕЧАЮЩИЙ VI: Ну, наверно, положительно.

ВЕДУЩИЙ: «Наверно» положительно или положительно? Только давайте по порядку и одним словом: «положительно» или «нет»? Вы?

ОТВЕЧАЮЩИЙ I: Ну, если мне дадут зарплату хотя бы по март, то положительно.

ОТВЕЧАЮЩИЙ II: Положительно.

ОТВЕЧАЮЩИЙ III: Да если мне до выборов не отдадут зарплату, то потом от них вообще не дождешься!

Александра остановила переносной портативный видеомагнитофон и протерла усталые глаза: смотреть на телеэкране опросы «фокус-групп» и синхронно печатать на «лаптопе» их английский перевод было утомительно даже в комфортабельном «Президент-отеле», а уж в этом гудящем «Иле» — тем более. Конечно, куда легче, если бы стенографистки сначала печатали русскую стенограмму опросов, а она переводила бы на английский с русской стенограммы. Но эта вечная спешка и лихорадка в избирательном штабе, этот timer приближающихся выборов! Она и еще три переводчицы, которых самолет «Бере-банка» прихватил на посадках в Ростове, Волгограде и Саратове, должны сегодня сдать перевод опросов «фокус-групп», чтобы к утру аналитическая тройка — Марк Бреслау, Хью Риверс и Джим Рэйнхилл — изложили Тан Ель свои выводы о ходе избирательной кампании и новые рекомендации.

ВЕДУЩИЙ: Вот вас тут девять человек, и на выборах, по вашему общему мнению, первые два места поделят лидер коммунистов и Президент. Но абсолютного большинства ни один из них не получит, и, значит, будет второй тур. Правильно я вас понял?

ОТВЕЧАЮЩИЙ I: Правильно.

ВЕДУЩИЙ: Хорошо. Я не спрашиваю про вас лично, я не имею права спрашивать, за кого вы будете голосовать. Но ваши друзья, которые в первом туре будут голосовать, например, за лидера «Яблока», за кого будут голосовать во вто-

ром туре, когда останется только два претендента, которых вы сами назвали?

ОТВЕЧАЮЩИЙ II: Наверно, за Президента...

ОТВЕЧАЮЩИЙ III: За Президента.

ОТВЕЧАЮЩИЙ IV: Я тоже так считаю.

ВЕДУЩИЙ: А жириновцы за кого будут голосовать во втором туре?

ОТВЕЧАЮЩИЙ II: А они вообще не придут на голосование!

ОТВЕЧАЮЩИЙ V: За коммунистов.

ОТВЕЧАЮЩИЙ VII: За коммунистов.

ВЕДУЩИЙ: Ладно, а теперь представьте, что коммунисты победили, и я приехал к вам, ну скажем, через полгода после их победы. И спрашиваю: как жизнь? Как вы думаете, какая будет у вас жизнь, если победят коммунисты?

ОТВЕЧАЮЩАЯ VI: Ужасная!

ВЕДУЩИЙ: Так! Минутку! Вот Света сказала «ужасная». Кто еще так считает?

ОТВЕЧАЮЩИЙ I: А по-моему, ничего страшного не случится. Во всяком случае, первое время...

ВЕДУЩИЙ: Секунду! Сначала мне просто любопытно узнать, кто, как Света, считает, что будет ужасно. И что ужасное она имела в виду? А Света пока помолчит, мы ее потом спросим.

ОТВЕЧАЮЩИЙ II: А война начнется. Ну может, не внутри страны, но это — война за присоединение отпавших территорий. Молдавия, Украина, Прибалтика...

ОТВЕЧАЮЩИЙ III: И внутри страны тоже! Коммунисты отменят приватизацию, а сами будут все хапать. Он же сам сказал: отнять все наворованное. А под это что хочешь можно подвести. Но кто же по-мирному отдаст?

ОТВЕЧАЮЩИЙ IV: Да не нужно, не нужно пугать! Какие они коммунисты? Одно название! А на самом деле все банкиры у нас кто? Не бывшие коммунисты? Так неужели они сами себя будут грабить?

ВЕДУЩИЙ: Хорошо. Ясно. А теперь представьте, что на выборах победил Президент. Как это отразится на вашей жизни?

ОТВЕЧАЮЩАЯ VII: А ничего не изменится...

Господи, подумала Александра, только теперь, когда, словно колбочки с пробами крови, со всех концов слетаются в «Президент-отель» видеокассеты с опросами «фокус-групп», стало ясно, какой бардак творится в стране и в какой беде живут люди. «Да не живем мы, не живем! — сказали ведущему в Воронеже. — А с трудом выживаем!» Распад, горе, нищета, преступность, война в Чечне — и все это ложится на стол Тан Ель и кричит, вопиет ей с экрана видеомагнитофона:

«Если президент действительно выведет войска из Чечни, это будет его первый хороший поступок за все время!»

«Я ничего хорошего от него уже не жду».

«Если вокруг него все воруют, неужели он это не видит? Или он сам такой?»

«У него было пять лет, чтобы хоть что-то для народа сделать. А что он сделал?»

«Ему 65 лет, а выглядит на восемьдесят!»

«Потому что не просыхает! Иногда его таким показывают — думаешь, все, сейчас такое спьяну ляпнет!»

«Я с ним за одним столом не сидела, но некоторые внешние признаки алкоголизма и по телику видно».

«Ну как я могу ему верить, если он не помнит, в чем он пять лет назад народу клялся?»

Интересно, каково ей, дочке президента, каждый день видеть, слышать и читать такое? Что она думает наедине с собой, о чем говорит с мужем, с отцом? Она не похожа на интриганку, влезшую во власть ради возможности погулять за спиной папаши, как дочка Брежнева, или наворовать миллионы. Но власть обламывает и не таких. Всего пять лет назад президент был воистину кумиром народа, стоило ему весной 1991 года простудиться, как миллионы людей ринулись в церкви молиться за его выздоровление. А сейчас... Здесь, в самолете, маленькие экраны переносных видеомагнитофонов прямо в полете принимают голоса всей страны:

«У нас экономика как болото — куда шагнешь, там и провалишься. А все, что он сейчас обещает — ничего не сделает! Русский народ опять останется с носом!»

«Да он себя уже показал со всех сторон! От него лучшего и ждать не стоит!»

«Он намедни выступал по телевизору и что сказал? Я, говорит, обещал вам выступить по телевизору 31-го, и вот я выступаю. И это все, что он выполнил из своих обещаний».

«У нас показывали по телику, как Клинтон две недели противостоял конгрессу по бюджету. А мы президента видим, только когда он иностранцам ручку жмет. А больше его и на горизонте не видно!»

«Квартплату обещал понизить, а она все повышается и повышается. И за телефон все набавляют...»

«А налоги на частную деятельность уже стали 105 процентов! Ну где такое возможно?»

«Не знаю где как, а в нашей Мотовилихе после семи вечера на улицу выйти страшно. Убьют!»

«Среди молодежи тридцать процентов профашистски настроено. Нет, я вам точно говорю, я в милиции работаю. Они 20 апреля день рождения Гитлера отмечали — его портреты носили и «Майн Кампф» наизусть читали!»

Ладно, ей некогда заглядываться на экраны соседок, нужно успеть сделать свою работу до посадки в «Домодедове». Бог ее знает, что происходит у Тан Ель в душе, когда она видит и слышит эти вопиющие со всех концов страны голоса простых людей, но работу избирательного штаба отца она повела классно — даже американцы это признают. Банкиры поверили в нее и открыли свои загашники; еще какие-то миллиарды капнули из бюджета «Наш дом — Россия» и через сеть негосударственных фондов поддержки демократии; телевидение и пресса буквально ринулись в атаку на коммунистов — так испугались возврата коммунистической цензуры; все афишные тумбы от Москвы до Сахалина покрылись плакатами «Голосуй или проиграешь!»; у Ель Тзына

298

и его жены появились персональные бригады имиджмейкеров; все звезды кино и эстрады разлетелись по стране с агитконцертами в пользу президента; а вместо рекомендованной американскими экспертами поездки президента в США Билл Клинтон, Жак Ширак, Гельмут Коль, Джон Мейджор, Жан Кретьен, Ламберто Дини и Рютаро Хасимото, то есть все лидеры «большой семерки», завтра, в десятую годовщину Чернобыльской трагедии, сами слетаются в Москву якобы на саммит по ядерной безопасности, а на самом деле поддержать Ель Тзына.

И очень кстати, потому что в кампании, так лихо начатой Тан Ель, стали появляться сбои, которые, как всегда в России, в первую очередь видны по тому, что хозяева подают к столу. Месяц назад, когда Александра только пришла в «Президент-отель», его ресторан ломился от вкусной и практически дармовой еды, а сейчас превратился в столовку средней руки с пустыми щами и «витаминными» салатами из прошлогодней моркови. И тогда же на первых опросах «фокус-групп» в Хабаровске, Тюмени или Саратове администраторы избирательного штаба подавали к столу торт, шоколадные конфеты, фрукты, чай в фаянсовых чашках. Люди, приглашенные к разговору, поначалу стеснялись даже прикоснуться к этим яствам, но потом, осмелев и забыв про снимающую их телекамеру, съедали все, что успевали, а остальное рассовывали по карманам и уносили домой, детям. Позже угощения стали скромней — печенье да кокакола, а в последние дни — вообще две бутылки минеральной воды на восемь человек! Обнищал избирательный штаб, даже своим сотрудникам уже не платит зарплаты...

Но завтра лидеры «большой семерки» подбросят, конечно, своему другу Ель Тзыну пару миллиардов и вообще (Александра мысленно усмехнулась), что такое этот саммит, как не еще одна «фокус-группа»? Жаль только, что переводить этот саммит ей не придется. Остальные переводчицы, мобилизованные Тан Ель из аппарата Рю Ри Койя, через несколько минут сдадут ей свои переводы опросов «фокус-групп» и прямо из «Домодедова» отправятся в «Рэдиссон-Славянскую», где завтра поселятся гости саммита. Но ей это не светит, Тан Ель не отпускает ее от себя ни на минуту, она сказала Александре прямо при американцах: «Учись у них абсолютно всему! Если мы победим, будешь руководить постоянной службой «фокус-групп» при Администрации президента. Нам нужно будет знать, как относится народ к каждому нашему проекту и что он хочет». Правда, американцы на это лишь усмехнулись: «Мадам, даже у нас в Штатах этого нет. Уж какой Клинтон любитель «фокус-групп»! За год до избирательной кампании сверяет с ними каждый свой вздох! Но как только проходят выборы — забывает о них наутро!»

— Внимание, девочки! — прозвучал голос командира корабля. — Приношу свои извинения, но мы идем на посадку, и ваши компьютеры мешают моим радиоприборам. Прошу выключить всю вашу аппаратуру и пристегнуть привязные ремни!

Спавшие в соседних креслах Патрик Браун, Лэсли Голдман, Алексей Свешников, сотрудники Института общественного мнения, ведущие опросы «фокус-групп», и телеоператоры, снимающие эти опросы, — все проснулись, задвигались, заспешили в туалет.

— Девочки, сдавайте дискетки! — сказала Александра переводчицам, отбила на кийборде последнюю фразу своего перевода, выключила видеомагнитофон и портативный компьютер «Тошиба» и посмотрела в иллюминатор.

Внизу светилась огнями вечерняя Москва.

Александра без труда нашла у Кремля Большой Каменный мост через Москву-реку, Якиманскую набережную и стоящее на ней массивное здание «Президент-отеля». Там, она знала, ее ждет маршал Сос Кор Цннь.

54.

Два телемонитора показали, как микроавтобус миновал распахнувшиеся ворота и подкатил к центральному входу в отель. Из автобуса выскочили телеоператоры, выгрузили свою аппаратуру — камеры, штативы, видеомагнитофоны.

Затем вышли Патрик Браун, Алексей Свешников, тяжелая Лэсли Голдман и, наконец, Александра. Следующие три телемонитора подхватили эту группу в вестибюле отеля и повели до лифта. Маршал невольно залюбовался своей новой избранницей. Черт возьми, с месяц назад в стеклянном офисе-павильоне над Манежной площадью она переводила ему рецепты скрудрайвера и других коктейлей, но тогда она выглядела какой-то замухрышкой с плоской фигурой, вогнутыми плечами и чулком, вечно сползавшим на колено. А теперь... Вот что делает с человеком карьера! Прямая осанка, огромные глаза, вздернутый подбородок, высокая шея, грудь торчком, узкая талия, точеные ноги и задница, как скрипка! Не женщина, а бокал шампанского! И этот бокал он выпьет сегодня до дна! О, как он сыграет сегодня на этой скрипке своим мощным смычком!..

Маршал проследил, как расступались перед Александрой мужчины, толпившиеся в вестибюле «Президент-отеля», — все эти прожектеры, рекламные агенты, эстрадные артисты, телеведущие, мелкие политики и прочая шушера, добравшаяся до кормушки избирательной кампании и сжирающая миллионы долларов и миллиарды рублей. По отчетам тайных агентов, службы перехвата компьютерно-финансовой информации и службы прослушивания радио- и обычных телефонов маршал лучше чем кто бы то ни было знал, какие гигантские деньги разворовываются за спиной Тан Ель под видом расходов на избирательную кампанию. Спартакиада трудящихся «Голосуй сердцем!» — 7 миллионов долларов. Оплата рекламных услуг НТВ — 78 миллионов долларов. Оплата рекламных услуг ОРТ — 169 миллионов долларов. Реклама в региональных средствах массовой информации — 15,5 миллиона долларов. Список бесконечен, в нем больше сотни проектов, за которые в одном лишь апреле уплачено 55 миллиардов рублей и 342 миллиона долларов! Но, отстраненный от руководства избирательной кампанией, как он может доложить Ель Тзыну об этой финансовой вакханалии за спиной его дочери?! И вообще зачем ему вмешиваться? При таких темпах она через неделю останется без рубля и сама прибежит к нему за помощью. А пока... Пока ему и вообще не до этой темы...

Маршал видел, как в вестибюле отеля кто-то пытается заговорить с Александрой, кто-то цокает ей вслед языком, но вот она подошла наконец к лифту, и маршал кивком головы приказал адъютанту: «Пошел!»

Адъютант тут же вышел из номера-«люкс» — он знал свою работу.

Следующий телемонитор показал маршалу кабину лифта, в которой тесно стояли Александра, толстая Лэсли Голдман, Патрик Браун и еще несколько человек.

На восьмом этаже кабина остановилась, в открывшейся двери возник адъютант маршала.

— Sorry, no room, — улыбнулась ему Лэсли Голдман, показывая, что лифт забит до отказа.

— Ничего! Всем сделать выдох! — приказал адъютант и втиснулся в лифт, прижался к Александре и красноречиво уставился ей прямо в глаза. А на одиннадцатом этаже, когда дверь открылась и все двинулись к выходу, он ловко придержал Александру локтем и тихо сказал ей в затылок: — Комната двенадцать ноль девять. Через пять минут. Это приказ.

Александра кивнула и вышла из лифта, адъютант нажал кнопку двенадцатого этажа и, оставшись в лифте один, повернулся к объективу скрытой видеокамеры, взял под козырек:

— Придет, товарищ маршал! Куда денется?

Конечно, американцы давно просекли, что все комнаты в «Президент-отеле» прослушиваются, а какая-то часть и просматривается. Но установить видеокамеры во всех номерах было бы накладно даже для ЦРУ, а уж русскому ФСБ и тем более. После дотошных изысканий Сэм Грант и Патрик Браун обнаружили два «жучка»-микрофона в телефонном аппарате и в люстре, но убедились, что скрытых телеобъективов в комнате нет. «Жучки», как неизбежное зло, оставили на месте и работали, не обращая на них никакого внимания. Но даже при этом тем, кто их подслушивал, работы было немного, поскольку часть американской команды постоянно была в разъездах, а «мозговой танк» — Риверс, Бреслау и Рэйнхилл — большую часть времени молча обрабатывали стенограммы опросов «фокус-групп» и, бегло обсудив меж собой очевидные для них выводы, тут же печатали на компьютерах свои рекомендации-«меморандумы». Кроме Тан Ель и Александры, в их комнату никто не заходил — пребывание американских советников держалось в секрете, и со стороны их работа выглядела тихой и скучной рутиной, не имеющей отношения к закрутившимся в стране политическим вихрям. Но то была та тишина, которая стоит в кабинетах центров прогноза погоды во время рождения очередного урагана или цунами где-нибудь в океане — именно на основе «скучных» расчетов таких центров вдруг начинается срочная эвакуация тысяч людей на побережье Мексиканского залива, лихорадочное сооружение дамб в Южной Каролине или дренажные работы в Калифорнии.

Александра вошла в этот номер-офис так, словно вернулась не из тысячекилометрового облета страны, а из соседней комнаты. Кивнув занятым своей работой Хью Риверсу, Марку Бреслау и Джиму Рэйнхиллу, она сунула дискетку в компьютер и дала ему команду распечатать в четырех экземплярах сделанные в самолете переводы. Принтер еще не закончил эту работу, как к нему уже потянулись жадные до новостей «мыслители». Они бегло считывали свежеотпечатанные страницы, изредка обмениваясь короткими междометиями или фразами типа:

— Еще бы!.. Конечно!.. Я говорил ей об этом три дня назад!.. Нет, это не так уж плохо...

Александра собрала в стопку оставшийся экземпляр отпечатанных страниц, скрепила их и понесла в соседний, через коридор, кабинет Тан Ель. Это тоже было стандартной процедурой — один экземпляр всех материалов по «фокус-группам» Тан Ель получала одновременно с американцами, чтобы увидеть, на основании чего американцы делают те или иные выводы и советы. И к удивлению американцев (и своему собственному), очень скоро освоила немудреные методы их анализов и стала почти стопроцентно угадывать их рекомендации.

Александра постучала в дверь с табличкой «1119», услышала: «Да, войдите!» — и толкнула дверь.

В дальнем конце комнаты, за столом, Тан Ель проводила совещание со своими помощниками, среди которых Александра знала только Бориса Бере, Болотникова и Чу Бай Сана, автора знаменитого раздела России с помощью ваучеров. Увидев заглянувшую в дверь Александру, Тан Ель жестом приказала ей войти и положить отчет на письменный стол. И продолжила совещание, говоря:

— Я не понимаю, куда мы ухлопали все деньги. Если мы срочно не найдем хотя бы сто миллионов... — Тут она повернулась к Александре и сказала: — Ты мне нужна, не уходи далеко.

Александра кивнула, написала на полях своего отчета: «Я В КОМНАТЕ 1209» — и вышла: она уже опаздывала к маршалу Сос Кор Цнню.

Лихим офицерским жестом Сос Кор Цннь открыл старинное, с царскими вензелями на этикетке «Абрау Дюрсо», разлил в два бокала и поднес один Александре, сидевшей в кресле. В своем роскошно-голубом парадном мундире маршал выглядел как новенькая стодолларовая купюра, разве что не хрустел так же.

— Спасибо, — сказала Александра. — Но я не могу сегодня.

Он вопросительно посмотрел ей в глаза, и в ответ она простодушно развела руками:

— Женские дни.

Маршал нахмурился — этого он не ожидал. Игра на скрипке отменялась — во всяком случае, на сегодня.

— Извините, — виновато сказала Александра, и маршал понял, что эту трехдневную отсрочку он как-нибудь переживет, а главное уже сделано — она все поняла и на все согласна.

— Гм... Н-да... — сказал он разочарованно, полуприсел на стол, вылил шампанское в вазу с цветами и налил себе коньяк. — Ладно, докладывай про американцев. Чего происходит?

Александра уже открыла рот, чтобы сказать, что ничего особенного она за ними пока не заметила, но тут низким зуммером загудел телефонный селектор и сказал встревоженным голосом адъютанта маршала:

— Сос Корович, к вам дочь президента!

Маршал резко повернулся к селектору, нажал кнопку и приказал:

— Мудак, задержи ее!

— Не могу, она уже проскочила! — бессильным голосом адъютанта ответил селектор, и в тот же миг дверь номера распахнулась, на пороге возникла Тан Ель с каким-то листком бумаги в руке.

Одного взгляда на бутылки ей было достаточно, чтобы понять ситуацию.

— Так! Я тебе где сказала быть? — обрушилась она на Александру и тут же повернулась к маршалу: — Что вам от нее нужно?

Маршал, держа в руке коньяк, замешкался, но Александра не растерялась:

— Это по вопросу убийства моего мужа. Сотрудники Сос Коровича задержали убийцу.

— Да, я должен ее допросить, — воспрянул маршал.

Тан Ель подошла к столу и усмехнулась:

— С шампанским? Сос Корович, вам что, делать больше нечего? Отец собирается во «Внуково-2» Клинтона встречать, а вы тут допросы устраи...

— Как это во «Внуково»?! — перебил маршал. — Мы же договорились, что Клинтона встречает Чер Мыр Дин.

— Я это отменила. Клинтон прилетает поддержать отца, а отец будет корчить из себя китайского императора? — Тан Ель взглянула на свои ручные часы. — Через шесть минут папа выезжает из Кремля. Будет странно, если при нем не будет начальника службы безопасности. Мой вам совет...

— Да еду, еду я! — Маршал нагнулся к селектору: — Дежурный! Машину и все остальное по форме «прима один»! Полное оцепление по маршруту четыре! Как понял? Доложи!

— Понял! — откликнулся в селекторе голос дежурного по штабу охраны президента. — «Прима один» и маршрут четыре! Разрешите выполнять?

— Выполняй! — Маршал надел фуражку с золотой кокардой, одернул мундир и нетерпеливо глянул на Тан Ель.

— Последний совет, Сос Корович, — сказала она. — Если вы еще хоть раз задержите любого моего сотрудника, считайте, что на этом ваша карьера кончится.

— Ну ладно, ладно, Тань! — Маршал миролюбиво поднял руку, чтобы приобнять ее за плечо.

Но Тан Ель уклонилась и сказала:

— И еще. Отец поручил вам выяснить, какие банки финансируют коммунистов. Когда будут эти данные?

— У них несколько спонсоров, но главный — «Народный банк». Только не напрямую, а через «Духовное возрождение». Отпусти меня, Тань, я должен бежать!

— Я вас не держу. Пошли, Саша!

Когда они вышли в коридор, Александра, глядя вслед убегающему к лифту маршалу, тихо сказала Тан Ель:

— Спасибо...

— Не стоит, — улыбнулась та. — Больше допросов не будет. Если ты сама не захочешь, конечно. Но я тебе не советую. — И только теперь вспомнила про лист бумаги у нее в руке: — Ой! Тут тебе факс насчет другого мужчины.

Александра с изумлением взяла у нее факс. В нем было всего несколько строк:

«АЛЕКСАНДРЕ КАНЕВСКОЙ: ВИНСЕНТ
В БОЛЬНИЦЕ С ИНФАРКТОМ.
ЦЕНТРАЛЬНАЯ КЛИНИЧЕСКАЯ Б-ЦА,
МИЧУРИНСКИЙ ПРОСПЕКТ, 6,
ПАЛАТА 711. РОБИН».

— Ой! — обомлела Александра.

— Если это так важно, возьми мою машину, — сказала Тан Ель.

— Спасибо. Но уже ночь, меня не пустят в больницу...

— На моей машине? — усмехнулась Тан Ель.

55.

Три «МиГа» — эскадрилья охранно-почетного эскорта — довели самолеты американского президента до правительственного аэродрома «Внуково-2» и ушли в «карусель», наблюдая за посадкой. «Боинг» «ВВС-1» приземлился и порулил к стоянке, где уже выстроился почетный караул.

Допущенная во «Внуково-2» небольшая группа российских и западных телеоператоров включила мощные осветительные приборы, «ВВС-1» замер точно у белой отметки, трап подкатил к его двери, и тут же двое рабочих раскатали с этого трапа рулон красной ковровой дорожки.

Из зала ожидания вышла группа встречающих: Президент Российской Федерации с женой, премьер-министр и другие члены правительства. Из-за ломкой весенней погоды с ее холодными вечерами все были в плащах и демисезонных пальто.

Дверь «Боинга» откатилась, Билл и Хиллари Клинтон, сияя улыбками, вышли на трап и стали спускаться к стоящим внизу встречающим. Клинтон, по американской традиции, был без головного убора, в одном костюме. А Хиллари...

Но Винсент не успел разглядеть на телеэкране наряд первой леди — в больничном коридоре послышалось стремительное цоканье каблуков. Семнадцатиэтажная Центральная клиническая больница, построенная незадолго до развала СССР для стареющих кремлевских пациентов, отличалась от остальных московских больниц не только тем, что здесь работало паровое отопление и в каждой палате стояло по телевизору. Поскольку количество кремлевских старцев резко уменьшилось, больница — за валюту — обслуживала теперь всех желающих. Однако охотников платить двести долларов в день за пребывание в этом медицинском «раю» практически не было — «новые русские» предпочитают лечиться за границей, а остальным такие цены не по карману. И потому на всех семнадцати этажах этого клинического «Пентагона» с его ультрасовременным оборудованием, соляриями, зимними садами и отделанными карельской березой коридорами стоит абсолютная, или, точнее, мертвая, тишина. И вдруг...

Дверь распахнулась рывком, как от взрыва.

— Винсент! — влетела в палату Александра, в руках у нее были цветы. — Are you o'kay?

За ней вошли дежурный врач и медсестра.

Винсент видел ее огромные встревоженные глаза, ее прекрасное лицо и разметавшиеся по плечам волосы.

— Oh, God! — сказал он. — You are so beautiful! (Ты так прекрасна!)

— Перестаньте, Винсент! Как вы себя чувствуете?

— Честно?

— Да! Конечно!

— Я чувствую себя дерьмом. Ко мне пришла самая прекрасная женщина в мире, а я в больничной пижаме.

— О Винсент! Прекратите! — Она чмокнула его в небритую щеку и оглядела палату. — Что вам тут нужно?

— Так же честно?

— Нет, на самом деле!

— Ты имеешь в виду — мое последнее желание, да? Док, вы не могли бы выйти?

Доктор и медсестра усмехнулись.

— Нет, я серьезно. Пожалуйста, выйдите, — попросил их Винсент.

— Зачем? — удивилась Александра.

— Ты же хочешь узнать, что мне нужно. Мне нужно, чтобы ты поцеловала меня так, как тогда в «Президент-отеле». Если ты немедленно не сделаешь это, я умру.

— Винсент! — сказала она укоризненно.

— На этот раз я не шучу, — произнес он и без всякой улыбки пытливо посмотрел ей в глаза.

От этого взгляда нельзя было отвернуться или отделаться шуткой.

Александра замерла, улыбка сползла с ее лица. И какая-то особая взаимопритягательная энергия вдруг потекла по их летящим друг к другу взглядам.

Медленно, почти безотчетно Александра приблизилась к Винсенту, наклонилась над ним и прильнула к его губам.

Он закрыл глаза.

Врач и медсестра принужденно улыбались.

Но поцелуй затягивался не на шутку, это уже выходило за пределы платоники. Винсент обнял Александру за плечи, его тело напряглось под больничным одеялом и аркой восстало навстречу ее телу, и Александра, слабея, уже прижималась к нему всей грудью — не только как к отцу, которого у нее не было с трех лет, но и как к мужчине, которого у нее не было, оказывается, никогда...

Врач кашлянул, потом еще раз, громче.

Александра с усилием оторвалась от Винсента, а он, не открывая глаз, упал спиной на койку и произнес умирающим голосом:

— О Бог, я умираю... Доктор...

— Ой! Доктор! — испуганно вскрикнула Александра и схватила его за руку.

Винсент открыл глаза:

— Я пошутил, Саша. Я люблю тебя. Я люблю тебя всем своим больным, черт его побери, сердцем.

— Вы сукин сын! Я же правда испугалась!

На телеэкране под звуки гимна американский и русский президенты шли вдоль строя почетного караула.

— Я думаю, на сегодня достаточно, — сказал врач.

— Секунду, док! — попросил Винсент и жестом подозвал врача к себе поближе. — Мне нужна бутылка шампанского.

— Да вы что! — возмутился доктор. — Это больница!

— Com'on, doc! Это «кремлевка». У вас тут есть все.

— Винсент, не нужно! — сказала Александра и усмехнулась: — Я все равно не пью сегодня.

Но Винсент отмахнулся:

— Конечно, пьешь! Сегодня мой день рождения. Ради этого и Клинтон прилетел.

56.

— И Клинтон, и Ширак, и даже мой друг Коль прилетели сюда не для того, понимаешь, чтобы меня поддержать. Конечно, мы обнялись перед камерами, они сказали какие-то слова для прессы. Но... Главное случилось вчера в Спасо-Хаус. Клинтон закатил ужин моей оппозиции и позвал на него Зю Гана. Всех остальных — ладно, это мелочь. Но коммунистов! То есть если в США они устроили ему смотрины, то здесь это было почти сватанье. Они, понимаешь, посчитали: раз у нас с ним одинаковый рейтинг, то и шансы равны. Чего ж им не подкормить будущего коммунистического президента...

Ель Тзын, толкая детскую коляску со спящим младенцем, неспешно шел по весеннему парку на своей ближней даче в Завидове — медлительный и крупный, роняющий короткие тихие фразы, как Брандо-Корлеоне в разговоре со своим сыном Майклом. Только вместо сына рядом с президентом шла его дочь.

— И вот тебе первый, понимаешь, результат, — продолжал он. — Международный валютный фонд заморозил нам очередной транш, триста сорок миллионов долларов. А мне сегодня мой шофер говорит... Ему, понимаешь, весь кремлевский автопарк поручил сказать мне, что они уже третий месяц без зарплаты. То есть денег в казне вообще нет — все разворовали, мерзавцы! Но просить у Клинтона я не буду.

— А у Коля? — негромко спросила дочь.

— Просить ни у кого нельзя, запомни! Кто просит — уже проиграл. Даже если выпросил. Нет, всегда делай так, чтобы сами пришли и дали.

— Но как? Мне уже нечем даже плакаты оплатить!

— Знаю. Ты круто развернулась. Это хорошо. Хотя и у тебя, понимаешь, воруют. — Он жестом остановил ее ответную реплику. — Не важно. Думаешь, у Клинтона все чисто? Но проверять мы будем не твоих орлов, с ними потом... А сейчас... Раз у нас нет денег, то Зю Гану тем более пора перекрыть кислород. Поэтому назначишь его банкам проверку. Настоящую. И всем остальным, кроме Ле Бедя. Когда перекроешь кислород всем, кроме него, он поймет. И придет к тебе торговаться.

— Ко мне? — удивилась дочь.

— Он придет к тебе, чтобы прорваться ко мне. Но принять его должен твой помощник, не выше. А ты будешь делать вид, что он нам вообще не нужен. Мол, лишишь его банк лицензии и — все, нет генерала. Понимаешь? Нужно, чтоб он сам стал на задние лапы...

В глубине аллеи возникла фигура генерала Бай Су Койя, он стремглав бежал к президенту.

— Видишь? — сказал дочери президент. — Так никогда не бегай. И сыну не разрешай. — И предупредительно поднял руку, приказал подбежавшему генералу: — Тихо. В чем дело?

— Едут, товарищ президент! — доложил Бай Су Кой. — Уже въезжают!

— Ну и хорошо, подождут. — И президент, не ускоряя шага, направился к видневшимся вдали воротам дачи.

Кортеж мотоциклистов и лимузинов с трепещущими на капотах американскими флажками въезжал в эти ворота. Мотоциклисты и передняя машина охраны проскочили вперед, к даче в глубине парка, но вторая машина остановилась, кто-то открыл заднюю дверь, и из лимузина молодо и энергично выскочил Билл Клинтон.

— Hello! — закричал он издали. — It's great! Замечательно! Дед и дочка! Хиллари, иди посмотри ребенка!

Президент, не ускоряя шага, двигался ему навстречу с широкой улыбкой на лице. И по дороге негромко говорил дочери:

— Он так сияет, понимаешь... Как будто уже дал Зю
Гану миллиард...

А когда Билл и Хиллари приблизились, передал дочери
детскую коляску и распахнул руки для объятий со своим
лучшим американским другом.

57.

ФОНД
СОЦИАЛЬНОГО ОЗДОРОВЛЕНИЯ РОССИИ
Проект создания
благотворительной организации,
которой могла бы руководить
жена Президента

*На последних парламентских выборах только треть населения
России проголосовала за коммунистов. И, судя по последним опросам, этот электорат не увеличился. Из чего следует, что всего за
десять лет две трети населения страны вытянулись, выбрались из
коммунизма совсем в другой мир!*

*Помочь им найти себя в этом мире и стать полноценно сво-
бодными людьми, помочь нации homo soveticus стать здоровым и
цивилизованным народом, декодировать совковый менталитет тех,
кто еще не освободился от коммунистической психики и мифоло-
гии, — вот задачи, которые определят деятельность Фонда социального оздоровления России.*

Основные направления работы Фонда:

*1. Вытащить детей из нищеты, а их учителей — из нищеты и
люмпенско-агрессивной психологии марксизма. Сотрудники Фонда должны лоббировать в правительстве программы повышения
зарплаты учителям, бесплатного питания в школах и т.п. Населе-
ние должно видеть, что жена Президента — мать всем детям России и друг всем учителям.*

2. Разрабатывать и финансировать программы морального оздоровления детской психики. Сегодня у российских подростков исчезли этические нормативы, они вытесняются бандитской моралью и криминальной этикой. Нужна активная пропаганда новых моральных ориентиров, новые социальные герои и примеры для подражания.

3. Инициировать рекламу кодекса добрых отношений, позитивного отношения к жизни, уверенности в себе, в своем таланте и своих возможностях. Обучать молодежь основам психического здоровья, методам анализа причинных ситуаций и выхода из стрессовых состояний.

4. Пропагандировать среди молодежи стандарты активного, здорового и здравого образа жизни, работы по призванию и в охотку, с прибылью и сверхприбылью. Наши встречи с «фокус-группами» показывают, что средний российский обыватель не занимается своим здоровьем, фигурой, внутренней энергетикой и потому социально пассивен, подвержен болезням, малопроизводителен и ориентирован на иждивенчество за счет государства. Психологическое и физическое старение среднего россиянина наступает куда раньше его западного сверстника. Многие россияне пребывают в депрессии постимперского синдрома. Задача Фонда: широкая пропаганда методов сохранения психического здоровья, ориентации на свой личный успех в жизни. Лозунги: «Процветание личности ведет к процветанию страны», «Здоровье — залог успеха, самоуважения и удачной судьбы».

5. Разработать и финансировать или лоббировать в правительстве программы отбора, тренинга и поддержки молодых менеджеров и лидеров XXI века в бизнесе, политике, культуре, сельском хозяйстве и спорте.

6. Способствовать снижению межнациональной напряженности и межнациональных конфликтов, смягчению противостояния поколений, враждебного отношения стариков к молодежи.

7. Избавлять общество от вредных привычек коммунистического прошлого. (Например — вдумайтесь! — вы уговариваете милиционера взять взятку.) Декодизация совкового сознания, снятие шор, избавление от привычки делить мир на черное и белое, на угнетенных и угнетателей, освобождение от постимперской депрессии, стремления к уравниловке, плебейству, желания считать деньги в чужом кармане, стукачества.

8. Пропагандировать здоровый патриотизм без шовинизма и национализма. Уважение к своей стране, паспорту новой России, ее флагу, символике.

9. Воспитывать уважение к миссионерской деятельности, поощрять инициативы добровольных пожертвований и рекламировать жертвователей.

Потенциальные союзники Фонда:

— Министерство здравоохранения, Министерство образования, Министерство культуры;
— выдающиеся деятели культуры и искусства;
— выдающиеся спортсмены;
— молодые бизнесмены;
— фирмы, заинтересованные в рекламе товаров, сопутствующих здоровому образу жизни, спорту, активному отдыху и правильной организации рабочих мест;
— фонды помощи становлению демократии в России, развитию парламентаризма, гуманитаризации страны.

Первые акции

Экспедиции с доставкой гуманитарной помощи детям и школам отдаленных районов России, всероссийская кампания по устройству бездомных детей, создание благоустроенных сиротских приютов для бездомных детей, издание популярного журнала-ежемесячника, ориентированного на поддержку программ и задач Фонда.

58.

— Пуск!

Самонаводящаяся ракета «БР» нырнула с пилонов «СУ-25» в ночную темень и по тугой дуге понеслась к земле со скоростью 1150 километров в час. Ее мощное, плотно спеленатое туловище несло в себе заряд гексогена, способный взорвать танк, дзот или многоэтажный дом. Но эта ракета предназначалась вовсе не таким крупным объектам, а всего лишь одному человеку.

Человеку, охота на которого шла уже больше двух лет.

Человеку, который не так давно сам был военным летчиком, бомбил Афганистан и командовал дивизией стратегических бомбардировщиков «Ту-95» в Прибалтике.

Человеку, который затем стал первым президентом чечен и объявил о выходе этого крохотного кавказского народа из дружной семьи Старшего Брата.

Два года Российская армия всей мощью своей артиллерии, танков и авиации пыталась вернуть чечен в Российскую Федерацию. Была уничтожена их столица Грозный, сожжены дюжины деревень, убиты десятки тысяч людей.

Но *этот* человек и его отряды не прекращали борьбу.

Безуспешная война с ним, затеянная Кремлем как маленькая назидательная операция для острастки татар, башкир и других «младших братьев», стала национальным позором России. Потеряв пол-Европы, Прибалтику, Кавказ, Среднюю Азию, Украину и Белоруссию и ужавшись до пределов петровской империи, Россия не могла, не мыслила проиграть еще и горстке чеченских мятежников.

Даже «большая семерка», слетевшись в Москву, не смогла убедить Ель Тзына дать чеченам вольную. И, значит, завтра в Чечне будут снова гореть села и люди, а в Москве будут новые жертвы возмездия.

Но свободу можно, можно вырвать у Москвы! Ведь все, что нужно Кремлю, — это отбить у других «младших братьев» охоту следовать чеченскому примеру. И ради этого он должен принести себя в жертву. Только это даст Кремлю моральную возможность выпустить его народ на свободу.

Другого выхода — нет.

Вечером 21 апреля, через несколько часов после завершения Московского саммита, он выехал из горного села Ге-Хи-Чу в заросшую апрельскими тюльпанами долину и в последний раз посмотрел на темные горы и усыпанное крупными звездами небо. Он знал, что в горах его сторожат лазерные прицелы и приборы ночного видения диверсионных групп «Каскад» и «Вымпел», вооруженных фугасными снарядами и ракето-минами направленного действия. А в небе, на высоте от четырех до пяти тысяч метров, барражирует его очередной юный коллега — одинокий пилот «Грача» — «СУ-25» с «БР», боевыми ракетами, настроенными на волну радиотелефонной системы «Интермат» и код его спутниковой связи. Девяносто восемь секунд требуется «СУ-25» на то, чтобы пролететь от северной до южной границы Чечни и на этом пути «зацепить» летящий к французскому спутнику FRE-76YQ сигнал «Интермата». Все остальное — световая отметка цели на приборном щитке пилота и пуск ракеты с точечной наводкой на радиоимпульс — дело техники.

Знание этих тонкостей и методики уничтожения мобильных и заглубленных целей, разработанной НИИ Генштаба Военно-Воздушного флота, позволяло ему регулярно менять волну и код своей радиосвязи и два с лишним года ускользать от ковровых бомбежек и точечного ракетного обстрела своих бывших друзей и соратников. Военный волк и авиационный ас, он не мог проиграть свою жизнь зеленым выпускникам Пермского военно-авиационного училища.

Но сегодня одному из них дико повезет!

Он укрепил на крыше джипа маленькую тарелку спутниковой связи и показал своей молодой русской жене на дальний горный склон. Даже под неполной луной было видно, сколько там расцвело тюльпанов. Конечно, она поспешила туда, она знала, что обычно он разговаривает по телефону не больше пятидесяти секунд. Он посмотрел ей вслед и кивнул на нее своим телохранителям. Двое из них, вскинув на плечи короткоствольные «калашниковы», пошли за ней, но остальные остались при нем, и он не мог придумать никакого повода тоже отослать их от себя. Да и опасно это — если он погибнет один, это будет очевидное даже для дилетантов самоубийство.

А Кремлю нужна военная победа, чтобы признать свое поражение.

Звонкая горная тишина стояла в воздухе, и пронзительно пахло цветущим кизилом и свежей весенней травой.

Он набрал длинный секретный код прямого телефона короля Марокко Хасана Второго и посмотрел на свои ручные часы, подаренные ему Ель Тзыном пять лет назад в парилке его подмосковной дачи. Секундная стрелка приближалась к римской цифре XII — семь, шесть, пять, четыре... Большой палец его левой руки завис над телефонной кнопкой с надписью «SEND» так, как через минуту на высоте пяти тысяч метров зависнет над кнопкой «ПУСК» палец его удачливого убийцы.

Он коротко вздохнул и еще раз посмотрел вокруг. До конца его жизни оставалось максимум девяносто девять секунд. Ослепительно сияла луна, и под ее золотисто-зеленым светом все дальше и дальше уходила к тюльпанам его светловолосая русская жена.

Пора!

Не столько умственным или волевым усилием, сколько рефлексом профессионального летчика он нажал кнопку и почти воочию увидел, как тонкий пульсирующий конус радиосигнала полетел от тарелки антенны в это искрящееся звездами небо. Он не знал, как далеко от него находится «Грач» и как скоро он попадет в зону захвата его радиолокационного или электронно-оптического прицела — в ту же секунду или через девяносто. Но даже если...

— Алло! — услышал он в трубке голос короля Хасана.

— Салам алейхум, Хасан, — сказал он с улыбкой.

— Это ты, мой друг? — спросил король, не называя его по имени.

— Конечно, я. Кто еще может тебя беспокоить в такой час?

— Слушаю тебя. Ты получил колеса?

Тридцать секунд ушло, пошла последняя минута его жизни.

— Алло?! Ты меня слышишь? — сказал в трубке голос Хасана.

— Да. Все получил. Семь колес. Аллах тебя вознаградит, мой друг.

«Колесами» они называли нули в денежных переводах.

— Осталось десять секунд связи! Быстрей говори, что еще нужно? — скороговоркой сказал Хасан. Он знал, что больше пятидесяти секунд нельзя испытывать судьбу и русские радиолокаторы.

— Мой народ никогда не забудет твоей помощи...

— Ты с ума сошел?!! Пять секунд осталось! Говори, что нужно?

— Ты помнишь Омара Хайяма? «В сей мир едва ли снова попадем, своих друзей вторично не найдем...»

— Ты пьян?? Отбой! Давай отбой! Ты слышишь? — бессильно закричал король Марокко.

— «Лови же миг! Ведь он не повторится...»

— Джоха-а-ар! Не надо! Не смей!

Казалось, все горы эхом повторили этот крик в телефонной трубке.

— «Как ты и сам не повторишься в нем!»

Он улыбнулся — он вдруг увидел круглое лицо двадцатилетнего счастливчика над штурвалом «СУ-25» и ощутил ликующе-азартный всплеск адреналина в его крови.

«Есть! — мысленно закричал этот пилот, увидев световой импульс на сетке своего приборного щитка. — Есть захват!»

«ПУСК!» — приказал он этому мальчишке и положил кричащую телефонную трубку на капот машины.

Прощай, король Хасан, не мешай мне своим криком ощутить каждую из последних секунд этой прекрасной жизни.

Прощай, жена, спасибо тебе за твою сладость, за губы твои и руки, за жар и нежность твоих прекрасных ласк.

Прощайте, люди мои, прекрасные своей суровой храбростью, завтра вы получите долгожданную свободу.

Прощайте, горы, тюльпаны, звезды, сейчас я взлечу выше вас в это прекрасное небо.

Он посмотрел наверх, пытаясь увидеть летящую к нему ракету.

— Аллах Ахбар!

Может быть, он успел увидеть возникшую из звездной пыли звезду...

Оглушающий взрыв сотряс горы и сорвал с их гребней вихри камнепадов.

Когда опрокинутые взрывной волной жена и два телохранителя вскочили на ноги и добежали к месту взрыва, от его машины, охраны и от него самого не было ничего, кроме огромной воронки, дымящейся в этой прекрасной земле.

Москва, 23 апреля:

«УБИТ ДЖОХАР ДУДАЕВ!
По сообщениям из Чечни, в ночь на 22 апреля в районе села Ге-Хи-Чу во время сеанса спутниковой связи с королем Марокко Хасаном II попал под ракетный обстрел и погиб лидер чеченских боевиков Джохар Дудаев».

Хабаровск, 24 апреля:

«С ДУДАЕВЫМ ИЛИ БЕЗ НЕГО
МЫ ЗАКОНЧИМ В ЧЕЧНЕ МИРОМ!» —
сказал президент в Хабаровске во время встречи с избирателями».

Москва, 1 мая:

«ПРЕЗИДЕНТ ПОДПИСАЛ УКАЗ
О ПРЕКРАЩЕНИИ ВОЙНЫ В ЧЕЧНЕ
И ВЫВОДЕ ВОЙСК. «ВЫ ПОБЕДИЛИ!» —
СКАЗАЛ ОН В ОБРАЩЕНИИ К ВОЙСКАМ».

Москва, 14 мая:

«ПО ДАННЫМ СОЦИОЛОГОВ,
ВПЕРВЫЕ С НАЧАЛА ИЗБИРАТЕЛЬНОЙ
КАМПАНИИ ПРЕЗИДЕНТ ОПЕРЕЖАЕТ
СВОЕГО ГЛАВНОГО КОНКУРЕНТА,
ЛИДЕРА КОММУНИСТОВ...»

Моздок, 28 мая:

**«СКАЗАНО — СДЕЛАНО!
СЕГОДНЯ В 10.30 УТРА ПРЕЗИДЕНТ ПРИБЫЛ
В МОЗДОК, ПОСЛЕ ЧЕГО НА ВЕРТОЛЕТЕ
ОТБЫЛ В ЧЕЧНЮ, ГДЕ ПРОВЕЛ
НЕСКОЛЬКО ЧАСОВ
И ВЫСТУПИЛ ПЕРЕД СОЛДАТАМИ
И ОФИЦЕРАМИ РОССИЙСКОЙ АРМИИ».**

«Известия» и др. газеты.

ЧАСТЬ ПЯТАЯ

59.

«ЦЕНТРОБАНК БУДЕТ КОНТРОЛИРОВАТЬ КРУП-
НЫЕ БАНКИ.

По словам своего председателя, Центральный банк России будет контролировать крупные банки, для чего счета 30
ведущих коммерческих банков переводятся в ЦБР».

Из московской прессы

«ДЕНЕГ У КРЕМЛЯ НЕТ. РУССКИЙ ПРЕМЬЕР ПРИ-
БЫЛ В ПАРИЖ ЗА КРЕДИТОМ.

Премьер-министр России снова прилетел в Париж для
встречи с советом директоров Парижского клуба банкиров и
обсуждения условий получения нового займа. Но позиция
Франции неизменна: сначала новая Россия должна признать
себя преемницей долгов царского правительства, платить которые отказался Ленин...»

Из парижской прессы

Завтрак подходил к концу, когда Болотников, отвлекшись
от разговора с министром финансов Пан С Кой, вдруг увидел
за его спиной удивительно знакомую фигуру. Но он не сразу
опознал этого черного гиганта, а еще склонился к своей чаш-
ке с кофе, мучительно думая, где же он его видел.

— Посмотрите на их завтрак! — ворчал между тем министр, показывая на стол. — Нашли у кого просить взаймы!

Действительно, завтрак, который подают в парижских отелях, может привести в смятение даже японцев. А уж про русских и говорить нечего. Конечно, сам премьер-министр, приезжая в Париж, останавливался в гостевых покоях Российского посольства, где кормят по-русски. Но для команды сопровождавших его советников и банкиров там комнат не было, их резиденцией был отель по соседству, и, зная французскую скупость, бывалые Юрий Болотников и другие члены команды всегда прилетали в Париж с банками черной и красной икры и другими припасами. Но на второй или максимум на третий день любые припасы кончались и приходилось адаптироваться к французскому рациону — круассан, микроскопическое количество фруктового джема и наперсток кофе.

— А всем остальным странам мы уже должны, — хмуро заметил министру председатель Центробанка Ду Би Нин, который еще во «Внуково-2» явился с гримасой человека, страдающего несварением желудка. И Болотников хорошо понимал почему: министры и даже премьер-министры приходят и уходят, а нахватанные ими за рубежом долги рано или поздно приходится отдавать Центробанку. Но хотя долг России уже составлял 130 миллиардов долларов, кремлевский приказ был прост: с пустыми руками домой не возвращаться, любым способом выцарапать хотя бы полмиллиарда, хотя бы триста миллионов! Иначе через неделю вся гигантская машина избирательной кампании президента просто развалится от неплатежей и банкротства.

— Придется золото отдать в залог, — сказал министр.

— Чье золото? — насторожился председатель Центробанка.

— Ваше. Чье же еще? — усмехнулся министр. — У меня золота нет.

Председатель Центробанка покачал головой:

— Дума не позволит вывозить золотой запас. И даже заикаться об этом нельзя — коммунисты и так кричат, что мы распродали Россию...

Болотников отпил кофе и вдруг поперхнулся — он вспомнил этого верзилу, сидевшего в дальнем конце ресторана и в упор разглядывавшего его через весь зал. Конечно! Это же Амадео Джонсон! Тот самый Джонсон, которого Винсент представил ему в Лос-Анджелесе как своего влиятельного и крутого покровителя! Тот самый, который был у Мэтью Ллойда, когда собирали команду американских экспертов для избирательной кампании.

Он еще раз глянул в сторону Амадео и наткнулся на его широкую улыбку и зовущий жест.

— Извините, — сказал Болотников своим товарищам и встал.

— Ты куда? — спросил министр.

— Я сейчас, знакомого встретил.

— Имей в виду, мы убегаем через две минуты!

— Знаю...

Болотников с чашкой кофе в руке подошел к Джонсону.

— Hi! How are you? Извини, я не сразу узнал тебя.

— Это пустяки. Рад тебя видеть. Как там Винсент? Еще в больнице? Садись.

— Спасибо. Винсент в порядке. Это не был инфаркт. Просто сердечный спазм, невралгия. Его выпишут не сегодня-завтра.

— Присядь, мой друг.

— Я не могу. Мы убегаем. У нас важная встреча.

— Я знаю. Ты прилетел с вашим премьер-министром. Вам нужны деньги.

— Откуда ты знаешь?

— Я читаю газеты. Но нам нужно потолковать.

В этом коротком «нам нужно потолковать» было столько значительности, что Болотников сразу понял: Амадео Джонсон оказался тут не случайно.

— Конечно, — согласился он. — Я освобожусь в шесть.

— Я буду ждать тебя здесь. Ровно в шесть. — И Амадео посмотрел на него таким взглядом, словно собирался не вставать из-за стола до шести часов.

Вечером они гуляли по весеннему Парижу, но Болотникову было не до парижских прелестей. Мало того, что французы окончательно отказали в кредите, так еще этот Джонсон!..

— Ты знаешь, что такое «колумбийский картель»? — напрямую сказал Джонсон. — Вы можете дурачить ваших ебаных московских бандитов и играть с Винсентом, но не с нами. Если через месяц я не увижу доходов от моей компании, ты лично будешь за это отвечать. И мы достанем тебя в Париже, Лондоне и в Москве, без проблем.

— Да у нас все готово! Просто военные заводы бастуют и поэтому нет кевлара... — пытался оправдаться Болотников, без своих телохранителей он чувствовал себя пигмеем рядом с этим громилой.

— Нас это не ебет, — ответил Амадео, множественным числом местоимения давая еще раз понять, какая сила стоит за ним. — Заплати, и мы пошлем тебе сколько угодно кевлара и все что угодно.

Болотников вдруг замер на месте.

— Что? — спросил Джонсон.

— Кажется, у меня идея... — Светлые глазки Болотникова вдруг ожили за стеклами его очков, его осенило, как он может одним ударом спасти и себя, и Кремль. Решительно шагнув к Джонсону, он спросил: — Вы действительно можете достать все что угодно? Твои люди, я имею в виду...

— Что тебе нужно?

— Доллары. Фальшивые, конечно.

Джонсон усмехнулся:

— Сколько?

— Сто миллионов.

Теперь настала очередь оторопеть Джонсону.

— Ты шутишь! Что ты будешь делать со ста миллионами фальшивых денег?

— Можете или нет? — требовательно спросил Болотников.

— Ну-у, это зависит от качества...

— Качество не имеет значения! Пусть хоть явная липа. Главное — срочно! Идем сюда, я угощаю! — И Болотников показал на ближайшее кафе.

60.

Белый «Мерседес-600» Болотникова летел по первомайской Москве, украшенной немыслимым количеством гигантских настенных панно с портретами президента и мэра города, которые пожимали друг другу руки в знак взаимной поддержки на выборах. И такие же плакаты были укреплены на каждом фонарном столбе и афишной тумбе. Даже в Пекине во времена культурной революции не было такого количества портретов Великого кормчего.

— Сколько стоит это удовольствие? — спросил Брух.

— Не важно! Зачем тебе? — отмахнулся Болотников, он был в каком-то нервном напряжении.

— Йоп-тать! — возмутился Брух. — На мои деньги сделано, а мне и знать нельзя? Зю Ган назвал эти фото знаешь как? «Москва прощается с Ель Тзыным!»

— Ничего, он уже дошутился! Его спонсоры парализованы налоговой инспекцией, их счета под контролем Центробанка. Видишь — ни одного его плаката или портрета...

Машина остановилась у зоопарка на Красной Пресне.

— Но Ле Бедь на плаву. — Брух, выходя из машины, указал на небольшой плакат с портретом генерала Ле Бедя и лозунгом «ЧЕСТЬ И ПОРЯДОК».

— Да. Пока он работает на нас — отнимает голоса у Зю Гана и Жирика, — объяснил Болотников, подходя с Брухом к воротам зоопарка. — Все посчитано, старик!

— Но у штаба опять ни копья! Вы там деньги вместо икры жрете, что ли?

— Не физди! — огрызнулся Болотников. — Без тебя разберемся!

Брух подошел к контролерше в воротах зоопарка.

— Мы зайдем на минуту, сына забрать.

— Еще чего! Билеты! — грубо ответила та.

Но Брух уже увидел Робина и своего сына Марика — они стояли у боковой аллеи подле тележки мороженщицы, Марик угощал Робина московским эскимо.

— Марик! Робин! — крикнул им Брух.

— Папа, можно мы еще побудем? — подбежал Марик. — Я хочу страусов покормить!

— Нет, поехали. Я покажу тебе кое-что интересней.

— Что? — загорелись глаза у мальчишки.

Машина долго шла вдоль глухого зеленого забора, а когда он кончился, свернула с загородного шоссе на пыльную грунтовую дорогу и — опять вдоль забора — покатила к кирпичной будке КПП. Здесь, у выцветшего шлагбаума, загорали два солдата охраны, слушали по транзистору Малинина. За ними, вдали, на Чкаловский военный аэродром заходил на посадку зеленый армейский «Ми-28».

Водитель «мерседеса» подъехал вплотную к шлагбауму, опустил стекло в своей двери, но солдаты-охранники только лениво скосили глаза. Один из них сплюнул и сказал:

— Зенки протри, папаша! Запретная зона!

— Ты, зелень вонючая! — обозлился шофер. — Подними жопу и позови командира!

Солдат оценивающе посмотрел на шофера и на сидящего рядом с ним Марика, жевавшего жвачку. И вдруг спросил:

— А жвачку дашь?

Впрочем, изнутри «запретки» уже на рысях выскочил коротконогий и заспанный толстяк подполковник, закричал солдатам:

— Открывай! Открывай, мать вашу в селедку! Армия называется!

Солдаты стали лениво отвязывать журавль шлагбаума, подполковник заглянул в машину и угодливо сказал Болотникову:

— Извините, что не встретил, Юрий Андреич! Совершенно запарился!

— Ладно, садитесь вперед, — показал ему Болотников на переднее сиденье.

— Слушаюсь!

Машина, приняв подполковника, проехала ворота, Марик крикнул: «Лови!» — и через окно выбросил солдатам пачку жевательной резинки.

326

И минуту спустя Робин понял, куда они попали — на гигантское, как Централ-парк в Нью-Йорке или Измайловский парк в Москве, кладбище боевых вертолетов. Крошечные, как цикады, «Ка-25» и «Ка-27», транспортные гиганты «Ми-6» и «Ми-26», средние, двадцатиметровые в длину «Ми-8» и «Ми-24» — утопающие в бурьяне, покосившиеся, вросшие своими шасси в землю, с согнутыми или надломленными лопастями винтов, с выбитыми, или, точнее, раскуроченными, стеклами в пилотских кабинах, со сбитыми замками боевых пулеметов — они представляли странное, почти мистическое зрелище. Словно стадо бизонов, неожиданно пораженное смертельной болезнью и рухнувшее в грязь, в траву и крапиву.

— Папа! Папа! — закричал Марик. — Можно я в этот залезу? Он совсем целый!

— Подожди. — Брух повернулся к Робину: — О'кей, что ты думаешь?

Робин недоумевающе посмотрел на него, потом на Болотникова. Болотников пояснил:

— Некоторые военные вертолеты обшиты кевларом. Если их не раскурочили, конечно. Подполковник даст тебе солдат, и ты можешь курочить эти вертолеты, как хочешь.

«Я должен посмотреть», — показал жестами Робин.

Болотников кивнул, Робин вышел из машины и пошел к вертолетам.

Весеннее солнце слепило ему глаза, и странным, тяжелым гулом вдруг наполнился воздух. Тем самым гулом, который волной накатил на горную долину Син Панг на рассвете 24 апреля 1975 года, когда все уже прекрасно знали, что война закончилась. Армада северовьетнамских «Ми-8» возникла тогда с востока, в лучах встающего над хребтом Куанг-Бен и слепящего солнца и на бреющем полете вдруг обрушила шквал напалма и пулеметного огня на спавшие в тумане американские «апачи» и «кобры». Горело все — вертолеты, ангары, врытые в землю емкости с горючим, бараки с пилотами, палатки с технарями и вышка командного пункта. Взрывались, детонируя, склады с боезапасом, небо закрылось копотью горящего топлива и ошметками вертолетов, человеческих тел и земли.

Но Робин уже не видел этого — при первом же взрыве соседнего склада с гранатами его вознесло в воздух прямо в его спальном мешке, потом швырнуло оземь и накрыло рухнувшими сверху дюралевыми стенами ремонтного ангара. Он очнулся лишь на другой день — в джунглях Се-Конга, в подземном госпитале северовьетнамцев. Как ни странно, на нем не было ни одной царапины. Но именно это привлекло к нему внимание русских военных инструкторов, одетых во вьетнамскую форму. Они вели себя как хозяева и главные победители в той войне, даже вьетнамцы-офицеры высшего ранга кланялись им и угождали.

Молодой и плечистый русский лейтенант с косой челкой из-под пилотки и мощной грудью под небрежно расстегнутой гимнастеркой долго и в упор смотрел, как Робин пытается преодолеть немоту контузии и выдавить из себя какие-то слова.

— Он немой, товарищ Сос Кор, — сказал русскому врачу вьетнамец. — Мутизм.

— Немой-хуёй! — усмехнулся лейтенант. — Симулянт, падла! Ничё! Дьен Бинь ему быстро глотку прочистит! — И забрал у врача армейское удостоверение Робина Палски, техника-сержанта 4-го вертолетного полка 82-й американской парашютно-десантной дивизии.

Конечно, Робин не понимал по-русски, но двух слов — «симулянт» и «Дьен Бинь», где находился лагерь для военнопленных, — было достаточно, чтобы Робин и без перевода понял, что его ждет...

— Я с тобой! Я с тобой! Мне разрешили! — вдруг прозвучал рядом с ним голос Марика, сына Бруха.

Робин стряхнул наваждение и вернулся в май 1996 года.

Марик влез на подножку «Ми-26» и пытался перелезть с нее в пилотскую кабину. Робин подсадил его и принялся ощупывать и осматривать этот вертолет и соседние.

— Ну что? — подошли к нему Брух, Болотников и подполковник. — Годится или нет?

Робин показал им, что в тонком, как брезент, кевларовом покрытии вертолета автогеном выжжено популярное русское слово из трех букв, а в других местах кевлар изрезан и

328

покорежен теми, кто воровал тут приборы и запчасти. Но зато тонкую титановую сталь брони соседних «Ми-24» действительно можно использовать для бронирования «мерседесов».

— Great! — сказал Болотников и повернулся к подполковнику. — Он остается у вас. Дадите ему роту солдат и все, что попросит. Рассчитаемся, когда он закончит.

— Аванс нужен, — сказал подполковник.

Болотников посмотрел в его упрямые узкие глаза и со вздохом полез в карман за деньгами. А Марик запрыгал вокруг отца:

— Папа, я тоже останусь! Папа, можно я с ним останусь? Ну пожалуйста!

61.

У Винсента действительно не было инфаркта, и в больнице он задержался лишь потому, что врачи, подыхающие от безделья в этой роскошной, но пустой «кремлевке», набрасываются тут на каждого коммерческого пациента, как паук на попавшую в сети муху. Их озабоченные лица могут убедить и Рэмбо, что он на краю могилы и ему необходимо провести все мыслимые и немыслимые исследования и процедуры и, конечно, стационарно — по двести долларов в день.

Платная медицина, она и в России диктует свои законы.

Но всему приходит конец, даже сердечным приступам.

Зато те, кто их пережил, знают истинную цену жизни.

Выйдя из больницы, Винсент категорически отказался ехать домой или в офис и отправился с Александрой колесить по теплой майской Москве.

Он никогда раньше не замечал, насколько это красивый город. Продуваемая морозными ветрами, укрытая низким портяночно-серым небом, зараженная гриппом и всеобщей стервозностью и одетая в грязные слежавшиеся сугробы, зимняя Москва заставляет иностранцев прятать лица в меховые воротники и поскорее убираться с ее улиц в отели, офисы, рестораны или вообще из России. Не зря даже «Неделя» с гостеприимным юмором посоветовала как-то иностранцам от имени москвичей: «Уезжайте быстрей! Надоели!»

Но если из-под больничного одеяла вы в момент сердечного приступа заглянули по ту сторону бытия, то, выйдя в жизнь, да еще обручь с любимой женщиной, вы задохнетесь от простого счастья дышать запахами весны, свежей сирени и даже московской пыли.

Они катались на речном трамвае по Москве-реке... смотрели на город с Воробьевых гор... гуляли по Суворовскому и Гоголевскому бульварам... ели мороженое на Старом Арбате... прятались от дождя в подземном переходе на Тверской... покупали ландыши на Кузнецком мосту... и бродили по Китайскому проезду и кривым переулкам Китай-города...

— Я не вижу ни одного китайца. Почему — Китай-город? — спрашивал Винсент.

— Точно никто не знает, — объясняла Александра. — Говорят, когда-то здесь были ряды китайских торговцев. Потом они построили город и обнесли его кирпичной стеной. Вот ее остатки, она прилегала к Кремлю. Это было самое прибыльное место в Москве, но если кто-то из русских хотел тут поселиться, то должен был взять китайскую фамилию. Есть и другая легенда. Что эти китайцы стали постепенно проникать в Кремль, облагозвучивая свои китайские имена на русский лад. И так Пот Ем Кин стал Потемкин, Труй Бей Кой — Трубецкой, Стай Лин — Сталин и так далее...

Они спустились к Москве-реке... вышли к Замоскворечью... Заглянули в квартиру Винсента на Пушкинской...

— Я извиняюсь, что дразнил тебя раньше, — говорил Винсент.

— Когда? — удивлялась Александра.

— Ну, давно. Сначала. Когда ругал Москву и всех русских.

— Забудь об этом!

— Нет, я должен сказать! Мне нравится твоя страна. Правда нравится! Вы очень богатые и очень нищие. Посмотри на этих стариков. Посмотри на их обувь, пальто. Это очень,

очень старые вещи, у них даже рукава протерты. И вы ходите в штопаных чулках — много людей, я видел, у меня есть глаза! Эти женщины, которые продают котят и носки в подземных переходах! Эти ветераны, которые вчера утром шли парадом по Красной площади, а вечером искали еду в мусорных урнах! О, у меня есть глаза! И я был в Германии. Мы с вами разбили немцев, но как живут эти немцы и как вы живете? Немцы догоняют нас по уровню жизни, а комми бросили вас туда, где немцы были в сорок пятом. Я действительно счастлив, что привез сюда нашу команду помочь Ель Тзыну выиграть у коммунистов. Надеюсь, он выполнит, что обещает. А?

— Хотелось бы... — рассеянно отвечала Александра, выходя с ним на улицу и отправляясь в новое турне по Москве — по ее бульварам и улицам.

Даже заклеившие все афишные тумбы и фонарные столбы плакаты «Голосуй или проиграешь!» и портреты президента с требованием «Голосуй сердцем!» не портили неожиданную весеннюю красоту русской столицы, умытую быстрыми майскими дождями и поливальными машинами мэрии и — с высоты Воробьевых гор — удивительно похожую на бесконечный татарский табор, скатившийся откуда-то с востока в европейскую лесостепь...

— Я не знаю, что еще **я** могу для вас сделать, — говорил Винсент. — Конечно, мои дети могут организовать в Лос-Анджелесе сбор одежды для ваших стариков и детей. Как ты думаешь?

— О Винсент! — Она взяла его за руку и прижалась к нему плечом, как дочь прижимается к сильному плечу отца. Но доминошники, игравшие на скамье в соседней аллее, тут же заметили и нечто большее — ту особую интимность, которая всегда возникает у влюбленных после первой близости.

А они шли по городу — рука в руке и отнюдь не скрывая свою интимность, влюбленность и близость, вызывая этой откровенностью удивление и даже оторопь прохожих, потому что люди этого города уже забыли, когда именно так, рука в руку, до поздней ночи и даже до рассвета гуляли по

Москве сотни влюбленных пар, когда на набережной Москвы-реки сидели рыбаки с удочками, а в московских дворах царили не бандиты, а голубятники.

— Нет, проблема не в том, чтобы собрать пожертвования, — говорил Винсент, нежа руку Александры в своей руке и подсаживая ее в трамвай. — Я мог бы, наверное, организовать даже Фонд помощи русским детям. Проблема в таких, как ваш Болотников. Они все разворуют. Брух — это о'кей, он что-то строит, но Болотников... Я знаю этот сорт. Это игроки. Их азарт — кто больше украдет. Как это по-русски? Спиздит, правильно?

— Винсент, это ругательство!

— О'кей, ругательство! Я лежал в больнице и думал. Конечно, я не великий мыслитель, но когда тебе пятьдесят и вдруг схватит сердце, ты думаешь: подождите, минутку! Это конец? А что же я оставлю после себя? Бронированные «мерседесы»? Деньги? Но даже на этих деньгах не мой портрет, а Франклина и Вашингтона...

— Между прочим, Винни, трамвай у нас платный.

— У меня нет больше русских денег, выходим!.. — Они выскочили из трамвая и пошли по Чистым прудам, Винсент продолжал: — Да, раньше я думал: вот разбогатею и подарю Лос-Анджелесу парк имени Винсента Феррано! Но теперь я думаю сделать что-то для твоей страны. Из-за тебя, дорогая. Но что? Твоя страна больна, мы называем это «имперский синдром». И это хуже сифилиса, потому что это у вас здесь, в голове. Дети просят милостыню, учителя не получают зарплату, голодные старики ищут еду в мусорных ящиках, а вы устраиваете военные парады, завоевываете Чечню, строите храмы с золотыми куполами и кричите про «великую Россию». Но великой не может быть страна с нищим населением!..

Телефонный звонок прервал этот монолог, Александра достала из сумочки «Моторолу», приложила к уху.

— Алло... Где мы? — Александра оглянулась по сторонам. — На прудах, у «Современника». А что? — И, закрыв трубку, сообщила Винсенту: — Легок на помине. Через пару минут будет здесь.

— Кто?

— Твой Болотников.

И действительно, через минуту ослепительный, как белый рояль, «Мерседес-600» подлетел к театру «Современник», и Болотников, сияющий улыбкой и летним костюмом от «Армани», вышел из машины.

— Винсент, Саша, вы выглядите замечательно! Нет, Винни, ничего не говори, я знаю, что я виноват! Но разве ты в моем возрасте не делал ошибок? Смотри, я думал о тебе в Париже. — И он протянул Винсенту коробочку с золотыми запонками. — Это настоящий «Тиффани»! Возьми, прошу тебя! И я решил все наши проблемы! Ей-богу! Робин уже в Чкаловском, режет с вертолетов титановую сталь. А ты летишь за кевларом в Нью-Йорк.

— Куда-а?? — изумился Винсент.

— В Нью-Йорк. Вот твой билет. Между прочим, билет первого класса. Извини, Саша, его не будет только несколько дней. Кевлар уже ждет его в Нью-Йорке. — И Болотников снова повернулся к Винсенту: — Я купил там триста квадратных метров кевлара. Для начала нам хватит?

Винсент недоверчиво смотрел на него, потом спросил:

— Что случилось?

— Где? — удивился Болотников.

— С тобой.

— Ничего, а что?

— Он хочет знать, на чем ты его *кидаешь*, — вдруг напрямую объяснила Александра.

— О нет! Я не кидаю! — сказал Болотников. — Просто в Париже я встретил Амадео Джонсона, Винсент его знает, это его *партнер*. И этот Джонсон объяснил мне, что не любит шуток. Это правда, Винсент? Садитесь в машину, мы спешим!

62.

Армейский грузовик доставил на Пречистенку Робина и Марика, перепачканного с головы до ног, взвод солдат и тонну листовой титановой стали, срезанной Робином со старых военных вертолетов. Миновав новые глухие ворота, открытые охранниками «Рос-Ам сэйф уэй интернешнл, инк.», грузовик въехал во двор, солдаты разгрузили сталь, Робин показал, где ее сложить, поднялся с Мариком на второй этаж в офис и с изумлением узнал у секретарши, что Винсент улетел в Нью-Йорк за кевларом и будет обратно не раньше чем через неделю.

Марик первым сориентировался в ситуации, набрал на телефоне номер отца и сказал в трубку:

— Папа, мы уже в Москве. Я хорошо себя вел и поэтому мы с Робином идем в зоопарк кормить страусов. А как у тебя дела? — И протянул трубку Робину: — Он хочет тебе что-то сказать.

Робин взял трубку и услышал голос Бруха:

— Робин, ты меня очень выручишь, если побудешь с ним до пяти. В пять ноль-ноль я заеду за вами в зоопарк. Ладно?

Робин отдал трубку мальчику и кивнул, тот ответил отцу:

— Да, папа, он согласен. В пять ноль-ноль, я понял. Деньги у меня есть. Пока! — И, положив трубку, воскликнул: — Let's go! Let's go! Let's go! We have only two hours! У нас есть всего два часа!

Робин показал ему, что следует хотя бы руки помыть, но через пять минут они действительно уже выскочили на улицу и поспешили в зоопарк, оглядываясь в поисках такси или левака. И ни Робин, ни тем паче Марик не обратили внимания на серый «жигуль», стоявший через дорогу поодаль от входа в «Рос-Ам сэйф уэй интернешнл, инк.».

Между тем три отмороженных со стрижкой под дикобразов, сидевшие в этом «жигуле», уже поймали их в окуляры своих биноклей, говоря меж собой:

— Ну что? Будем брать?

— При нем какой-то пацан...

— Ну и хер с ним! Третьи сутки сидим! А то он опять исчезнет, на хрен его знает сколько!

— Может, командиру звякнуть?

— Еп-тать! Дозвякались уже! Они тачку берут!

Действительно, Робин и Марик голоснули проезжавшей мимо них «Волге» и тут же сели в нее, сказав водителю: «В зоопарк».

— Пошел! За «Волгой»! — приказали незадачливые пинкертоны такому же, как они, дикобразу-водителю, и «жигуль» рванул за отчалившей «Волгой».

День стоял теплый, майский, на улицах было полно машин, и «Волга» недалеко оторвалась от преследователей — на Садовом кольце «жигуль» уже повис у нее на хвосте, а потом вместе с ней ушел на поворот к Красной Пресне и зоопарку. Правда, ко входу в зоопарк водителю «Волги» было не подъехать из-за знака «правый поворот запрещен», поэтому «Волга» прокатила чуть выше по брусчатке Красной Пресни. Марик расплатился с шофером и вместе с Робином вышел из машины, они двинулись к кассам зоопарка. Но тут из причалившего подле них «жигуля» вдруг вышли двое крепких и стриженных под дикобраза парней, и Робин не столько зрением, сколько интуицией опознал в них тех самых отмороженных, которые два месяца назад собирались взорвать фургон с оборудованием для бронирования автомашин. Он рывком дернул Марика к себе, но было поздно: один из отмороженных приставил «беретту» к затылку мальчишки, а второй, зажав Марику рот, негромко сказал Робину:

— Не рыпаться! В машину! А то убьем пацана!

Марик все же пытался дрыгать ногами, но Робин уже по опыту знал, что эти ребята не шутят. И только оглянулся по сторонам в поисках милиции или какой иной помощи.

— Спокойно! Без глупостей! — приказали ему отмороженные.

День стоял прекрасный — майский и солнечный. По улице шел поток праздной публики. За оградой зоопарка звенел детский смех, играла музыка и трубили слоны. У метро «Краснопресненская» продавали цветы, свежие газеты и кавказские фрукты. С огромного панно на углу Конюшковской и Баррикадной улыбались президент и мэр города, а с плакатов на фонарных столбах — генерал Ле Бедь и другие кандидаты в президенты. По мостовой катили чистые троллейбусы и умытые по приказу мэра частные автомобили.

И в этой весенне-праздничной обстановке, средь бела дня и на глазах у сотен людей, два молодых бандита с пистолетом в руках усадили в свою машину шестилетнего мальчика и сорокалетнего мужчину и спокойно укатили вверх по Красной Пресне.

63.

Чем гениальней операция, тем она проще, а сложные ограбления, которыми кормят зрителей голливудские сценаристы, обречены на провал в прямой зависимости от количества мелких и якобы наперед предусмотренных деталей.

В операции, которую разработали в Париже Юрий Болотников и Амадео Джонсон, Винсенту была уготована роль так называемого «слепого мула» — перевозчика контрабанды, который не знает о том, что он везет. И нужно сказать, что лучшего психического состояния для «мула», чем влюбленность, даже выдумать трудно. Поскольку только от влюбленных исходят те особые биотоки беспечности и счастья, которые таможенники всех стран легко отличают от флюидов внутренней нервозности крупных контрабандистов и мелких нарушителей таможенных правил и деклараций.

Впрочем, Винсенту и в голову не приходило усомниться в цели своей поездки, ведь Амадео Джонсон действительно был человеком без чувства юмора и вполне мог до смерти запугать Болотникова в Париже. Правда, удивляло личное участие Амадео в таком пустяковом деле, как отправка кевлара в Москву, но и этому было объяснение: если вы вложили в дело пусть даже не свой, но все-таки миллион и не хотите его потерять, вы будете заботиться и не о таких мелочах!

В Нью-Джерси, неподалеку от аэропорта «Ньюарк», на складе небольшой фирмы «Tomorrow Enterprise», торгующей углепластиком, тефлоном, поликарбонатом, кевларовым сырьем, армированным стеклом, гибкими солнечными батареями и прочими замечательными материалами XXI века, Винсент сам отобрал двадцать четыре упаковки тонкого кевларового листа и проследил, как их уложили в двенадцать ударопрочных чемоданов фирмы «Westington», которые он и Амадео купили в Нью-Йорке на Двадцать пятой улице у оптовика «Luggage Warehouse». Он запер ключом и проверил замки этих чемоданов, сам установил один и тот же код на дополнительных наборных замках и еще, по совету Амадео, крест-накрест оклеил чемоданы клейкой лентой с девизом «I LOVE NEW YORK», подаренной ему запасливым Амадео Джонсоном. Рабочие склада и шофер «уазика» (в Америке их называют «вэн»), который из Нью-Йорка следовал с этими чемоданами за прокатным «БМВ» Джонсона, уложили чемоданы в этот «вэн», и он снова покатил за Амадео и Винсентом — через туннель Линкольна под Гудзоном, через Манхэттен и Квинс прямо в аэропорт имени Кеннеди, к рейсу «Нью-Йорк — Москва» авиакомпании «Дельта».

По дороге Винсент рассказывал Джонсону о России.

— Я скажу тебе, что это такое. Это сафари, джунгли! Нет, действительно! Ты никогда не знаешь, что ждет тебя за углом — пуля, хамство или Дездемона! Правда! Там дверные ручки поворачиваются в другую сторону, там в мужских туалетах женщины продают туалетную бумагу по кусочкам величиной с ладонь, и один клочок такой бумаги стоит пятьсот рублей. Да, представь себе, их рубль дешевле туалетной бумаги! И ты бы видел эту бумагу! Ею можно считать ржавчину с днища океанских кораблей...

Увлеченный своим рассказом, Винсент не заметил, как катиший позади них «вэн» чуть отстал и остановился рядом с точно таким же «вэном». Водители этих машин поменялись местами, и уже на следующем перекрестке, когда Джонсон притормозил у светофора, «вэн»-дублер занял место в хвосте их «БМВ». Амадео, посмотрев в зеркальце заднего обзора, убедился в этом и покатил дальше, с интересом слушая вдохновенного Винсента.

— ...Везде продаются европейские продукты, но срок их годности истек еще в прошлом веке. Коммунисты кричат, что это мы, американцы, специально травим русский народ. А на деле это «новые русские» за гроши скупают в Европе то, что магазины должны выбросить в мусор, привозят в Россию и делают на этом миллионы! И при этом русские гордятся, что по стоимости жизни и по количеству убийств Россия уже вышла на первое место в мире. Они обожают быть первыми! Это какое-то fucking национальное сумасшествие. Как только человек начинает заниматься политикой, он сразу кричит про «великую Россию». Я десять дней лежал в больнице и смотрел телевизор — ни один кандидат в президенты, ни один депутат парламента ни разу не сказал про ликвидацию безработицы и снижение налогов. У них тридцать миллионов безработных, так дайте же им возможность хотя бы самим начать какой-нибудь бизнес — нет! Их капитализм еще меньше ягненка, а они уже и доят его, и стригут, ввели двести налогов! Можешь себе представить?!

— Я вижу, ты заболел Россией, — усмехнулся Джонсон, подъезжая к аэропорту имени Кеннеди.

— Я влюбился в нее, — ответил Винсент.

Они подъехали к «Дельте», носильщик и шофер «вэна» погрузили на тележку двенадцать чемоданов Винсента, крест-накрест оклеенных желтой лентой «I LOVE NEW YORK». Винсент положил поверх них свой атташе-кейс, а Амадео сказал:

— О'кей, мой друг! Я должен ехать. Счастливого пути! И хватит политики, давай делай бизнес!

— I will. Конечно, — пообещал Винсент. — Спасибо за помощь!

— Пока! — Амадео пожал Винсенту руку, бросил безразличный взгляд на причалившую рядом машину с двумя спортивного вида молодыми русскими и махнул рукой водителю «вэна»: — Поехали!

Винсент посмотрел на часы: было 3.35 после полудня, до отлета «Дельты» в Москву оставалось больше часа. Он проводил взглядом укатившие «БМВ» и «вэн» и сказал грузчику:

— Первый класс, пожалуйста.

— Yes, sir.

Винсент усмехнулся — как давно он не слышал этих простейших слов! Но, черт возьми, все складывается прекрасно — у него есть кевлар, Робин получает титановую сталь, а в Москве его ждет Александра. О Александра!..

Винсент задохнулся от счастья при одном воспоминании о ней и с блаженной улыбкой подошел за грузчиком к стойке первого класса, положил на стойку свой билет, паспорт и русскую визу.

— У вас много багажа, сэр, — сказал молоденький дежурный по регистрации. — Что там?

— Приданое, — улыбнулся Винсент. — Хочешь взглянуть?

— Зачем? — пожал плечами дежурный. — Собираетесь жениться?

— Постучи по дереву! — попросил Винсент.

Дежурный с улыбкой выполнил его просьбу и затараторил стандартную «молитву»:

— Вы сами паковали свой багаж, сэр?

— Сам.

— Никто не помогал вам? Никто не передавал вам какой-нибудь пакет? Никто не мог без вашего ведома положить что-то в ваши чемоданы? Вы не оставляли свой багаж без присмотра?

— Нет... Нет... Нет...

Грузчик поставил на транспортер последний чемодан, и дежурный, навешивая на их ручки багажные бирки, сказал:

— Ого! Двести сорок фунтов перевеса! Но раз вы собираетесь жениться... — И он подмигнул Винсенту: — Все равно самолет почти пустой. Счастливого полета, сэр! Вот ваш билет. Зал ожидания пассажиров первого класса — направо, на втором этаже!

— Спасибо, молодой человек! God bless you! — Винсент взял свой билет и атташе-кейс и беспечной походкой отправился на второй этаж. Черт возьми, когда вам везет, то везет во всем! Этот незнакомый парень только что сэкономил ему почти тысячу долларов!

Винсент пересек зал ожидания пассажиров первого класса и, не задерживаясь в нем, направился в «Дьюти фри шоп» покупать для Александры «Шанель» и «еще что-нибудь, знаете, для красивой молодой женщины, цена не имеет значения». Но по дороге вдруг натнулся глазами на киоск с надписью: «AMERICAN EXPRESS FLIGHT, TRAVEL & LIFE INSURANCE» («Америкэн экспресс — страхование на время полета, путешествия и всей жизни»). Винсент замер, затем круто свернул, подошел к киоску и положил свою карточку «Америкэн экспресс»:

— Сколько стоит застраховаться на миллион на время путешествия?

— О, у вас золотой «Америкэн»! — сказала девушка, улыбнувшись. — Зависит от срока путешествия и страны.

— Россия, на три месяца.

— Россия... — Девушка застучала по клавиатуре компьютера и доложила: — Россия, Ирак и Ливан — страны повышенного риска. Страховка только помесячная. При страховании жизни на миллион долларов — шестьсот сорок долларов.

— А десять миллионов?

— Соответственно: шесть тысяч четыреста, — улыбнулась она.

— Как это? — возмутился Винсент. — Я же покупаю оптом! Должна быть скидка!

— Извините, — снова улыбнулась девушка. — На жизнь скидки нет.

— О'кей... — ворчливо согласился Винсент и протянул ей свой паспорт. — Я беру на десять миллионов.

Девушка тут же стремительно застучала по клавиатуре компьютера, списывая с карточки Винсента ее номер, а с паспорта — его фамилию и все остальные данные.

— Какой у вас бизнес, сэр?

— Я делаю бронированные лимузины.

— Чем будете платить? Чеком? Наличными? Кредитной карточкой?

— Карточкой...

Меж тем двенадцать объемистых чемоданов фирмы «Westington», оклеенные желтыми лентами «I LOVE NEW YORK», благополучно съехали по транспортеру на нижний этаж аэровокзала, перекочевали на грузовые тележки и вместе с другими чемоданами и прочим багажом отправились к «Боингу», к его грузовому отсеку. Рядом с этим отсеком дюжие грузчики под наблюдением таможенной службы с привычной лихостью перебрасывали из банковского броневика в металлические грузовые контейнеры увесистые брезентовые мешки с тавром «Федеральный банк США», а затем поднимали эти контейнеры в так называемый отсек-сейф «Боинга». Этих мешков, перевязанных стальными удавками со свинцовыми пломбами, было на сей раз ровно тридцать шесть, а валюты в них, предназначенной для московского «Народного банка», — сто восемь миллионов долларов.

Тем временем Амадео Джонсон вовсе не спешил покидать аэропорт имени Кеннеди. Наоборот, на своем «БМВ» он подкатил к прокатной фирме «Херц», сдал машину и пересел за руль поджидавшего его тут «вэна» — того, первого, в который были погружены чемоданы с кевларом.

— Все в порядке? — спросил он у молодого спортивного шофера этого «вэна», отодвинувшегося на место пассажира.

— Да. То есть yes, — ответил шофер, запутавшись в русско-английском.

— Good. Here is your ticket and money for the luggage.

Он вручил парню билет и конверт с деньгами для оплаты сверхлимитного багажа и еще через пару минут подкатил к правому крылу аэровокзала «International Airlines», к стеклянным дверям, над которыми значилось: «FRANCE AIR» & «KRASSAIR» («Красноярские авиалинии»). Здесь его спортивный пассажир-шофер с помощью грузчика выгрузил на тележку чемоданы с желтыми лентами «I LOVE NEW YORK», Амадео пожал ему руку, пожелал «good luck» и снова укатил в «Херц» сдавать и этот прокатный «вэн».

А его пассажир-шофер направился на регистрацию билетов в «KRASSAIR». Спешить ему было некуда — самолет, выполняющий рейс № 31 «Нью-Йорк — Москва» компании «KRASSAIR», вылетал в Москву через два часа после «дельтовского». Правда, повезло этому молодому человеку меньше, чем Винсенту, — дежурная, взвесив его багаж, сказала, что ему следует доплатить за лишние сто тридцать

341

фунтов багажа (только весом и отличались его чемоданы от чемоданов Винсента, во всем остальном они — внешне — были идентичны). Но молодой человек не спорил, а, заплатив за лишний вес деньгами из конверта, выданного ему Джонсоном, отправился в ресторан поужинать.

Между тем Джонсон, сдав прокатный «вэн», доехал на «херцевском» мини-автобусе до аэровокзала «Американ», чтобы через сорок минут улететь в Лос-Анджелес, где на его банковском счету уже появился первый «русский» миллион долларов — стоимость его услуг Болотникову и тех фальшивых денег, которые вез теперь Винсент в Москву в своих оклеенных лентами чемоданах.

Операция по спасению избирательной кампании российского президента началась.

64.

— Вы чё? Мозгами двинулись? На хера вы пацана привезли? — встретил отмороженных их одноухий главарь во дворе своей недостроенной новой избы на окраине деревни Великие Жуки, которая после любого дождя стоит по колено в грязи, всего в сорока семи километрах на северо-запад от Московской кольцевой дороги. Впрочем, веяния новых времен добрались сюда и по колее грунтовой дороги — на единственной деревенской улице, состоявшей из семнадцати дворов, шесть уже были куплены «новыми русскими» и перестраивались под модные кирпичные хоромы шведско-финского образца. Но у одноухого главаря банды отмороженных денег на кирпичные хоромы еще не было, он перекладывал старую прадедовскую избу тесом и столяркой, и весь двор вокруг этой избы был завален рубероидом, досками и свежими опилками от самодельной пилорамы.

Споткнувшись о какое-то полено, Марик не брякнулся носом в землю лишь потому, что повис на наручнике, которым его левую руку еще в машине пристегнули к правой руке Робина. Но, выпрямившись, мальчишка заносчиво ответил одноухому раньше своих пленителей:

— А ты здесь главный? Имей в виду: если с моей головы хоть волос упадет, Машков вас всех убьет. Ты Машкова знаешь?

Одноухий требовательно посмотрел на свою братву, те пояснили:

— Ну, так получилось... Этот жиденок — Бруха сын.

— О! — заинтересовался одноухий. — Тогда другое дело! Может, так даже лучше. В погреб их.

Робин, еще до того как его и Марика втолкнули в дом, успел оглядеться. Лес был недалеко — мили две, не больше. Но бежать с пацаном, прикованным к руке, нелепо, это дикобразы неплохо придумали. А кричать или звать на помощь он не может из-за своей немоты, да и кому тут кричать? — деревня выглядит мертвой, если не считать стаи грязных и тощих собак, обнюхивающих на улице прикативший «жигуль».

В доме, куда их втолкнули, часть половых досок была снята, внутренние стены разобраны, куда-то наверх, к чердаку, вела лестница без перил, а посреди кухни зиял квадрат погреба с распахнутой дощатой крышкой и короткими ручками спущенной вниз стремянки. Именно к этой стремянке и толкнули пленников.

— Вниз! — прозвучала команда.

— Я в погреб не пойду! — заявил Марик.

И тут же получил мощный удар ботинком по заду.

— Молчи, сучонок! Мозги выбью!

Мальчик на миг онемел от боли и страха, потом закричал во весь голос так, что один из дикобразов замахнулся на него автоматом. Но Робин подхватил пацана на руки, заслонил от удара. И показал жестом, что с прикованным к руке мальчишкой он спуститься по стремянке не сможет.

— Ни хера! — ответили ему. — На жопе съедешь! Не отвалится!

Действительно, держа рыдающего Марика на руках, Робин сел на верхнюю ступеньку стремянки и на ягодицах спустился вниз. Но едва он ступил с нижней ступеньки на пол погреба, как стремянка взлетела вверх, дощатая крышка захлопнулась, лязгнула железная петля и клацнул амбарный замок. Пленники оказались заперты в холодном крестьянском погребе.

А во дворе одноухий главарь банды докладывал в это время по «Мотороле»:

— Ну все — немой у меня и даже с прицепом.

— С каким прицепом? — спросил у него из Москвы майор милиции Сорокин.

— А пацан с ним, сын начальника «Земстроя».

— Ты с ума сошел!

— Херня! Сговорчивей будут. Только не звони им сегодня, пусть взопреют. Все, отбой до утра, мне надо дом строить! — Одноухий дал отбой, сунул «Моторолу» за пояс и крикнул своим парням: — Давай, давай! За работу! Три дня в Москве отфилонили, хватит!

И включил визгливую электропилу.

65.

Самолет шел навстречу ночи. Он вышел из Нью-Йорка по расписанию, в 17.00, через три часа его пассажиры, отужинав, посмотрели первый фильм, комедию с Робином Вильямсом в роли гомосексуалиста, а затем в антракте пили соки, кофе и более крепкие напитки и, выглянув в иллюминаторы, убедились, что смотреть там не на что — «Боинг» уже вошел в надвинувшуюся с востока ночную темень. Зная, что полетного времени осталось пять часов, опытные пассажиры приняли мелатонин или иные снотворные и разлеглись на предусмотрительно еще при посадке захваченных ими свободных рядах кресел в хвосте самолета. Менее опытные, которым не достались свободные ряды, попытались спать, сидя в креслах, а полные стоики и «совы», нацепив наушники, убивали время просмотром второго фильма — боевика о захвате арабскими террористами пассажирского авиалайнера, летящего из Европы в Вашингтон, США. В багажном отсеке этого авиалайнера террористы спрятали компактную атомную бомбу, чтобы взорвать американскую столицу, но доблестные американские коммандос сумели незримо от террористов подлететь под брюхо этого «Боинга» на новом сверх-секретном летательном аппарате, «состыковаться» с его багажным люком и перебраться в грузовой отсек. Здесь им предстояло отыскать среди багажа пассажиров ящик с атомной бомбой и обезвредить ее, а затем по специальным, вентиляционным трубам проникнуть в салон самолета и уничтожить террористов.

Смотреть этот фильм в самолете над Атлантикой — весьма острое ощущение, но поскольку холодная война давно кончилась и даже арабские террористы уже переквалифицировались в дипломатов и политиков, то и этот фильм удержал от сна лишь семь-восемь человек, а все остальные, включая Винсента и прочих пассажиров первого и бизнес-класса, а также стюардесс и стюардов, мирно спали в темноте всех трех салонов. Укрытые пледами, убаюканные монотонным гулом самолета и расслабленные его мягким ночным полумраком, они походили на кур на ночном насесте. А минут через десять после начала фильма сдались Морфею и еще трое или четверо пассажиров — есть при перелете через Атлантику тот известный только профессионалам «пик сонливости», когда даже пилоты вынуждены взбадривать себя кофе, «Energy plus» и другими активизаторами.

В мирном ночном небе над совершенно тихим Атлантическим океаном «Боинг» авиакомпании «Дельта» совершал свой самый рутинный, обычный полет — как и сотни других самолетов, которые с такой же обыденной неспешностью пересекали в это время Атлантику на разных высотах и по разным маршрутам, словно комфортабельные автобусы на нетряских воздушных хайвэях.

И именно в этот «пик сонливости» в третьем салоне «Боинга», в самом его конце, поднялись с кресел два спортивного вида молодых человека. Стандартные стрижки и некоторая старательность в одежде выдавали их российское происхождение. Впрочем, вели они себя совершенно корректно. Тихо ступая мягкими кроссовками «Найк», никого не разбудив, а лишь бросив ироничный взгляд на экран, где хоммандос с помощью хитроумных альпинистских замков ползли по каким-то стальным тросам в вентиляционных трубах самолета, эти молодые люди прошли к хвостовым туалетам, и один из них скрылся в центральной кабинке, задвинув ще-колду и надпись «occupied». А второй, посмотрев на ручные часы, уселся рядом в свободное кресло и с сонным видом дремотно смежил глаза. Однако не до конца, а так, чтобы все-таки видеть салон самолета.

Между тем насмешливое отношение этих молодых лю-дей к сюжету фильма было не совсем справедливым, по-скольку сами они как раз и собирались воспользоваться кой-какими методами киношных коммандос — нет, не су-персекретным летательно-стыковочным аппаратом, выду-манным голливудскими сценаристами, а всего лишь тем узким секретным антитеррористическим лазом, которым снабжены теперь багажные отсеки каждого самолета для на-земной борьбы с авиационным терроризмом: по замыслу конст-рукторов, когда захваченный террористами самолет прибывает в аэропорт, специально тренированный отряд может — под при-крытием темноты или еще каким-нибудь хитрым способом — пробраться под брюхо самолета, открыть особый люк и по этому лазу неслышно добраться от хвоста самолета к его пи-лотской кабине.

Да, не на пустом месте сочиняют свои сценарии кинош-ники, они лишь усложняют и запутывают то, что в реаль-ной жизни люди всеми силами стараются упростить и избавить себя от риска. Но у каждого своя профессия, гос-пода! И профессионалами высокого класса были, конечно, те спортивные молодые люди, один из которых оккупиро-вал в это время центральный туалет в хвосте «Боинга». Что же он делал там? А вот что: открыв слева под раковиной лючок, он извлек стоявший там крохотный мусорный ба-чок для использованных салфеток, поставил его в сторону, на унитаз, а затем удивительно сильными, тренированны-ми пальцами — без всяких отверток и гаечных ключей — вывернул металлические шурупы, которыми дюралевые па-нели стойки раковины крепятся к дюралевым же панелям пола туалета. При этом работал он практически лишь жест-кими подушечками своих больших и указательных пальцев, которые выглядели как стальные лопаточки и заменяли ему любые инструменты.

Разобрав стойку раковины и аккуратно сложив ее части на полу возле унитаза, он с такой же деловой неспешностью поддел и снял квадрат резинового покрытия с пола и принялся вывинчивать болтики, крепившие алюминиевые панели этого пола. Конечно, менее профессиональные исполнители применили бы тут какие-нибудь хитрые инструменты, какой-нибудь удивительный режуще-плазменный аппаратик или хотя бы точилку для ногтей! Но эти скромные молодые люди ни в каких инструментах не нуждались, они не пронесли через раму таможенного досмотра в аэропорту имени Кеннеди даже зажигалку!

Через семь минут с момента оккупации туалета этим трудолюбивым молодым человеком в полу под раковиной обозначился небольшой, сантиметров тридцать на сорок, лаз в грузовой отсек, и молодой человек, сдвинув дверную щеколду туалета (отчего свет в туалете погас), тотчас погрузил в этот лаз свое легкое упругое тело. Под его ногами была пустота, но он не стал ни прыгать, ни искать опоры для ног, а продолжал, отжимаясь как гимнаст, опускаться и опускаться в лаз, пока не достал днища кончиками своих носков. После этого он расслабил руки, разжал их и целиком скрылся в темном квадрате.

А снаружи его коллега, «проснувшись», поглядел на возникшую на двери туалета надпись «vacant» и тут же вошел в туалет, защелкнув за собой дверь. От этого щелчка здесь снова зажегся свет, и молодой человек с такой же, как у его друга, сноровкой принялся за ту же работу, но в обратном порядке — закрыл лаз дюралевой панелью и завернул на место шурупы, покрыл их клейким резиновым квадратом половичка, поставил и укрепил винтами стойки раковины и вернул на место мусорный бачок. Затем вымыл руки, вытер их бумажным полотенцем, спустил воду в унитазе и вышел из туалета.

Выстрелообразный шум этой воды был сигналом его скрывшемуся в самолетном брюхе другу приступать к главной части операции.

66

Между тем там, куда летел этот самолет, то есть в Москве, происходили куда более эффектные события. В ночной клуб «Мастроянни», в казино «Станиславский», в стриптиз-бар «Живаго», в дискотеку «Метелица» и во все остальные ночные заведения, известные своей «крутизной», врывались бригады хорошо вооруженных профессионалов с выправкой бывших элитных бригад КГБ и спецназа и, сминая охрану, без всяких разговоров, под дулами пистолетов и автоматов уводили из-за ресторанных столиков и игорных столов всех, кто, по их мнению, был «быком», или командиром московских криминальных группировок. Этих прекрасно одетых, модно постриженных и украшенных золотыми «Ролексами» молодых и пожилых мужчин тут же сажали в легковые машины и стремительно увозили на Манежную площадь, в дирекцию «Земстроя». Здесь почерневший от ужаса за судьбу пропавшего сына Георгий Брух сообщал им, что, пока ему не вернут мальчика, ни один из них не выйдет живым с территории стройки — независимо от их ранга в уголовном мире. Никаких возражений или угроз Брух не слушал, и арестованных тут же препровождали в недостроенный подземный торговый центр имени московского мэра Йю Лу Жжа.

Там на всех четырех этажах и при ярком свете навесных ламп и прожекторов полным ходом шли отделочные и малярные работы, и бригады мастеров-художников выкладывали «тцерюльки» — мозаики и скульптурные композиции великого Тце Рю Ли, друга мэра. Впрочем, сегодня вместе с рабочими здесь повсюду толпились группы вооруженных охранников с профессиональной выправкой бывших бойцов «Витязя», «Вымпела» и «Каскада», а больше сотни готовых к любому бою грузовых машин, самосвалов и бетономешалок блокировали все подходы к этой стройке со стороны Тверской улицы, площади Революции и Александровского сада.

Пленников, ежеминутно привозимых со всей Москвы, спускали в уже готовый цокольный этаж, в складские и подсобные помещения торгового центра, откуда они могли звонить по своим «Моторолам» и «Эриксонам» или по телефонам «Земстроя» куда угодно — от подчиненных им бандитов солнцевской, таганской, люберецкой, чеченской, азербайджанской и пр. и пр. группировок до министра внутренних дел.

Правда, министру милиции никто из двухсот сорока трех доставленных сюда господ почему-то не позвонил, зато они подняли, как говорится, на рога всю криминальную Москву, в которой, даже по скромным официальным данным, числится «под ружьем» больше двенадцати тысяч «быков» и триста восемьдесят восемь авторитетов и воров в законе.

Но все эти фактические хозяева города понятия не имели о местонахождении шестилетнего Марика Бруха и сопровождавшего его немого американца Робина Палски.

В пять утра Сергей Лихасов (Лихась), Родион Цей (Цейлончик) и кубанский гость столицы Важа Гриладзе (Боксер) потребовали отвести их к Бруху. Лихась был в скромном сером костюме, на Важе был повседневный «Армани», а щеголеватый Цейлончик был в смокинге и при бабочке. Они сказали:

— Гриша, мы поставили на рога весь город. Даем тебе слово, это не наша работа. Это или дикари, или... — и они выразительно показали на потолок его прокуренного кабинета, — ищи в других сферах. Если ты нас отпустишь, мы тебе больше поможем.

— Нет, — отрезал Брух, потерявший за эту ночь не меньше десяти килограммов.

— Но у нас бизнес горит, президентские выборы, — сказал Важа. — Если Ель Тзын проиграет, мы все потеряем!

— Это меня не колышет.

— Ладно, я тебе так скажу, — сказал Лихась, в его голосе была твердость лидера. — Если это сделали профессионалы, они позвонят тебе сейчас, до шести утра. Это самое грамотное время — ты уже «спекся». Поэтому мы хотим быть при этом разговоре. И запомни: любой посредник — это их человек, имей это в виду. Если нужны будут деньги — мы поможем.

Цейлончик усмехнулся:

— Они нам потом больше запла...

Телефонный звонок прервал его, взгляды Бруха, Машкова, Лихася, Цейлончика и Важи Гриладзе скрестились на «Мотороле», звеневшей и мигавшей на письменном столе рядом с магнитофоном и тонким проводком с резиновой присоской.

Брух ринулся к трубке, но Лихась накрыл эту трубку рукой, а пальцем показал на Машкова:

— Ты первый. Брух спит. Понял?

Машков кивнул, взял трубку, прижал к ней резиновую присоску, нажал на магнитофоне кнопку «запись» и только после этого ответил на звонок:

— Алло!

— Бруха, пожалуйста! — сказал мужской голос.

Машков кивнул смотревшим на него в упор Бруху, Лихасю, Цейлончику и Важе.

— Он спит, — сказал Машков в трубку. — Что ему передать?

— Можешь выключить магнитофон, — усмехнулся голос. — Это из милиции, майор Сорокин, 208-е отделение. Разбуди Бруха, а я подожду. У меня хорошие новости.

Машков закрыл микрофон рукой и негромко сказал:

— Майор Сорокин, 208-е отделение милиции.

— Я же сказал, — усмехнулся Бруху Лихась. — Бери трубку.

— Алло, — глухо сказал Брух в трубку. — Слушаю.

— Георгий Ефимович, это майор Сорокин, 208-е отделение, доброе утро. Ваша фирма по бронированию автомашин находится на моей территории. Наверное, поэтому люди, которые похитили вашего сына, позвонили мне. Как я понимаю, они просто боятся выходить на вас напрямую.

— Короче! — перебил Брух. — Он жив?

— Пока да. Но у них есть условия...

Лихась отошел в дальний угол кабинета, набрал на своей «Мотороле» какой-то номер и сказал негромко:

— Товарищ генерал, извините, что разбудил. Есть срочный заказ. Конечно, по двойному тарифу. Майор Сорокин, 208-е отделение. Все телефоны и адреса. Я жду...

Тем временем Брух велел Машкову тоже прильнуть ухом к трубке.

— Только имейте в виду, Георгий Ефимыч, — продолжал голос в трубке. — Я всего лишь посредник, и почему они выбрали на эту роль меня, я не знаю. Наверное, потому что офис «Рос-Ам» на моей территории...

— Короче! Условия! — хрипло перебил Брух.

— Вы берете в эту фирму еще одного партнера и в обмен получаете сына и этого американца, — деловым голосом сообщил майор и тут же спросил: — Да или нет? Они позвонят мне через пять минут.

Машков показал Бруху на часы и жестом попросил потянуть время.

— Но я не хозяин этого бизнеса! — сказал Брух. — Есть еще два партнера, я должен спросить у них.

— Я думаю, они вам не откажут, — усмехнулся голос, а Машков даже щелкнул пальцами от такого явного подтверждения работы посредника на похитителей. — Так что мне передать тем, кто держит вашего мальчика?

— А вы можете говорить с ними от меня? — спросил Брух.

— Нет, я на дежурстве.

— А если я к вам приеду? За пять минут я успею.

— Нет, нет! Они следят за вами и, если вы поедете ко мне, они мне просто не позвонят. Решайте сейчас и срочно! Речь идет о жизни вашего сына!

— Я... Я сог... — начал Брух.

Но Машков вырвал у него трубку, сказал в нее:

— Слушай ты, милицейская сука! Моя фамилия Машков, я начальник охраны «Земстроя». У меня под ружьем четыреста бойцов с легальным оружием. Имей в виду: если эти долбоебы тронут пацана или американца, тебе не жить. Ляжешь с ними, ты понял?

— Да я тут при чем?! — изумился голос. — Они мне позвонили...

351

— И через тебя ведут переговоры, это мы поняли. Так вот, если хочешь жить, договорись, чтоб они дали нам время до утра, пока прилетит второй американец. У него контрольный пакет акций, ты понял? — И Машков принял из рук Лихася лист бумаги, на котором был записан домашний адрес майора Сорокина, состав его семьи, а также адреса его родителей и тестя с тещей.

67.

Как только закрылся лючок под мусорным бачком туалета «Боинга», в лазе, который шел меж полом пассажирского салона и потолком багажного отсека, стало совершенно темно. Но именно этого и ждал оказавшийся тут молодой человек. Привыкнув к темноте, он не спеша пополз вперед, останавливаясь через каждые пять-шесть метров и на ощупь вывинчивая на каждой остановке по одному шурупу в поддоне лаза. Вывинтив шуруп, он приникал глазом к крохотному от этого шурупа отверстию и, не разглядев под собой в багажном отсеке ничего, кроме темноты, завинчивал шуруп обратно и полз дальше.

Наконец на четвертой остановке ему повезло — внизу, в темноте, из-под чемоданов и саков ярко светились широкие люминесцентные ленты «I LOVE NEW YORK», которыми были крест-накрест оклеены все двенадцать чемоданов Винсента Феррано. Молодой человек прибыл к первому пункту своего тайного путешествия и приступил к работе: вывернул пять остальных шурупов, крепивших тут дюралевый лист поддона лаза, положил эти шурупы в кармашек своих джинсов и спустился в багажный отсек. Здесь он извлек винсентовские чемоданы из-под пресса остального багажа, передохнул на них от этих трудов и открыл их все до единого, сняв с них люминесцентные ленты.

Конечно, никаких кевларовых листов в этих чемоданах не было, кевлар, как вы понимаете, летел в это время в другом самолете, в «Дугласе» компании «KRASSAIR», и

тставал от «Боинга» компании «Дельта» ровно на два часа.
А в чемоданах, которые вскрыл тут этот старательный и аккуратный молодой человек, были стандартные брезентовые мешки с клеймом «Федеральный банк США», перетянутые у орловины плетеными стальными удавками со свинцовыми пломбами. По три мешка в каждом чемодане и — в отдельном мешочке — примитивный фонарик в пластиковом корпусе, два мотка люминесцентной ленты «I LOVE NEW YORK», небольшой, величиной с плоскогубцы пломбир из углепластика и совсем крохотный (и тоже из углепластика) ключ-отмычка. Молодой человек включил фонарик, мотки с люминесцентной лентой оставил возле чемоданов, пломбир и отмычку сунул себе в карман, а тяжелые брезентовые мешки, поднатужившись, просунул в отверстие лаза и переполз через них по лазу дальше вперед. Но недалеко — метров на пять, где, зажав фонарик в зубах, снова принялся своими удивительно сильными пальцами вывинчивать шурупы в поддоне. Хотя ясно, что вместе с пломбиром и фонариком в чемодане могла бы лежать отвертка и прочий инструмент из того же углепластика, который прочнее стали, но этот молодой человек был, видимо, принципиальным сторонником чистой ручной работы.

Как бы то ни было, через тридцать две минуты после его исчезновения из салона самолета и как раз тогда, когда сюжет кинобоевика о захвате арабскими террористами американского пассажирского авиалайнера начал приближаться к кульминации и экран заполнили кровь первых жертв, стрельба и пунктиры трассирующих пуль, под этим именно экраном, в багажном отделении самолета, аккуратный молодой человек снял над отсеком-сейфом дюралевый лист поддона антитеррористического лаза и — при свете своего фонарика — мягко опустил в этот отсек все тридцать шесть брезентовых мешков с клеймом Федерального американского банка. Затем отмычкой открыл замки шести контейнеров, вытащил из них мешки с валютой, выстроил их рядом с такими же в точности мешками, которые он только что сюда притащил, и приступил к небольшой, но крайне важной операции. А

именно: волшебно-тренированной подушечкой большо[го]
пальца своей правой руки он прижимал свинцовую пломб[оч]-
бочку на мешке с валютой Федерального банка так, ка[к],
скажем, хороший врач пальпирует больного, и, по-докто[р]-
ски прикрыв глаза, шептал себе выдавленный в пломбе но[мер]
мер. После чего, уже открыв глаза, набирал этот номер н[а]
головке пломбира и выдавливал его в свинцовой пломбочк[е]
мешка, извлеченного из чемоданов Винсента.

Эта кропотливая, но важная работа заняла у него два[д]-
дцать три минуты — по сорок пять секунд на каждую плом[-]
бочку.

Тем временем его приятель, удобно расположившись в по[-]
следнем ряду пассажирского салона, почти в одиночестве до[-]
сматривал фильм — лишь несколько самых стойких пассажиро[в]
вместе с ним следили на экране за героями, которые отважн[о]
сражались с террористами в салоне самолета и одновременн[о]
пытались обезвредить ядерную бомбу в его багажном отсек[е].
Поглядывая то на свои часы, то на киноэкран, молодой чело[-]
век, казалось, нисколько не нервничал.

Между тем его друг в багажном отделении уже изрядн[о]
устал — опломбировав мешки, доставленные им в отсек[-]
сейф, он оставил их тут, в контейнерах, которые он снов[а]
запер отмычкой, а мешки с валютой из Федерального бан[-]
ка вытащил наверх, в лаз, и продвинул назад, к отверсти[ю]
в багажный отсек, где стояли пустые чемоданы Винсента[.]
Затем вернулся, пятясь ползком, и поставил на место дю[-]
ралевый лист поддона, завернул его шурупами. Снова про[-]
полз к дыре в грузовой отсек, спустил в него мешки [с]
валютой, уложил их в чемоданы Винсента и туда же суну[л]
пломбир и отмычку. При свете фонарика закрыл и запе[р]
чемоданы, оклеил их люминесцентной лентой «I LOVE NEW
YORK» и, утерев пот со лба, посмотрел на свои ручны[е]
часы. Пора было возвращаться в салон — он провел в ба[-]
гажном отсеке уже семьдесят две минуты, фильм наверх[у]
приближался к концу.

Молодой человек выбрался из отсека в антитеррористи[-]
ческий лаз, вернул на место его дюралевую панель и завин[-]

гил ее последними шурупами, сохранившимися в кармашке его джинсов. После чего, устало выдохнув, пополз в хвост самолета и оказался там как раз тогда, когда его товарищ, вновь оккупировав все тот же центральный туалет, опять разобрал стойку раковины и мусорного бачка и открыл в полу выход из антитеррористического лаза.

— Быстрей! — шепнул он возникшему внизу приятелю, принимая у него фонарик. — Ты такой фильм пропустил! — И с нерастраченной силой подъемного крана волоком извлек наверх своего изможденного друга.

Тот — уже без всяких сил — сел на унитаз, откинулся головой к стене и закрыл глаза.

— Закурить бы! — сказал он мечтательно.

— Хуюшки! Американский рейс, сука! Я сам подыхаю... — сказал его приятель, ставя на место дюралевое покрытие пола, резиновый половичок, стойку раковины и мусорный бачок. И когда все было закончено, заботливо помог измочаленному и мокрому от пота товарищу встать, обнял его за талию, и так — вдвоем и в обнимку — они вышли из туалета как раз навстречу пассажиру, который, досмотрев фильм до счастливой развязки, первым спешил в туалет.

Увидев двух парней, в обнимку покидающих это заведение, мужчина остолбенело выпучил глаза, а один из парней, мягко ему улыбнувшись, кивнул на своего усталого товарища:

— Слабак! — и обнял друга покрепче, говоря: — Пошли, роднуля... Так хорошо мне с тобой никогда еще не было...

Пассажир все понял, проводил их сокрушенным взглядом и предпочел другую кабинку туалета, а не ту, из которой вышла эта влюбленная пара.

68.

Робин понял, что одноухий и его дикобразы просто забыли про них. То есть сначала, когда его и мальчишку бросили в погреб, он слышал визг пилы со двора, стук топора

и молотков, голоса бандитов и топот их ног. Но это про
должалось недолго — потому, наверное, что по дороге сюд
бандиты останавливались у магазина, где на радостях посл
удачной «охоты» отоварились шестью бутылками водки
ящиком пива. Хотя часы они с Робина сняли, но, по ег
подсчету, поработав не больше часа, они остановили пилу
отложили молотки и — судя по отдаленности их голосов –
сели с бутылками во дворе, на свежем воздухе.

К этому времени Робин уже ощупал погреб — он был
цементным полом и стенами, обложенными кирпичом. Д
потолка было не достать, разве что Марик, став Робину н
плечи, мог бы дотянуться до крышки погреба. Но что мо
сделать этот ребенок, да еще одной рукой? Робин не стал
пытаться, и мальчик, наревевшись и описавшись, заснул
на его руках.

Наступил вечер — Робин чувствовал это по сгустившей
ся над крышкой погреба темноте и по дополнительной лес
ной сырости, которой потянуло сверху под эту крышку.

Потом над ним прозвучали нетвердые шаги, грохот про
сыпанных на пол дров и шум упавшего тела, пьяный мат
лязганье дверцы деревенской печи, чирканье спичек и гул
кий выбух огня из этой печи, вызванный, наверное, тем
что дрова полили бензином. Но пожара не случилось,
бандиты, матерясь и забив печь дровами, пьяно протопали
вверх по лестнице и уснули где-то вверху — не то на полатях
этой русской печи, не то на чердаке.

Слушать гул огня в близкой печке и одновременно за
мерзать в сыром погребе было невыносимо. Устав стоять с
мальчишкой на руках, Робин сел на цементный пол, стара
ясь не касаться холодных стен. Наверное, если бы он не
был связан наручниками с этим ребенком, он попробовал
бы вскарабкаться к потолку и выдавить дощатую крышку —
теперь, когда бандиты уснули. Но с прикованным к нему
ребенком об этом не стоило и думать.

Дважды он слышал, как где-то высоко, под крышей
звонил телефон, но никто не брал трубку.

Запястье резало наручником, и все же он задремал —
обнимая мальчика и согревая его своим теплом.

Он не знал, сколько он пробыл в этом забытье — ему вдруг привиделась теплая Калифорния, сухой и жаркий песок и ветер аризонских прерий и винсентовские питбули Кларк и Гейбл, которые почему-то лизали ему грудь своими шершавыми горячими языками.

Он очнулся от этого жара и понял, что это мальчик пылает у него на руках.

— Пить... — просил мальчишка, запрокинув голову. — Мама, пить...

У него был жар.

Робин встал и, держа на руках горячего и потного ребенка, стал бить в стены погреба каблуком ботинка.

Но бандиты спали где-то высоко и пьяно, и даже печь уже не гудела вверху — дрова в ней, видимо, прогорели.

Робин в бессильном отчаянии откинулся спиной к стене и осел по ней на пол.

Мальчик горел еще с полчаса, а потом стал мерзнуть от собственного пота, леденеющего на его теле. И вместе с температурой из него быстро, словно воздух из воздушного шара, уходила жизнь и слабело дыхание.

«У-у!» — глухо замычал Робин, пытаясь встряхнуть и разбудить его, и вдруг ощутил, как мальчишка затрясся в его руках лихорадочной мелкой дрожью. Дрожало все — тело, руки, ноги, голова, даже губы и язык мальчика затряслись и зубы застучали, прихватывая воздух с каким-то мелким дребезжащим присвистом.

Пытаясь остановить эту дрожь, Робин с силой прижал мальчика к себе и стал растирать ему спину свободной от наручников рукой.

Не помогало.

Дрожь перешла в крупную лихорадку, словно ребенок, икая, скакал на лошади. И вдруг — все оборвалось. Он затих разом, как умер, его плечи, руки и ноги повисли, голова запрокинулась.

Робин замычал вновь — он хотел кричать, он знал, что он должен, должен, ДОЛЖЕН закричать, заорать, разбудить этих дикарей и мерзавцев.

Но какая-то глухая, непробиваемая преграда стояла в его горле, не позволяя прорваться звуку.

Эту преграду невозможно было пробить даже там, во Вьетнаме, в мае 1975 года, когда в лагере Дьен Бинь для пленных американцев изобретательные вьетнамцы и их русские инструкторы пытались «разоблачить симулянта», придавливая ему гениталии своими армейскими ботинками.

Но теперь, в этом ледяном и темном погребе, Робин хватал воздух открытым ртом и снова давил, напирал на свое запертое горло всей мощью легких, чувствуя, что сейчас они просто лопнут и кровь хлынет через это проклятое мертвое горло. И вдруг...

Не крик, но вой изошел из Робина.

Изумившись, не веря самому себе, он откинул голову, освобождая в горле проход для этого воя и приспосабливая к этому проходу все свое тело, как флейтист или трубач пристраивает свое тело к мундштуку своего инструмента.

И густой звериный вой изошел из погреба и поплыл в ночном тумане над деревней Великие Жуки, и неожиданно близким воем отозвались на этот вой волки в соседнем лесу.

И тут же проснулись все деревенские собаки и залаяли надрывно, злобно, остервенело.

И где-то за лесом всполошились и истерически взлаяли псы соседних деревень.

Их лай сливался с волчьим воем, он становился нестерпимым, он срывал с постелей людей в окрестных селах и гнал их во дворы и на улицы, и заставлял палить из ружей в темноту и бить своих цепных собак.

И — наконец! — этот вой и лай разбудили одноухого и его команду.

Матерясь и громыхая ботинками, они пробежали откуда-то сверху во двор, одноухий выпустил из «калашникова» весь рожок в сторону воющих в лесу волков и в наступившей паузе вдруг услышал вой у себя за спиной, в доме.

— Ептать, что это?

— Свет давай! Фонарь! Лампу!

Бандиты бросились в дом, держа на изготовку фонари и пистолеты, и обнаружили, что волчий вой исходит из-под крышки погреба.

— Открывай! — приказал своим одноухий, вставляя новый рожок в «калашников».

Один из бандитов открыл замок, второй откинул крышку, третий посветил вниз фонарем, а одноухий подскочил к погребу с автоматом.

Внизу, у стены погреба, сидел Робин и, держа на руках мальчишку, выл в полный голос.

— Заткнись, бля! Убью! — заорал ему одноухий.

— Fuck you! — вдруг ответил Робин и повторил, не веря звукам своего голоса: — Fuck you!

— Ептать! — изумился один из парней. — А сказали — немой!

— Стремянку давай! — приказал ему одноухий и, когда сбросили вниз стремянку, велел Робину: — Вылезай, бля!

Но у Робина уже не было сил даже вынести мальчика наверх, бандиты за шкирку вытащили их обоих.

— Чё? Подох, что ли? — обеспокоенно спросил одноухий про мальчика.

— Водка! Водка давай! — по-русски крикнул Робин и протянул руку в наручнике. — Open! Open, уор tvoya mat!

— Опэн, опэн, — понял его одноухий и, достав из кармана ключ, открыл наручники, снял их с рук Робина и мальчика.

И Робин, уже не спрашивая, взял со стола недопитую бутылку водки, рванул с ребенка одежду и стал растирать водкой его окоченевшие ноги, живот, грудь и плечи.

— Fair! — приказал он одноухому, кивнув головой на печь. — Fair!

— Ептать! Ты ж немой! — сказал одноухий и принялся разжигать печь, крикнув своим опричникам: — Дрова несите! Фули стали?

— Phone! — сказал Робин и показал наверх, на чердак, где спали одноухий и остальные. — Telephone!

Действительно, там, наверху, негромко звенела «Моторола».

69.

Хотя майор Сорокин не считал себя трусом, да и не был им, он — после телефонного разговора с «Земстроем» — покинул свое 208-е отделение и на милицейском «шевроле» покатил по предрассветной Москве. Ему не понравилось, как с ним разговаривали Брух и особенно этот охранник Машков. Угрожать ему, майору милиции! Эти «новые русские» вконец обнаглели! Интересно, как высоко стоят покровители Бруха и куда он может подпрыгнуть за помощью? Но пусть хоть к министру МВД, где доказательства его, Сорокина, связей с бандой, похитившей ребенка? Да, бандиты позвонили ему и через него выдвинули свои условия — потому что фирма «Сэйф уэй» на его территории. Вот и всё. «Ляжешь вместе с ними!» Машков, паскуда, брал его на понт, но мы еще посмотрим, кто с кем ляжет! Брух уже сломался и, если помариновать его еще пару часов, сам на коленях приползет, в таких делах главное выдержать характер. Скорей всего через десять — пятнадцать минут они прискачут в 208-е — и Брух, и Машков и, может быть, еще какой-нибудь чин с Петровки. Но прискачут и умоются: «Майор Сорокин сдал дежурство и уехал домой». — «Как это уехал? Он ведь должен был ждать звонка!» — «Он сказал, что вы ему угрожали, и поэтому вышел из игры. Ищите своего сына сами». Ну? И что они будут делать?

Нет, на этом конце все в порядке. А вот почему не отвечает телефон у одноухого — это вопрос. Правда, вчера вечером одноухий сказал «до завтра» — в том смысле, чтоб Сорокин не звонил ему до утра. Но уже почти утро — неужели он просто выключил телефон? Железный парень! Он зашел в 208-е накануне Пасхи, сел напротив Сорокина в его кабинете, положил на стол сделанные в «Живаго» фотографии Винсента со стриптизерками и сказал:

— Ничо фотки, правда?

Сорокин сделал вид, что внимательно рассматривает снимки, но цену им он уже определил: с их помощью можно выжать налог с американцев, которые на его территории сели под крышу «Земстроя», завели собственную охрану и отказались от его милицейской защиты от рэкетиров. Но какую цену запросит за снимки этот одноухий? Сорокин поднял от снимков глаза и сказал:

— Фотки так себе, не порнуха. Секса нет.

— Секса нет, но и быть не может, — сказал одноухий. — И знаешь почему? Потому что они голубые — этот лох и его партнер. Немой который.

— С чего ты взял?

— А живут вместе! Сам подумай. — Одноухий стал заворачивать пальцы: — Американцы. Из Калифорнии. Ни одной бабы в Москве не трахнули. И живут вместе! Ясно? Короче, есть заказ. Прижать лоха этими фотками или как хочешь, это твое дело, и вставить меня партнером в их бизнес. Берешься? Десять процентов твои.

— Подожди, а ты кто?

Одноухий достал из кармана визитную карточку и положил перед Сорокиным. На ней значилось:

Фирма «НАДЕЖДА-КОНТАКТ»
Виктор Викторович МОВЧАН
Президент
Член-корреспондент
Международной академии прав
Почетный есаул 6-го Императорского полка.

— Понял. Но это понты. Кто ты? — сказал Сорокин, он видел и не такие «примочки», модные у нынешних уголовников.

— Правильно, соображаешь, — удовлетворенно ответил Мовчан. — Моя кликуха Скачок, можешь просветить в Угро, я у них чистый. Теперь по делу. У этих американцев проблемы с материалами — нет стали бронировать машины и еще какого-то кевлара-фуяра — короче, дерьма. Ты им объясни: они берут меня в долю и все получают, гарантия.

— Чья? — тут же выстрелил вопросом Сорокин, он уже все понял: этот одноухий не сам по себе, за ним есть кто-то весьма информированный и мощный.

Но одноухий не ответил. Он встал, собрал со стола фотографии и двинулся к выходу.

— Эй, в чем дело? — остановил его Сорокин.

— Я не работаю с любопытными. Пока!

И именно этим он понравился Сорокину.

— Стой! — окликнул он гостя. — Я тебя проверял. Садись, мы не договорили.

Мовчан поколебался, но все же вернулся на место и сел, сказав:

— Значит, так, майор. В наше время чем меньше знаешь, тем дольше живешь. Ты понял?

— Я-то понял. Но у этих американцев «крыша» знаешь кто?

— Знаю. «Земстрой». Ни хрена — на каждую гайку есть болт с резьбой.

— Тут нужен крупный болт, — уточнил Сорокин.

— Я тебе сказал — с любопытными не работаю. Или ты идешь в долю, или другие найдутся. Кусок большой — бронированные «мерсы»!

— Пятнадцать процентов, — сказал Сорокин.

— Десять, — жестко отрезал Мовчан, — и забыли об этом. К делу!

Дело они обговорили быстро и толково — запугать Винсента отправкой этих фото в Американское посольство и в газеты и приплести, что в России за аморалку можно упрятать в тюрьму на шесть лет. А прижав Винсента, уже нетрудно будет договориться с его партнерами — что это за партнеры, если не могут обеспечить сталью и остальным барахлом?

Однако Винсент на фотках не прогнулся, раскричался, что он сам мафия. Конечно, это был понт — кто сегодня не врет, что он с мафией! А то, что Винсент не трухнул и не прогнулся, лишь подтверждало, по мнению одноухого, его «голубизну» — какой иностранец, кроме гомика, не боится компрометирующих фотографий с голыми бабами? И выходило, что делать его нужно на простом — на этом немом любовнике. А если окажется, что они не любовники — хрен с ним! Без механика, на котором весь бизнес держится, Винсент все равно работать не может.

Сорокин чувствовал, что, помимо делового интереса, за настырностью одноухого войти в «Рос-Ам сэйф уэй» есть что-то еще. Что-то личное — типа мести, что ли? Уж слишком хорошо знал этот Мовчан внутреннюю кухню фирмы. Но помня, что одноухий «не работает с любопытными», Сорокин не стал его выспрашивать. Тем паче что и у него самого были личные к «Рос-Ам» претензии — это была первая на его территории частная фирма, которая отказалась платить ему «за погоны».

Но одно дело — похитить какого-то иностранца, да еще немого механика, за которого никто и дергаться не будет, и совсем другое — стибрить ребенка у начальника «Земстроя», имеющего свою охранную службу. Тут одноухий перебрал, конечно. Но дело сделано и выхода нет — даже сдать одноухого уже нельзя, тут же откроется их сговор и партнерство. Так какого черта не отвечает его телефон?

Сорокин свернул с Садового кольца на Тверскую, извлек из кармана мобильный «Эриксон» и уже собрался набрать номер мовчановской «Моторолы», как вдруг громко рыкнул радиотелефон милицейской связи. Так, похоже, этот Брух все-таки подключил Петровку!

Он взял из клемм держателя трубку радиотелефона:

— Майор Сорокин!

— Сорокин? — сказал знакомый голос. — Это Машков. Не клади трубку, тут с тобой одна девушка поговорить хочет.

— Какая еще девушка?

Но вместо Машкова ему тут же ответил детский голос:

— Алло, папочка! Ты уже отгадал, кто говорит?

У Сорокина сердце упало в мошонку — его дочке было три года и два месяца.

— Да, Светик, я отгадал... — сказал он враз высохшим голосом.

— К нам дяди пришли. Много дядей. И принесли мне конфеты. Можно, я скушаю?

— Нет, Света, нет! Дай ему трубку!

— Алло, — объявился в трубке голос Машкова. — Ты все понял? Или хочешь еще с мамой своей поговорить?

— Я все понял, — обреченно сказал Сорокин.

— Тогда давай наводку. Быстрей.

Но Сорокин еще молчал, считая варианты.

— Ты слышишь, Сорокин? — звучал голос в трубке. — Считаю до трех. Или ты говоришь, где они прячут пацана, или я даю конфету твоей дочке. Только имей в виду: конфеты с начинкой минутного действия! Я считаю: раз...

Сорокин вздохнул:

— Пиши. Мовчан Виктор Викторович. Кличка: Скачок. Мобильный телефон: 974-32-12. Это все, что я знаю, клянусь.

— Адрес? Группировка? Приметы?

— Ни адреса, ни группировки не знаю. Когда я просвечивал его на Петровке, кореш сказал, что на нем висело убийство, но потом кто-то сверху приказал все очистить.

— А приметы?

— А примета простая: одноухий.

— Еф-тать! Одноухий! — сокрушенно воскликнул Машков. — Значит, так, Сорокин! Дочку я твою забираю и мать твою тоже. Если хочешь их увидеть — дуй на Манежную площадь! Сразу! Но если ты, сука, по дороге предупредишь одноухого — все, ни мать, ни дочь не увидишь! Ты понял?

70.

Самолет прибыл в Москву на двадцать минут раньше расписания, но Болотников и его телохранитель уже стояли при выходе из «гармошки» — коридора, ведущего от самолета на второй этаж аэровокзала. Рядом с ним дежурила сотрудница зала «ВИП» со списком особо важных пассажиров. Увидев Винсента, выходившего в числе первых с пассажирами салона первого класса, Болотников широко распахнул руки:

— Винсент! Welcome back! Как долетел? — и сказал сотруднице «ВИПа»: — Это мистер Феррано, он в списке.

— Ясно. Ваш паспорт и багажные квиточки, — попросила та у Винсента.

— Your passport and luggage tags, — тут же перевел ему Болотников, передал ей паспорт Винсента, его багажные квиточки и стодолларовую купюру.

— Ну зачем, Юрий Андреич? — смутилась она.

— Как зачем? За «ВИП»! — сказал Болотников, завернул купюру ей в ладошку и улыбнулся. Но глаза у него были тревожные и лицо невыспавшееся. — Только по-быстрому, Валюша, мы спешим...

— Уже идем! — Сотрудница «ВИПа» повела их и еще пару «very important» пассажиров в отдельный зал, где были мягкие кресла, буфет с горячим кофе, коньяком и бутербродами с икрой, а самое главное, где не было никакой очереди у окошка паспортного контроля.

В это время настойчивые телефонные звонки извлекли из ванной полковника Вету Ганько, помощника министра обороны. Завернув полотенцем мокрые волосы и закрыв дверь в спальню, чтобы не будить своего гостя, тридцатилетний полковник с высокой грудью взяла телефонную трубку:

— Слушаю.

— Вета Петровна? Доброе утро. Извините, что беспокою в такую рань. Это Георгий Брух, один из хозяев фирмы по бронированию «мерседесов». Вы звонили моему партнеру, но он иностранец и плохо понимает по-русски. Вот мое предложение. Мне срочно, сейчас нужны три вертолета с опознавателем цели по радиотелефонной связи. Всего на сорок минут! За каждый вертолет вы получаете по «мерседесу» и мой «линкольн» в придачу.

— Вы с ума сошли!

— Вета, посмотрите в окно. «Линкольн» уже стоит у вашего подъезда и там же водитель с ключами.

Сняв со стула мужской генеральский китель, Ганько набросила его на плечи и подошла к окну. Действительно, внизу, у подъезда ее семиэтажной элитки, стоял черный

365

«линкольн», и возле него шофер крутил на пальце брелок с ключами.

— Пожалуйста, Вета! — сказал голос в трубке. — Это срочно! У меня украли ребенка!

— Я все поняла. — Ганько посмотрела на часы, она была деловой женщиной. — Мне нужно восемь минут. Где вы находитесь? Куда сесть вертолетам?

— Манежная площадь.

— Куда-а??!

В «Шереметьеве», в зале «ВИП», офицер-пограничник проштамповал паспорт и листок с российской визой мистера Винсента Феррано, а еще через семь минут два грузчика привезли ему на двух тележках двенадцать чемоданов, оклеенных непорочной лентой «I LOVE NEW YORK». И Болотников с телохранителем, не отступая от тележек, повели Винсента к выходу из аэровокзала...

Полковник Ганько умела держать слово — ровно через восемь минут два «Ми-24», самые скоростные вертолеты Российской армии, развивающие скорость до 350 километров в час, и один десантный «Ми-26», вмещающий две бронемашины и девяносто десантников и развивающий скорость до 300 километров в час, зависли над Манежной площадью и сели на плоскую бетонную крышу будущего торгового центра. Машков, Брух, Сорокин и еще двадцать три отборных бойца службы охраны «Земстроя» заняли места в «Ми-24», еще сотня втиснулась в «Ми-26». Пока набирали высоту, второй пилот мудрил с компьютером радиолокатора, загоняя в него данные о системе телефонной связи «Билайн», которой пользовался Сорокин, и номер телефона одноухого.

— Думаешь, сработает эта техника? — спросил у него Машков.

— С Дудаевым сработала, — ответил пилот.

Когда взлетели на высоту тысяча триста метров, командир вертолета повернулся к Машкову, крикнул поверх рокота двигателя:

— Готов! Но шесть секунд — не больше!

— Понял! — Машков упер свой пистолет в живот Сорокину и приказал: — Звони одноухому! Но имей в виду — одно лишнее слово!..

— Да знаю я, знаю. — Сорокин набрал номер на своем мобильном «Эриксоне».

Машков тоже приложился к трубке и, дождавшись первого гудка, крикнул пилоту:

— Все! Вырубай!

Пилот тут же выключил двигатель, чтобы одноухий не услышал его рев по телефону, и в пронзительной тишине вертолет стал падать.

Теперь все тринадцать пассажиров слышали и считали гудки:

второй...

третий...

четвертый...

И через открытую дверь пилотской кабины впились взглядами в летящую по кругу стрелку высотомера.

Девятьсот метров...

Шестьсот...

Триста...

На шестом гудке в трубке прозвучал глухой голос одноухого:

— Алло! Слушаю...

Импульс световой отметки вспыхнул на сетчатом экране радиолокатора — опознавателя цели, и пилот задушенно крикнул: «Есть!» — а Сорокин заорал в трубку, делая вид, что не слышит Мовчана:

— Алло! Алло! Ни хера не слышу! Счас перезвоню! — и дал отбой.

В тот же миг — на высоте сорока метров над Крымским мостом через Москву-реку — пилот включил двигатель, и вертолет, просев еще метров на двадцать, вышел из падения и стал набирать высоту.

Второй пилот совместил световую отметку цели с картой Москвы и Подмосковья и сказал:

— Северо-северо-запад, квадрат 120. Деревня Великие Жуки. Полетное время — девять минут.

И эскадрилья легла на курс.

Грузчики вывезли чемоданы из аэровокзала, погрузили их в глухой, без стекол, «уазик» с водителем и четырьмя охранниками и тоже получили от Болотникова по сотенной. Рядом с «уазиком» стоял белый «мерседес» Болотникова, его телохранитель предупредительно открыл заднюю дверцу.

— Зачем столько охранников? — удивился Винсент, садясь с Болотниковым в машину.

— Пошел! Пошел! — нервно сказал Болотников шоферу и приказал своему телохранителю, севшему впереди: — Хвост проверь! Все чисто?

— Чисто, шеф! — ответил тот и сказал в микрофон переносной портативной рации: — Третий, прижмись!

— Кто ребят встречает? — спросил Болотников.

— Четвертый.

— Все! Поехали!

Три машины — белый «мерседес», глухой «уазик» и за ним джип, набитый охранниками банка Болотникова, сорвались с места и понеслись от аэровокзала «Шереметьево» к Ленинградскому шоссе.

Солнечное утро поднималось над Москвой, ни впереди, ни сзади этой небольшой колонны не было ничего подозрительного, а в небе куда-то на северо-запад пронеслись три военных вертолета. Болотников рассеянно повернулся к Винсенту:

— Что ты сказал?

— Я говорю: зачем такое секьюрити? Это всего лишь кевлар.

Болотников мрачно усмехнулся:

— А это всего лишь Москва!

Но даже он не знал в эту минуту, насколько он прав. Потому что позади него, в аэропорту, где шла в это время перегрузка мешков с клеймом «Федеральный банк США»

з контейнеров грузового отсека-сейфа «Боинга» в желто-
олосатый броневик «Народного банка», два спортивно-
о вида молодых попутчика Винсента уже тоже миновали
аспортный контроль и таможню и вышли к встречавшему
х товарищу «четвертому». «Дело в шляпе», — устало доло-
или они ему и отправились в буфет, чтобы там, с пивом,
бить время до прибытия самолета компании «KRASSAIR».

Но «четвертый» не пошел с ними. «Я вас догоню, мне
сортир на минуту!» — сказал он им и, уединившись в туа-
ете, набрал номер, о котором Болотников не знал.

— «Народный банк», — ответили им по этому номеру.

— Все в порядке, — коротко сообщил он. — Клиент
упакован» и едет по Ленинградскому.

И дал отбой.

71.

Одноухий повертел в руках замолчавшую трубку «Моторо-
ы» и пошел с ней вниз, на кухню. До Москвы полста кило-
етров, слышимость иногда пропадает. Но удивительно, до
его отчетливо он слышал Сорокина — словно рядом.

Внизу этот американец Робин все-таки вернул к жизни
ына Бруха и теперь, снова прикованный к пацану наруч-
иком, сидел рядом с ним на тюфяке в углу полупустой
ухни, отпаивал его чаем с малиновым вареньем. Рядом
ежурил один из подручных Мовчана — конопатый парень,
ооруженный «АК-47». Чтобы Робину было сподручней по-
ть мальчишку, он надел наручник на его левую руку, а не
а правую. Остальных дикобразов Мовчан выгнал во двор
а работу, там снова завизжала пила, застучали молотки и
улицы из «Жигулей» на полную громкость заорало «Рус-
кое радио» — Газманов исполнял новую песню о Москве и
ругие шлягеры, а в перерывах мэр Москвы призывал всех
лушателей непременно смотреть завтрашнее телевизионное
бращение президента к народу.

— Оглохнуть можно! — сказал Мовчан, переложил «М[отору]» в верхний карман своей брезентовой куртки, загл[я]нул в пустое ведро и приказал дежурному: — Дуй за водо[й]. Ни хера не соображают, пока не скажешь!

Парень взял ведро и автомат и ушел на улицу к водопр[о]водной колонке.

Марик из угла, с тюфяка, слабым голосом спросил Мовчана, открывавшего банку с тушенкой:

— А сколько ты за нас хочешь? Мильён?

В белом «мерседесе», летевшем в Москву по Лени[н]градскому шоссе, Болотников сказал Винсенту:

— Александра ждет тебя в «Президент-отеле», так ч[то] сначала — туда.

— А как же багаж?

— А багаж я сам привезу в твой офис, не беспокойся.

Винсент, однако, чувствовал внутреннюю нервозност[ь] Болотникова и спросил:

— У тебя что-то случилось?

Но Болотников не собирался вводить его в курс ночны[х] событий и удивился почти натурально:

— С чего ты взял? Все в порядке. Relax.

На пересечении Ленинградского шоссе с Путилковски[м] стоял знак «35 км/час», а за ним маячила фигура гаишника [с] лазерным пистолетом — определителем скорости, направленны[м] на идущие к Москве машины. Другой рукой гаишник держал [у] подбородка какую-то штуковину, похожую на микрофон.

Шофер «мерседеса» сбросил скорость, Винсент прове[л] рукой по небритой щеке:

— Я хотел бы сначала побриться и принять душ... — [и] вытащил из верхнего кармашка пиджака расческу, что[бы] причесаться. Вместе с расческой из кармашка выпали дв[е] бумажки — квитанция об уплате за страхование жизни [и] визитная карточка, на ней значилось:

Тэдди АББОТ,
Американский адвокат с московской пропиской.

Консультации по всем вопросам
американского права и бизнеса.
Москва, Трубная площадь, 12, кв. 9.
Тел. 223-32-67.

Винсент улыбнулся, он вспомнил этого Тэда Аббота в Макдоналдсе» и подумал, что, кажется, ему пора звонить тому консультанту по поводу оформления развода в двухнедельный срок.

И в этот момент телохранитель, сидевший впереди, заметил небольшую выбоину перед «мерседесом» и боковым зрением ухватил стоявший на обочине зеленый «газик».

— Стой!!! — крикнул телохранитель шоферу.

Но было поздно — «мерседес» накатил на выбоину, а мужчина за рулем «газика» нажал кнопку радиовзрывателя.

Винсент все понял и с неожиданной для такой ситуации улыбкой судорожно сжал в кулаке квитанцию о страховании своей жизни.

В тот же миг мощный взрыв вознес «мерседес» над Ленинградским шоссе.

А «уазик» с чемоданами Винсента и джип с охранниками вильнули вправо, обошли место взрыва и, свернув на Путилковское шоссе, прибавили скорость...

Робин прислушался, и его сердце пронзило ознобом предчувствия — сквозь визг электрической пилы, стук молотков на крыше дома и громкую музыку из динамиков «Жигулей» его слух, обостренный двадцатью годами немоты, уловил знакомый звук.

Так звучал движок UH-60A/Black Hawk — «Черного ястреба», возникшего над горами Куанг-Нгай тогда, когда у троих беглецов из лагеря Дьен Бинь уже кончились силы и надежда выжить...

И конопатый парень, набирая воду в уличной водопроводной колонке, удивленно оглянулся на странный шум — с юга, из-за леса, на бреющем полете шли три вертолета...

И работавшие на крыше дома дикобразы тоже вы прямились, изумленно посмотрели на приближающиес «Ми», летевшие так низко, что, казалось, врежутся сей час в стропила...

Только «Русское радио» продолжало орать в «Жигулях однако и одноухий Мовчан услышал наконец эти вертол ты, глянул в окно и первым сообразил, что это значит.

— Бля! — выдохнул он, растерянно зыркнул по стор нам глазами и тут же, рванув из кобуры «люгер», ринулся угол к сыну Бруха. Схватив пацана за шиворот, он вдру увидел, что его правая рука прикована к левой Робина. Н ключи были у конопатого, который ушел за водой, одно ухий выстрелил в цепочку наручников из «люгера». Прома зал впопыхах и выстрелил снова, и опять промазал.

— За мной! — гаркнул он Робину, подкрепив прик тычком пистолета.

И так — держа мальчишку в одной руке, как щенка, другой рукой уперев «люгер» ему же в затылок и ведя «н привязи» Робина — одноухий выскочил из дома, побежал «Жигулям».

И он, и его пленники были хорошо видны с вертолето

— Не стрелять! — крикнул Машков снайперам, сиде шим в открытых дверях.

Одноухий влез в «Жигули» через правую дверцу и, про тискиваясь за руль, втащил в машину Марика и Робин Выжал сцепление, повернул ключ зажигания и дал газ. Н стартер, повизжав с натугой, не завел машину. Он попро бовал снова и опять не вышло — радио, которое продолжа ло орать, посадило слабенький аккумулятор.

— Ёбаный!.. — взревел одноухий и выстрелил в радио приемник, глядя, как коршунами слетаются к машине вер толеты.

В верхнем кармане его куртки зазвенел телефон.

— Хер вам! — сказал на это одноухий, еще раз поверну ключ зажигания и — мотор вдруг завелся. — Ага! — мсти тельно крикнул одноухий и, не отнимая правой руки с «люге ром» от уха мальчика, левой рукой включил первую скорост

ут же перехватил ею руль и погнал «Жигули» по дороге к
есу.

Два «Ми-24» шли у него по бокам, а «Ми-26» тут же ушел
перед, сел там перед лесом, и десантники, как икра из се-
едки, высыпали из него, цепью разбегаясь вдоль опушки.

В кармане у одноухого продолжал звенеть телефон, пре-
ледователи явно предлагали переговоры. Но он лучше знал
ти места: перед самым лесом от дороги уходил вправо уз-
ий овраг и на дне его — полузаросшая травой и крапивой
олея. Он свернул туда, не видя уже, как из «Ми-26» вы-
атились по лежням два легких гусеничных бронетранспор-
ера и наперерез «Жигулям» понеслись вдоль лесной опушки.

Он увидел эти бронетранспортеры лишь тогда, когда за-
осшая колея свернула к лесу, — они возникли на брустве-
е оврага метрах в трехстах впереди «Жигулей».

Теперь одноухий был в ловушке — слева и справа висели
Ми-24», впереди были две бронемашины, а сзади садился
ереместившийся за эти пару минут «Ми-26».

Но одноухий не сбавил скорость. Держа руль левой ру-
ой, он сунул «люгер» за пояс и освободившейся правой
укой достал из кармана не прекращавший звенеть телефон.

В вертолете Машков отдал Бруху телефонную трубку,
асадил на свой «глок» оптический прицел и сел на пол в
вери вертолета, рядом со снайперами.

— Ну что? — запальчиво крикнул в трубку одноухий. —
Думаешь, взяли?

Брух видел его из открытой двери вертолета и ответил в
рубку:

— Останови машину — будешь жить!

— Хуй тебе! — усмехнулся одноухий. — Русские не сда-
ются! — И, отшвырнув трубку, вдруг достал из-под сиде-
ья гранату, потянулся зубами к чеке.

Робин, изловчившись, ударил по гранате правой рукой,
издали, в вертолете Машков нажал наконец на спуск.

Пуля вошла Мовчану в обрубок его левого уха и вышла
з нижней правой десны, а правая нога в смертельной су-

373

дороге выжала газ до упора. Машина рванула и таранок пошла на стоявшие впереди бронетранспортеры.

Подмяв Марика под себя, Робин правой рукой доста ручку ручного тормоза, рванул ее вверх и зубами выверну руль.

Машина, опрокинувшись на левый бок, стала в метр от бронетранспортеров.

Брух, Машков и остальные подбежали к ней, когда Ро бин и Марик безуспешно пытались выкарабкаться из не через заклинившую правую дверь. В поломанной руке Ро бин протягивал Бруху гранату...

Из московских газет:

КРИМИНАЛЬНАЯ ХРОНИКА. Вчера утром на Ленин градском шоссе подорвался на мощном взрывном устрой стве «Мерседес-600» президента Московского федерального банка Юрия Болотникова. Вместе с Болотниковым погиб ли его шофер и телохранитель, а находившийся с ними машине президент российско-американской фирмы «Рос Ам сэйф уэй интернешнл, инк.» г-н Винсент Феррано до ставлен в больницу в бессознательном состоянии.

По сведениям из Московского уголовного розыска мина, на которой взорвался «мерседес», была приведена в действие с помощью радиовзрывателя. Другой инфор мацией МУР не располагает. Очевидно, и это, 64-е этом году заказное убийство, будет раскрыто нашими доб лестными пинкертонами с тем же «успехом», как и все предыдущие.

Примечательно, что фирма «Рос-Ам сэйф уэй» — т.е «Российско-Американский Надежный Путь» — была со здана для производства бронированных автомашин, но н успела покрыть броней даже машины своих хозяев. Хотя следовавший за взорванным «мерседесом» «уазик» с чемо данами г-на Феррано, в которых он привез из США мате риал для бронирования автомашин, уцелел и через три

374

аса после инцидента доставил этот груз в офис «Рос-Ам
эйф уэй» на Пречистенке, секретарша фирмы считает, что,
сли г-н Феррано не выживет, два оставшихся в живых хозяи-
а фирмы вряд ли продолжат этот «надежный» бизнес.

72.

МЕМОРАНДУМ № 5

О ПОРЯДКЕ ОБРАЩЕНИЯ ПРЕЗИДЕНТА К НАСЕЛЕНИЮ НАКАНУНЕ ВЫБОРОВ

ЦЕЛИ:

*1. Главная цель Обращения — продемонстрировать простым
оссиянам, что Президент понимает, через какие трудности про-
ла страна, и показать им, что он проводит реформы, раскрываю-
цие перед Россией широкие перспективы дальнейшего развития.*

*Следует учитывать, что Президент будет обращаться к людям в
х собственных домах, к избирателям, которые будут сидеть у теле-
кранов. Именно телезрители являются нашей главной аудитори-
й, поскольку люди в зале, где будет выступать Президент, — всего
ишь вспомогательное средство для того, чтобы произвести впе-
атление на аудиторию.*

*Это означает, что все выступление должно быть выдержано в
азговорном стиле, выражать заботу Президента о людях и стра-
е и раскрывать основные положения его предвыборной кампа-
ии. Нет необходимости в том, чтобы подчеркивать основные мысли,
роизнося их громче или с большим ударением. Акценты будут
асставлены самой аудиторией в зале, которая будет заранее
нать, когда именно аплодировать и выражать одобрение.*

*2. Мы хотим, чтобы люди поняли, что Президент — это живой
еловек, у которого есть семья, друзья и активные сторонники. Также нам бы хотелось, чтобы люди видели, что Президент доступен
ля простых граждан.*

Это означает, что, входя в зал и покидая его, Президент долже[н] общаться со своими сторонниками. На пути к сцене он долже[н] останавливаться, выслушивать людей, жать им руки. Телекамер[ы] должны следовать за Президентом, чтобы телезрители видели, к[ак] Президент общается с людьми. Присутствующая в зале аудито[-] рия должна быть как можно более пестрой. Не нужно, чтобы э[то] была толпа людей средних лет в пиджаках и галстуках. В толп[е] должны быть женщины, дети, люди старшего возраста и, где воз[-] можно, простые работающие люди. Аудитория не должна состо[-] ять только из организаторов предвыборной кампании, советник[ов] Президента и министров.

При входе в зал Президента должны сопровождать его супру[-] га и дочери. Из опросов «фокус-групп» мы можем сделать заклю[-] чение, что к жене Президента россияне относятся одобрительно, до тех пор, пока она сохраняет образ домохозяйки, люди счита[ют,] что она достойная женщина, которая полностью отвечает своем[у] положению. Ее присутствие придаст всему мероприятию боле[е] человечный характер, а это очень важно.

3. Мы считаем необходимым показать энтузиазм людей. Слиш[-] ком много россиян уверены в том, что Президент — изолированна[я] фигура, человек, которому нельзя доверять. Они считают, что он окру[-] жен группкой советников, у которых есть собственные темные цели.

Необходимо помнить о том, что это — радостное мероприяти[е.] Нам нужна большая, активная, шумящая толпа. Нам нужна пестра[я] толпа, и, самое главное, нам нужна толпа, которая будет излуча[ть] радость и энтузиазм по отношению к Президенту. Необходим[о,] чтобы в нужный момент раздавались приветственные и одобри[-] тельные крики и бурные аплодисменты.

4. Мы хотим, чтобы каждый, кто услышит или увидит это выступле[-] ние, понял основные идеи, содержащиеся в нем. Следовательно, сам[а] речь должна быть краткой, 15 — 20 минут. При этом следует учиты[-] вать, что она будет многократно прерываться аплодисментами и при[-] ветственными криками, которые займут определенное время.

По окончании речи Президент должен выйти к представите[-] лям средств массовой информации и ответить на несколько воп[-] росов из толпы журналистов, а затем дать интервью ведущим репортерам, теле- и радиожурналистам по принципу «один на один». Он должен дать как минимум три отдельных интервью для трех общероссийских телеканалов.

Цель всех этих интервью — еще раз подчеркнуть основные положения предвыборной программы Президента. Необходимо суметь повернуть интервью именно к этим идеям, независимо от того, какие вопросы будут задавать журналисты.

Разумеется, Президент не сможет дать личные интервью большинству средств массовой информации, и это должны будут сделать представители его команды. Желательно — премьер-министр, мэр Москвы и т.д.

РАСПОРЯДОК МЕРОПРИЯТИЯ

Важно помнить, что это мероприятие будет длиться два часа или более. Центральной его частью является речь Президента, но она займет лишь 15 минут. Само мероприятие начинается с момента, когда начинает собираться аудитория, и заканчивается после того, как окончены все интервью.

1. Это должно быть радостным событием. Присутствующие должны выглядеть радостными и счастливыми. Необходимо организовать раздачу прохладительных напитков, зал должен быть украшен, должны быть развешаны флаги и плакаты. Возможно, следует пригласить оркестр.

2. Примерно за 10 минут до появления Президента аудитория должна начать скандировать его имя, как бы призывая его в зал. Люди должны размахивать плакатами и флажками, и оркестр должен поддерживать это скандирование.

Организаторам мероприятия необходимо приложить все усилия, чтобы сломить обычно сдержанное поведение толпы. Когда накал толпы достигнет высшей точки, Президент должен вступить в зал, и группа людей должна завести толпу, чтобы все кричали: «На второй срок!» или «Еще четыре года!».

3. Президент должен вступить в зал со стороны, противоположной сцене, в сопровождении семьи и других людей, которые будут находиться с ним на сцене. 10—15 минут он должен идти

через коридор в толпе, выслушивая людей и беседуя с ними. Пока Президент общается с людьми, сопровождающие его лица должны уже подняться на сцену, и когда Президент взойдет на сцену, зал снова должен начать скандировать его имя или «Еще четыре года!».

4. Выступление Президента должно часто прерываться аплодисментами, и пять или шесть раз, когда Президент говорит об одном из ключевых моментов, должны раздаваться продолжительные аплодисменты и скандирование соответствующих лозунгов.

5. В конце его речи снова должно быть скандирование, и, покидая зал, Президент должен не менее пяти минут жать руки людям. Затем Президент направляется к представителям СМИ. Следует помнить, что статьи и репортажи об этом событии так же важны, как сама речь Президента. Мы сейчас работаем над подходящим заголовком, что-то вроде «Полная энтузиазма толпа приветствует Президента в то время, как он обращается к народу».

6. Нужно убедиться в том, что у нас есть команда людей, которые будут работать в толпе на этом мероприятии, и что значительная часть аудитории (25 процентов или больше) обучена аплодировать и кричать в нужное время.

Если это мероприятие окажется успешным, то это продемонстрирует россиянам, что Президент-политик в своих действиях руководствуется интересами, которые совпадают с интересами большинства россиян.

73.

Через несколько дней грузчики шереметьевского аэропорта подвезли к багажному отсеку «Боинга» цинковый гроб. Робин и Александра приехали вместе с ними — рейсом «Москва — Лос-Анджелес» компании «Трансаэро» Робин увозил останки Винсента Феррано.

Май был на излете, солнце уже грело совсем по-летнему. Александра сказала:

— Робин, ты мог бы на мне жениться?

Он посмотрел ей в глаза и увидел, что она не шутит.

— Я был в плену, во Вьетнаме, — ответил он и отвел глаза. — И с тех пор, к сожалению...

— Я знаю, — негромко произнесла Александра. И объяснила: — Мне сказал маршал. Он узнал тебя. Лагерь Дьен Бинь. Но это не имеет значения. Я... я беременна. От Винсента. Но я не хочу рожать этого ребенка здесь. Я хочу, чтоб он был американец. Я думаю, Винсент тоже этого хочет.

Грузчики подняли гроб, а их бригадир подошел к Робину, сказал:

— Ну чё? Страховка нужна.

— Какая страховка? — не поняла Александра. — У него была страховка «Америкэн экспресс»...

— Да при чем тут «америкэн»! — сказал бригадир. — Наша нужна. Для гроба. А то ж гроб может упасть, расколоться. На бутылку надо дать ребятам. Чтоб гроб не уронили.

— Sure. *Nado dat*, — усмехнулся Робин и здоровой левой рукой полез в карман.

— Я дам, я дам. — Александра торопливо вытащила из сумочки десятидолларовую купюру и сунула бригадиру.

— Другое дело, — сказал тот и, повернувшись к рабочим, крикнул: — Вира! Вира помалу!

Робин посмотрел, как они загрузили гроб в багажный отсек, и сказал Александре:

— Да, я думаю, он тоже этого хочет. Я вернусь за тобой.

ЭПИЛОГ

(По материалам московской прессы)

В начале июня движение «Духовное наследие» получило мощную дотацию от «Народного банка» и профинансировало турне лидера коммунистов по Уралу, Сибири и Дальнему Востоку. Одновременно в Подмосковье, Таджикистане и Литве было зарегистрировано появление огромного количества фальшивых стодолларовых купюр. Милиция обратилась к населению с предупреждением не покупать доллары у уличных менял.

В первую декаду июня в московском метро произошел взрыв, вслед за чем было совершено покушение на кандидата в вице-мэры Москвы, который только чудом остался жив.

5 июня, в связи с полным отсутствием средств у правительства, премьер-министр обратился к Думе с просьбой разрешить напечатать 5 триллионов рублей (1 миллиард долларов) для срочного, до выборов погашения всех долгов правительства по зарплатам и пенсиям. Хотя это означало эмиссию рубля и рост инфляции, Дума удовлетворила эту просьбу премьера: депутаты сочли, что в противном случае могут возникнуть рабочие забастовки, которые в сочетании со взрывами в метро позволят правительству ввести в стране чрезвычайное положение и отменить выборы. Некоторые экономисты заметили, что долги правительства по зарплатам и пенсиям месяц назад составляли 4,1 триллиона руб-

лей, а на что предназначаются остальные 900 миллиардов правительство не сообщило. Но начиная с 6 июня финансовых затруднений в работе Штаба избирательной кампании президента не возникало.

17 июня в первом туре президентских выборов Борис Ельцин набрал 34,8 процента голосов избирателей, лидер коммунистов Геннадий Зюганов — 32,3 процента, генерал Александр Лебедь — 14,3 процента, лидер партии «Яблоко» Григорий Явлинский — 7,2 процента, лидер Либерально-демократической партии Владимир Жириновский — 5,9 процента.

18 июня генерал Лебедь получил пост председателя Совета безопасности при Президенте России и обратился с призывом к своим избирателям во втором туре голосовать за Б.Ельцина. Министр обороны Павел Грачев отправлен в отставку.

В ночь с 19 на 20 июня агентами Федеральной службы безопасности задержаны два сотрудника Штаба избирательной кампании президента при попытке выноса из здания Российского правительства коробки с 500 000 долларов. После вмешательства в инцидент дочери президента утром 20 июня были отправлены в отставку: директор Федеральной службы безопасности генерал Барсуков, руководитель Службы безопасности президента генерал Коржаков и вице-премьер Олег Сосковец.

3 июля во втором туре президентских выборов Б.Ельцин набрал 56 процентов голосов и остался Президентом России на второй срок.

4 июля жена президента испекла пирог и принесла его в «Президент-отель», где Штаб избирательной кампании Б.Ельцина праздновал свою победу. Команду американских экспертов, тайно работавших в этом штабе с марта

месяца, на этот банкет не позвали. Сидя в ресторане отеля «Националь», что рядом с Манежной площадью, они подняли тост за свой праздник — День независимости США.

6 июля они улетели из Москвы.

Конец

Китай-город (Москва) — Нью-Йорк (США),
1996—   1997

Автор выражает глубокую признательность всем, кто консультировал его во время работы над этой книгой. Он хотел бы назвать их поименно, но не уверен, насколько китайцы будут благодарны им за эти консультации.

Эдуард Тополь рекомендует:

Почему я летаю «АЭРОФЛОТОМ»

С 1989 года, то есть с тех пор как меня стали печатать в России, я по 6–7 раз в году летаю из США в Москву. Сначала летал «FINAIR» и «Дельтой», потом – «KRASAIR», но вот уже четвертый год летаю только «Аэрофлотом».

Почему?

Во-первых, «Аэрофлот» сменил самолеты, и теперь из Москвы и Санкт-Петербурга в Нью-Йорк, Вашингтон, Майами, Чикаго, Лос-Анджелес, Сиэтл, Сан-Франциско, Монреаль, Торонто и Анкоридж беспосадочно летают комфортабельные и ультрасовременные «Боинги-777» и «-767» и «Аэробус-310».

Во-вторых, за эти три года не было ни одного случая отмены рейса, задержки и опозданий – я прилетаю в Москву к началу рабочего дня, а в Нью-Йорк – в полдень, когда без всяких пробок можно проскочить из аэропорта в Манхэттен за 30–40 минут.

В-третьих, в отличие от «Дельты» в «Аэрофлоте» даже при полете эконом-классом можно приобрести билет с открытой датой обратного рейса. При непредсказуемости скорости решения ваших дел это немаловажный фактор.

В-четвертых, сервис у «Аэрофлота» теперь на уровне высших мировых стандартов – в меню и обычная, и вегетарианская, и кошерная еда, и детское питание, а свежих московских газет и журналов всегда такое количество, что даже мне этого чтива хватает на весь полет.

Ну и в-пятых – цены на билеты почти на треть ниже «Дельтовских». А это *существенно*, и – весьма!

Думаю, что и на всех остальных рейсах – в Европу, Японию и так далее – «Аэрофлот» летает на уровне этих стандартов.

Короче, я летаю «Аэрофлотом».
И вам советую.

Телефоны «Аэрофлота»:
в Москве 150-38-83, в США (888) 340-64-00

Сайты Эдуарда Тополя в Интернете:

etopol. ru
etopol. boom. ru
etopol. com

Литературно-художественное издание

Тополь Эдуард
Китайский проезд
Роман

Художественный редактор О.Н. Адаскина
Технический редактор О.В. Панкрашина
Младший редактор Н.К. Белова

Общероссийский классификатор продукции
ОК-005-93, том 2; 953000 — книги, брошюры

Гигиеническое заключение
№ 77.99.11.953.П.002870.10.01 от 25.10.2001 г.

ООО «Издательство АСТ»
368560, Республика Дагестан, Каякентский район,
с. Новокаякент, ул. Новая, д. 20
Наши электронные адреса:
WWW.AST.RU
E-mail: astpub@aha.ru

При участии ООО «Харвест».
Лицензия ЛВ № 32 от 10.01.2001.
РБ, 220013, Минск, ул. Кульман,
д. 1, корп. 3, эт. 4, к. 42.

Республиканское унитарное предприятие
«Полиграфический комбинат имени Я. Коласа».
220600, Минск, ул. Красная, 23.